SERIES ⑥

ジェファーソンの密約

［上］

ジェームズ・ロリンズ

桑田 健［訳］

The Devil Colony
James Rollins

シグマフォース シリーズ⑥
竹書房文庫

目次

上巻

主な登場人物

グレイソン（グレイ）・ピアース……米国国防総省の秘密特殊部隊シグマの隊員
ペインター・クロウ……シグマの司令官
モンク・コッカリス……シグマの隊員
キャスリン（キャット）・ブライアント……シグマの隊員。モンクの妻
ジョー・コワルスキ……シグマの隊員
ロナルド・チン……シグマの隊員
セイチャン……ギルドの元工作員
カイ・クォチーツ……ピクォート族の少女。ペインターの姪
ヘンリー（ハンク）・カノシュ……米国の歴史学者
アシュリー・ライアン……米国陸軍の少佐
ジョーダン・アパウォラ……ユート族の青年
吉田純……日本の物理学者
田中陸……日本の物理学者
ラファエル・サンジェルマン……ギルドの工作員
アシャンダ……ラファエルの部下
ベルン……ラファエルの部下

ジェファーソンの密約　上

シグマフォース シリーズ ⑥

パパへ
順番だから（それに、しかるべき感謝を受けていないことが多いから）。

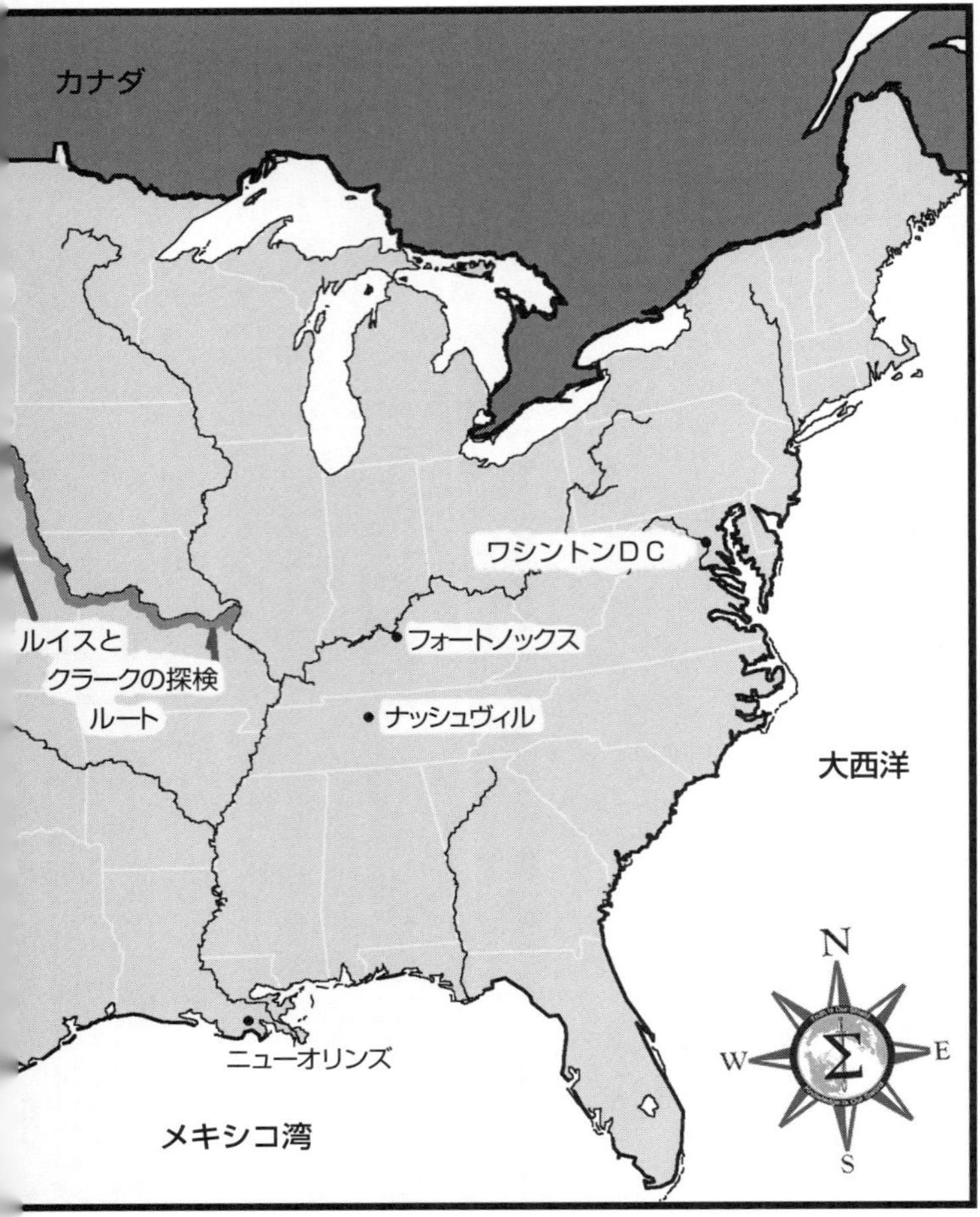
カナダ
ワシントンＤＣ
フォートノックス
ルイスと
クラークの探検
ルート
ナッシュヴィル
大西洋
ニューオリンズ
メキシコ湾
N
W
E
S
Σ

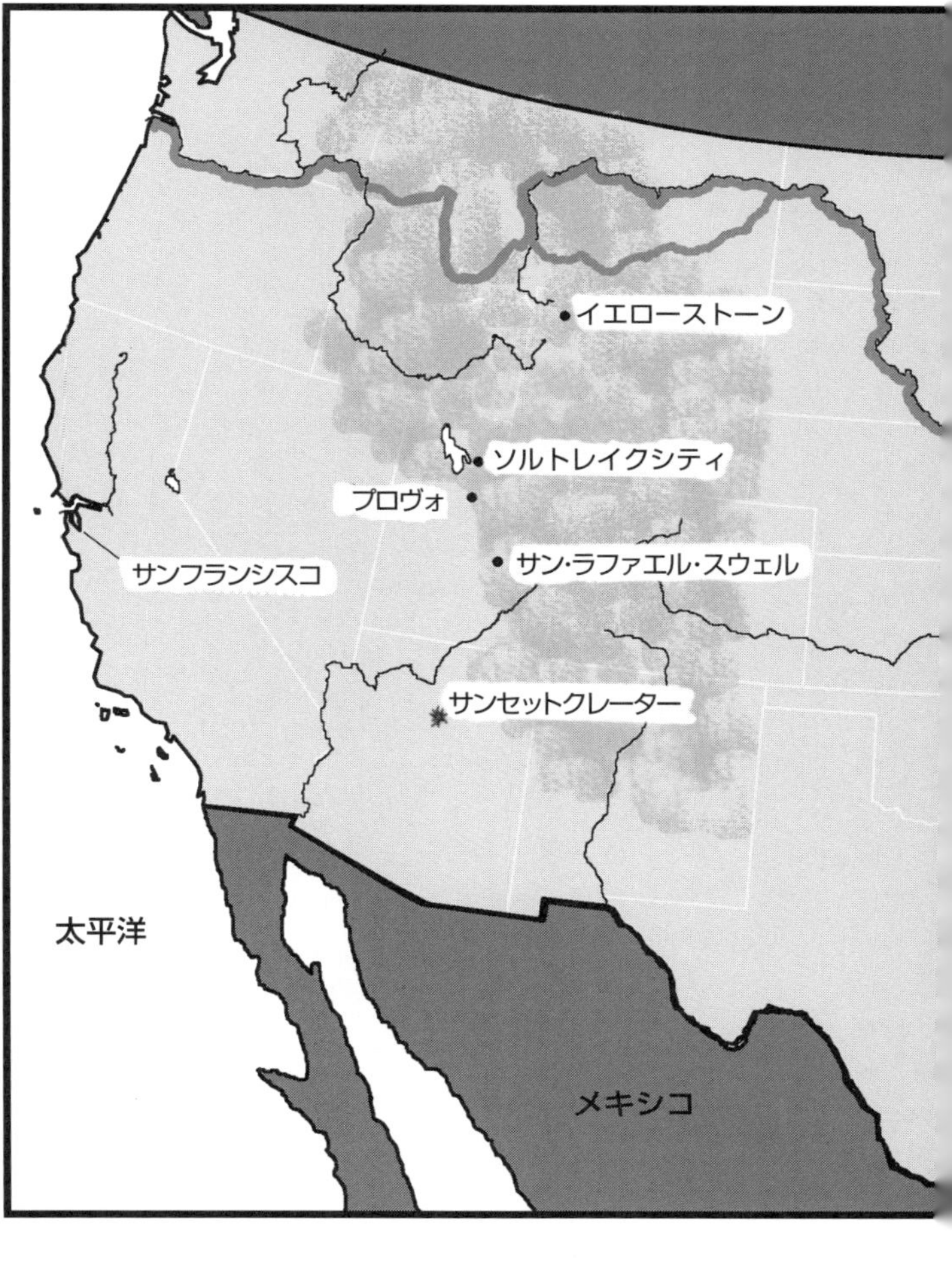
イエローストーン
ソルトレイクシティ
プロヴォ
サン・ラファエル・スウェル
サンフランシスコ
サンセットクレーター
太平洋
メキシコ

歴史的事実に関して

アメリカ人ならば、たとえ小学生であっても誰もがトーマス・ジェファーソンの名前を知っている。彼は独立宣言の立案者・起草者であり、新世界に点在していた植民地をまとめて一つの国家を創設するうえで中心的な役割を果たした。この二百年間、ジェファーソンに関しては数多くの著作が発表されている一方で、彼はアメリカ合衆国建国の父の中で今なお最も多くの謎と矛盾に包まれた人物でもある。

例えば、ジェファーソンの残した数多くの文書の中には暗号で書かれた一通の書簡が埋もれていたが、それがようやく解読されたのは二〇〇七年のことである。その書簡は、一八〇一年にアメリカ哲学協会の同僚からジェファーソンに宛てたものであった。植民地時代に科学的・学問的討論を奨励したシンクタンクであった同協会は、二つの問題に特別な関心を寄せていた。一つは解読不可能な暗号を考案すること、もう一つは新世界に居住していた先住民にまつわる謎を調査することである。

ジェファーソンはアメリカ先住民の文化と歴史に対して、はたから見ると異常なまでに執着していた。モンティチェロと呼ばれた自宅に保管していた先住民の遺物のコレクションは、当時の博物館のコレクションに匹敵する規模だったと言われている（ただし、そのコレクションは彼の死後、行方不明となっている）。そうした先住民の遺物のほとんどは、かの有名なアメリカ大陸横断の探検中に、ルイスとクラークから送られたものであった。だが、多くの人に知られていない事実もある。一八〇三年、ジェファーソンは合衆国議会に対して、ルイスとクラークの探検に関する機密情報を伝えた。その中には、太平洋を目指した二人の探検の背後にある真の目的が記されていたのである。

　本書のページをめくるうちに、読者はその目的について初めて知ることになる。アメリカの建国に関して、ごく一部の人だけにしか知られていない秘密の歴史が存在しているのである。ただし、それはフリーメイソンやテンプル騎士団とは無縁であるし、そのほかの珍説・奇説の類とも関係ない。その秘密に関する手がかりは、連邦議会議事堂の円形広間《ロタンダ》に堂々と陳列されている。ジョン・トランブルの手による有名な絵画『アメリカ独立宣言』である。ジェファーソンの監修のもと、この作品には有名な文書に署名した人々が描かれている。だが、ほとんどの人が気づいていない事実がある。トランブルは五人の余分な人物を、すなわち独立宣言に署名しなかった五人の姿も、その絵画の中に描いているのである。その理由は何か？　その五人とは誰なのか？

　答えを知りたいのなら、読み続けることだ。

科学的事実に関して

二十一世紀の科学研究および産業界にとっての次の大きな飛躍材料は、「ナノテクノロジー」の一語で表すことができる。簡単に説明すると、原子レベル（十億分の一メートルのレベル）での製造業である。それがどのくらいの大きさ（小ささ）なのかを目で確認したいのならば、文章の終わりに記すピリオドを思い浮かべてもらえればいい。Nanotech.org 社の科学者たちが製造に成功した微小試験管は、一つのピリオドの中に三兆本が入るほどの大きさ（小ささ）だという。

このナノテク産業はすでに活況を呈している。今年一年間だけで、アメリカ国内でのナノ製品の売り上げは七百億ドルに達するであろうと予測されている。ナノ製品は身のまわりにいくらでも存在する。歯磨き粉、日焼け止め、ケーキのアイシング、おしゃぶり、ランニング用の靴下、化粧品、医薬品、さらにはオリンピックのボブスレーでも使用されている。現在、一万点近くの製品にナノ粒子が含まれている。

このような成長産業の問題点は何か？　ナノ粒子は病気を引き起こし、時には死亡原因となる可能性がある。ＵＣＬＡの科学者たちは、子供用の日焼け止めをはじめとする数多くの製品に使用されている酸化ナノチタンが、動物に対して遺伝子レベルでの損傷を引き起こすおそれがあることを発見した。また、子供用の安全ヘルメットなど数千点の日用品に使用されているカーボンナノチューブは、ラットの肺や脳に蓄積することが判明している。さらに、この微小な世界においては、奇妙かつ予想外の出来事が確認されている。アルミホイルを例にあげてみよう。残り物の食品を包むのには便利だし無害ではあるが、アルミホイルをナノ粒子のレベルにまで細かくすると、爆発の危険が生じるのである。

ナノテクノロジーは新しいと同時に、危険な未開拓領域である。ナノ製品に対する表示義務はないし、ナノ粒子を含む製品の安全審査も義務付けられていない。しかし、この業界にはそれ以上に恐ろしい側面がある。ナノテクノロジーの歴史は十二世紀以前にまで——そのはるか以前にまでさかのぼることができる。その始まりはどこだったのか？　この新しい科学の闇の起源を知りたいのなら……

読み続けることだ。

「科学は私の情熱であり、政治であり、義務である」
――トーマス・ジェファーソン、一七九一年、ハリー・イネスに宛てた書簡の中で

プロローグ

一七七九年秋
ケンタッキー郡

怪物の頭蓋骨《ずがい》が、徐々に姿を現し始めた。

黄色く変色した一本の牙の断片が、黒い土壌の中から突き出している。

泥まみれになった二人の男が、掘った穴の両側の地面にひざまずいていた。一人はビリー・プレストンの父、もう一人はおじ。ビリーは落ち着かない様子で指の関節を噛みながら、二人を見下ろしていた。十二歳のビリーは、父とおじに懇願《こんがん》して今回の探検への同行を許されている。これまではいつも、母とまだ幼い妹のネルとともに、フィラデルフィアで留守番をさせられていたのだ。

この場に立っているだけで、一人前の男として認められたような気がする。

しかし、今のビリーは、誇りとともにかすかな恐怖を感じていた。

太陽が西の地平線へと傾き、野営地に網の目のような影を落としているせいかもしれない。

それとも、この一週間にわたって発掘を続けている骨のせいだろうか。

ほかの人たちもまわりに集まってきた。土や石の除去を手伝っている黒い肌の奴隷たち、指先にインクのしみを付けた正装の学者たち。そして、ケンタッキーの未開の地への今回の探検を率いる謎のフランス人科学者、アルシャール・フォルテスキュー。

背が高く痩せていて、漆黒《しっこく》の髪に影を帯びた眼差し――そんなフォルテスキューの外見に、ビリーは恐怖を覚えた。黒い上着とチョッキ姿の葬儀屋を連想させるからだ。この痩せた科学者に関して、密かにささやかれる噂も耳にしたことがある。死体を解剖し、人体実験を繰り返し、世界各地を旅行しては不思議な遺物を収集しているらしい。さらには、同僚の学者の遺体のミイラ化にも携わったと言われている。その学者は、進んで自らの体を提供し、この恐ろしい計画のために永遠の魂を放棄したという話だ。

その一方で、このフランス人科学者を高く評価する声も少なくない。ベンジャミン・フランクリンは、科学者たちによって新たに結成されたアメリカ知識振興協会の会員の一人に、自らフォルテスキューを推薦した。どうやら以前にフォルテスキューはフランクリンを感嘆させたことがあったようだが、詳しい事情は明らかにされていない。さらには、この奇妙な場所の調査を命じたヴァージニアの新知事も、フランス人科学者と旧知の仲らしい。

ビリーたちが今なおここにとどまっているのは、知事の命令だった――調査はずいぶんと長引いている。

数週間にわたって滞在しているうちに、周囲の木々の葉は黄色から燃えるような赤へと変わっていた。数日前からは朝に霜が降りるようになった。夜になると風が木々の葉を吹き飛ばし、残った枝だけがまるで骨のように空へと伸びている。ビリーの朝の日課は、発掘現場に降り積もった落ち葉を掃除することになった。その仕事は果てしなく続いた。地下に埋まる何かが白日のもとにさらされることのないよう、森が再び覆い隠そうとしているかのようだ。

今もビリーは干草を束ねて作ったほうきを手に、父の姿を見つめていた。膝下丈のズボンに泥が付着し、シャツの袖を肘までまくり上げた父は、地中に埋もれた財宝にこびりついた最後の土を除去しているところだ。

「いいかね、ここからは慎重に頼むよ……」フォルテスキューは訛《なま》りの強い英語で注意を促した。上着の裾をまくって身を乗り出し、片手の拳を腰に当て、もう片方の手で木製の杖を握って体を支えている。

フランス人の見下したような物言いに、ビリーは憤慨した。父は森のことなら何でも知っている。ヴァージニアの沿岸から、ケンタッキーの山奥の土地に至るまで、誰よりもよく知っている。戦争前から、父はこの地域で罠猟師として働き、インディアンと交易を行なってきた。ダニエル・ブーンと会ったこともあるという。

その一方でビリーは、刷毛《はけ》とこてを使用して森の豊かなローム層の土壌の中から財宝を慎重に掘り出す父の手が、小刻みに震えていることにも気づいていた。

「これに違いない」おじの声からは興奮している様子がうかがえる。「発見したんだ」

フォルテスキューは作業を続ける二人の男を上からのぞき込んだ。「もちろんだとも。ここに埋められていることはわかっていた。大蛇の頭に埋められていると」

ビリーは大人たちが何を探しているのかは知らない——知事からフランス人科学者に宛てた封印された手紙を、父とおじも読んだという話を聞いただけだ。だが、フォルテスキューの言う「大蛇」の正体ならわかる。

ビリーは穴の中から視線を外し、周囲の発掘現場を見渡した。彼らが発掘作業を行なっていたのは、森の中を曲がりくねって進む細長い墳丘《ふんきゅう》だ。土を盛って造られた墳丘は、高さが二メートル弱、幅はその約二倍。木々の間を縫い、起伏の緩やかな丘を越え、その長さは三百メートルにも及ぶ。森の中で息絶えた大蛇が、そのまま土に埋められたかのような形状をしている。

ビリーはこうした墳丘の存在を耳にしたことがあった。アメリカ各地の未開の地には、ここにあるような細長い墳丘や人の手による小山が数多く点在しているという。父の考えによると、それらはこの地域に住む野蛮な部族の遠い昔の祖先が建造したもので、インディアンにとっての神聖な埋葬地とのことだ。野蛮なインディアンたちにも古代の墳丘を建造した人々の記憶があるわけではなく、神話や伝説として残っているだけらしい。失われた文明、古代の王国、幽霊、邪悪な呪いなど、墳丘にまつわる噂をあげていったらきりがない——言うまでもなく、墳丘には財宝が埋まっているとの言い伝えも数多い。

父が地面の中から何かを掘り出したことに気づき、ビリーは穴の縁へと近寄った。動物の厚い皮でくるまれた物体だ。皮には黒い毛が損なわれることなく残っている。ジャコウのようなにおいが穴から立ち昇ってくる。肥沃《ひよく》な土壌と獣のにおいとが入り混じった強烈な臭気だ。近くで料理中のシカ肉のシチューの香りすらもかき消されてしまう。

「バッファローの毛皮だ」父は断言すると、フォルテスキューを一瞥《いちべつ》した。

フランス人はうなずきながら、作業を続けるように促した。

両手を使い、父はそっと毛皮をめくった。長年にわたって内部に隠されていたものがあらわになる。

ビリーは固唾《かたず》をのんだ。

このあたりの土地の開拓が始まって以降、数多くのインディアンの墳丘が発掘され、略奪された。だが、そうした墳丘の中から発見されたのは、死者の骨のほか、矢じり、動物の皮で作った盾《たて》、陶器のかけら程度だった。

なぜこの墳丘がこれほどまで重要なのだろうか?

二カ月間にわたって綿密な調査と地図の作成と発掘が行なわれてきたが、ビリーにはここを調査するように命じられた理由が今もってまったく理解できなかった。緻密《ちみつ》な作業を経て父のチームが発掘したのは、ほかの略奪者たちが見つけたものと何ら変わりはない。弓、矢筒、槍《やり》のほか、料理用の大鍋が一つ、ビーズを編み込んだモカシンが一足、精巧な模様の編み込まれた頭飾りが一つなど、インディアンの遺物ばかりだ。それ以外に、骨も見つかった。それも大量の骨が――頭蓋骨、肋骨、大腿骨、骨盤。大人の男女や子供を含む、少なくとも百人以上がここに埋葬されていたに違いない――フォルテスキューがそう試算するのを、ビリーは耳にしていた。

すべての発掘物を収集し、分類することは、気の遠くなるような作業だった。細長い大蛇の墳丘の一方から作業を開始し、インディアンの埋葬地を丹念に少しずつ掘り下げ、土や石を除去し、曲がりくねった墳丘の先へと進んでいくうちに、冬の足音が聞こえ始めた。だが、ようやく作業は、フランス人の言葉を借りれば、「大蛇の頭」へと到達したのだった。

ビリーの父がバッファローの毛皮を開いた。集まった人たちの間から声が漏れる。フォルテスキューさえも、鼻を指でつまんだまま、はっと息をのんだ。

毛皮の内側には、激しい戦闘の場面が描かれていた。馬にまたがって走る男たちが、毛皮の表面の至るところに見える。その多くは盾を手にしている。槍が突き刺さった箇所から深紅の血が飛び散る。空中を矢が飛び交う。ビリーはインディアンの叫ぶ鬨《とき》の声がはっきりと聞こえたような気がした。

フォルテスキューは穴の縁に両膝を突いて身を乗り出した。片手が絵の方へと伸びる。「このような作品は以前にも目にしたことがある。先住民たちはバッファローの脳をつぶした汁を使って皮をなめし、中をくり抜いた骨に顔料をつけてこうした絵を描くのだ。だが、こいつは《モンデュー》驚いた、これほどの傑作を見るのは初めてだ。見たまえ、馬の姿は一頭ずつ区別がつくように描かれているし、戦士の衣装も細かく着色されているではないか」

次にフォルテスキューの手は、毛皮によって長く保護されていた遺物の上で止まった。「それに、このようなものも今まで見たことがない」

怪物の頭蓋骨がむき出しになっていた。最初に見えた牙の断片は、毛皮の覆いから突き出していた部分だったのだ。夕暮れの中に姿を現した頭蓋骨は、教会の鐘と同じくらいの大きさがある。バッファローの毛皮と同じように、頭蓋骨の表面にも先史時代の芸術家の手による装飾が施されていた。

骨の表面には様々な人の姿や形が彫られ、その鮮やかな色合いはまだ絵の具が乾いていないのではないかと見紛《みまご》うほどだ。

ビリーのおじが口を開いた。その声からは畏怖の念が感じられる。「この頭蓋骨は……マンモスの骨だ、そうだろう？　ビッグソルトリックで見つかったのと同じだ」

「いいや、マンモスではない」そう言いながら、フォルテスキューは杖の先端を頭蓋骨に向けた。「牙の曲線と長さを見たまえ。それに咀嚼《そしゃく》用の歯の大きさも。解剖学的に見ても形状から見ても、この頭蓋骨は旧世界のマンモスとは種が異なる。アメリカ大陸特有のこの生物は、新種として再分類され、『マストドン』と呼ばれている」

「こいつがどんな名前で呼ばれているかなんて関係ない」ビリーの父は強い口調で言った。「これは正しい頭蓋骨なのですか、それとも違うのですか？　私が知りたいのはそれだけですよ」

「それを突き止める方法は一つしかない」

フォルテスキューは手を伸ばし、頭蓋骨の頭頂部に沿って人差し指を走らせた。その指の先端が、後頭部寄りに開いた穴に沈む。小さな頃からシカやウサギの皮を剝《は》いだ経験のあるビリーは、人工のものとしか思えないようなきれいな穴が頭蓋骨のそのあたりにあることを知っていた。フォルテスキューは穴に指をかけ、上に引っ張った。

集まった人たちの間から再び驚きの声が漏れる。数人の奴隷たちが、恐怖に怯《おび》えて後ずさりをする。ビリーも目を丸くして見つめることしかできなかった。怪物の頭蓋骨の頭頂部が、まるで戸棚の扉を引き開けたかのごとく、半分に割れたからだ。父の手を借りながら、フォルテスキューは頭蓋骨の二つの破片をゆっくりと裏返した。厚さは約五センチで、それぞれがディナー用の大皿ほどの大きさがある。

沈みつつあるかすかな太陽の光を浴びて、頭蓋骨の内側が明るく輝く。

「金だ」あまりの驚きに、おじは声を詰まらせた。

頭蓋骨の内側の全面に、貴重な金属が貼り付けられている。フォルテスキューは割れた頭蓋骨の一方の内側を指先でなぞった。その様子を見ていたビリーは、金色の表面のあちこちに突起や溝があることに気づいた。どうやら簡単な地図のようだ。線で描いた木々、盛り上がった山、湾曲した川などがある。表面にはニワトリの足跡のような記号も刻まれていた。文字だろうか？

よく見ようと身を乗り出したビリーの耳に、フォルテスキューのつぶやきが聞こえた。その声からは畏怖の念とともに、かすかな恐怖が感じられる。「ヘブライ語だ」

発見直後の驚きが薄れる中、ビリーの父が口を開いた。「しかし、頭蓋骨は空っぽじゃないですか」

フォルテスキューは金を貼り付けた頭蓋骨の内側の空間へと視線を移した。新生児がすっぽり収まるくらいの大きさがあるにもかかわらず、父の言う通り、中は空っぽだった。

フォルテスキューは頭蓋骨の内部を凝視している。その表情から何を考えているのかは読み取れないが、ビリーはこのフランス人の瞳の奥で、自分には理解のできない計算や推理が行なわれているような気がした。

〈いったい何が見つかると期待していたのだろう？〉

フォルテスキューは立ち上がった。「頭蓋骨を閉じたまえ。毛皮で包んでおくように。一時間以内にヴァージニアへと移送できるように準備しないといけない」

異議を唱える声は聞こえない。金があるとの噂が広まれば、この場所は間違いなく略奪の対象になる。それから一時間、太陽が地平線に沈み、松明《たいまつ》に火がともされる中、男たちは巨大な頭蓋骨を移すための作業を手際よく進めた。荷馬車と馬も用意された。ビリーの父とおじ、フランス人の三人はその間ずっと、頭を突き合わせながら話し込んでいた。

ほうきを手にしたビリーは、忙しく働いているように装いながら、さりげなく三人へと近づき、会話を盗み聞きしようとした。だが、小声で話をする三人の声は、途切れ途切れにしか聞き取ることができない。

「これで十分かもしれない」フランス人の声がする。「……取っ掛かりになる。我々より先に敵がそれを発見したら、誕生間もない君たちの国は何もできないうちに存亡の危機に直面することになる」

父が首を左右に振った。「それなら、今すぐに破壊してしまった方がいいでしょう。ここで燃やしてしまうのです。灰になるまで焼き尽くし、金も融かしてしまえば」

「いずれはそうする必要があるかもしれない。だが、その判断は知事に一任しようではないか」

父は納得のいかない様子で、フランス人に反論しようとしたが、その時ビリーがそばにいることに気づいた。ビリーの方に顔を向け、片手を上げて追い払うような仕草を見せ、何かを言おうと口を開きかけた。

だが、言葉が声になることはなかった。

父の口から声が出るよりも先に、喉から大量の血が噴き出した。父は首筋を手で押さえながら、膝から崩れ落ちた。顎のすぐ下から矢じりが突き出している。指の間から血が滴り落ち、口からも気泡混じりの血があふれ出る。

ビリーは父に駆け寄った。恐ろしい一瞬の間に、背伸びをした少年から一人の子供へと戻る。

「パパ！」

あまりのショックに、周囲の音が聞こえなくなる。ビリーの目に映るのは父の顔だけだ。自分の方を見つめる父の表情には、苦痛と後悔が色濃く浮かんでいる。次の瞬間、父の体が痙攣《けいれん》した。もう一度、そしてもう一度。やがて、父は前のめりに倒れた。背中に羽根が飛び散る。ビリーの目に、父の体に遮られて見えていなかったものが映った。ひざまずいたおじの姿。頭は前に垂れている。おじの背中から胸へと一本の槍が貫通し、その先端は地面に突き刺さっていた。槍の柄に支えられて、おじの体はひざまずいた姿勢のまま動かない。

自分が目にしているものが何なのか、いったい何が起こっているのか、ビリーが頭で理解するより先に、脇腹に何かが当たった。矢でもない。槍でもない。腕だ。押し倒された体が地面の上を転がる。ぶつかった衝撃で、周囲の状況が知覚に飛び込んでくる。

大勢の悲鳴が聞こえる。馬のいななきが聞こえる。松明の光に影が揺れる。数十人の男たちが格闘している。何本もの矢が音を立てて飛び交い、その合間に荒々しい叫び声が聞こえる。

インディアンの襲撃だ。

ビリーはもがいた。だが、フランス人科学者の体の下敷きになって動けない。フォルテスキューのささやき声がする。「このまま動くんじゃないぞ、坊や」

顔を赤く塗った半裸の野蛮人が、斧《おの》を高く振りかざしながら突進してきた。フォルテスキューは体を起こし、素早く立ち上がった。フランス人科学者が斧に対抗するため手に取ったのは、とても武器とは呼べないような代物――杖だ。

だが、オーク材でできた杖を振って先端を襲撃者に向けると、柄の部分から杖が二つに割れた。木製の鞘《さや》が吹き飛び、中から剣が姿を現した。空中を飛んだ鞘が額に当たり、インディアンが一瞬ひるむ。その隙にフォルテスキューは腕を突き出し、インディアンの胸を貫いた。

喉の奥から絞り出すような悲鳴が響き渡る。フォルテスキューが体をひねると、勢いのついたインディアンの体が地面にうずくまっていたビリーのすぐ横に崩れ落ちる。

フォルテスキューは剣を引き抜いた。「こっちへ来い、坊や！」

ビリーは言われた通りにした。とっさの判断で行動するだけだ。頭で考えている余裕はない。立ち上がろうとしたビリーの腕を、インディアンの手がつかんだ。インディアンは血まみれになりながらも、ビリーを逃がすまいとしている。ビリーは腕を引き抜いた。

インディアンの手が離れる。その手がつかんでいた袖口には、手のひらの跡が残っていた。血ではない。ビリーは瞬時に悟った。

〈絵の具だ〉

ビリーは瀕死のインディアンを見下ろした。ビリーの袖を握っていた手のひらは雪のように白いが、その一部にはまだ絵の具が付着している。

不意に襟首をつかまれ、ビリーは立ち上がった。

振り返ると、フォルテスキューがビリーの服の襟をしっかりとつかんでいた。「あいつら……あいつら、インディアンじゃないよ」ビリーは泣きじゃくりながら伝えたが、それが何を意味するのかは理解できない。

「わかっている」フォルテスキューは怯えた様子をおくびにも出さずに答えた。

周囲は混乱の極みにあった。最後の二本の松明の火も消える。悲鳴、祈り、命乞いの声がこだまする。

フォルテスキューはビリーを抱きかかえ、低い姿勢で野営地を横切った。置き去りになっていたバッファローの毛皮を拾い上げ、ビリーに手渡した時以外は走り通しだ。二人は森の奥へと逃げ込み、木につないで隠してあった一頭の馬へとたどり着いた。すでに鞍《くら》が取り付けられている。襲撃があることを予期していたかのような手回しのよさだ。馬は蹄《ひづめ》で大地を踏みしめ、頭を激しく振っている。悲鳴と血のにおいで恐怖に駆られているのだろう。

フランス人科学者は馬を指差した。「乗るんだ。すぐに走り出せるよう、準備をしておけ」

ビリーがあぶみに片足をかけると同時に、フォルテスキューは森の暗がりの中へと姿を消した。ほかにどうすることもできず、ビリーは鞍にまたがった。鞍に人が乗ったことで、馬はいくらか落ち着きを取り戻したようだ。ビリーは両腕を汗に濡れた馬の首に回した。心臓の鼓動が喉の奥を揺さぶる。心臓から押し出された血液が、体中を駆け巡る音が聞こえる。ビリーは両手で耳を押さえつけ、血流の音をかき消したいと思った。インディアンの近づく気配はないか、必死に目を凝らす。

〈違う、インディアンじゃない〉

　背後で枝の折れる音がする。ビリーが振り返ると、足を引きずりながら近づいてくる人影が見えた。上着のシルエットに見覚えがある。それに剣の輝きも。フランス人科学者だ。ビリーは鞍から飛び降り、フォルテスキューにしがみつきたいという衝動に駆られた。殺戮《さつりく》と策略の答えを、この科学者から聞き出さずにはいられない。

　フォルテスキューはよろめきながらビリーのもとへとやってきた。膝の少し上に、折れた矢が刺さっている。ビリーのそばへとたどり着くと、フォルテスキューは大きな二つの物体を差し出した。

「これも持っていってくれ。皮にくるんで見えないようにするんだ」

　ビリーは荷物を受け取った。二つに割れた怪物の頭蓋骨の頭頂部だ。表から見ればただの骨だが、内側は金色に輝いている。フォルテスキューは頭蓋骨のこの部分だけを取り外してきたに違いない。

〈どうしてそんなことを?〉

　だが、答えを確認している暇はない。ビリーは金が貼り付けられた二枚の皿状の骨を、膝の上に乗せたバッファローの毛皮で包んだ。

「行け」フォルテスキューが促した。

ビリーは手綱《たづな》を握ったものの、躊躇《ちゅうちょ》した。「あなたはどうするんですか？」

フォルテスキューはビリーの膝にそっと手のひらを置いた。ビリーの恐怖がわかっているかのように。ビリーを力づけようとしているかのように。だが、その言葉は有無を言わせぬ強い調子だった。「私が乗ると、ただでさえ大変な君とこの馬の負担が増えるだけだ。力の限り、馬を飛ばしてほしい。これを安全な場所へと届けてくれ」

「どこへ？」ビリーは手綱を握る指に力を込めながら訊ねた。

「ヴァージニアの新知事のところへ」フォルテスキューは馬から離れた。「トーマス・ジェファーソンに届けてくれ」

第一部　侵入

1

現在
五月十八日午後一時三十二分
ユタ州ロッキー山脈山中

まるで地獄の入口みたいだ。

二人の若者は深く薄暗い峡谷を見下ろす尾根に立っていた。ルーズヴェルトの小さな町から山道を八時間かけて、ようやくロッキー山脈の山中にある、人が寄りつきそうにないこの場所へとたどり着くことができた。

「本当にこの場所でいいのか？」トレント・ワイルダーは訊ねた。

チャーリー・リードは携帯電話を取り出し、GPSを確認した。透明なジップロックの中にある、シカの皮に描かれた先住民の地図も調べる。「だと思うな。地図によれば、この峡谷の底に小さな川があるはずだ。洞窟の入口は、川の流れが北へと変わるあたりらしい」

トレントは体を震わせ、髪の毛から雪を払った。標高の低い地域では野草が色鮮やかな花を咲かせて春の訪れを告げているが、この高地ではまだ冬がしっかりと居座っている。空気は冷え冷えとしていて、周囲の山々の頂は雪で覆われていた。そのうえ今日は朝から低い雲が垂れ込めていて、ついには小雪がちらつき始めた。

トレントは狭い峡谷をじっと見つめた。底なしの谷としか思えない。谷底を覆う深い霧の間から、黒いマツの森が突き出している。峡谷の周囲は、全面が急峻《きゅうしゅん》な断崖に囲まれていた。ロープや懸垂《けんすい》下降用のハーネスは準備してきたものの、それらの装備が必要な事態にならなければいいと期待していたのだが。

しかし、本当に気がかりなのはその点ではない。

「あそこに下りるのはやめた方がいいように思うな」トレントは言った。

チャーリーは片方の眉毛を吊り上げた。「半日以上もかけてここまで登ってきたのに？」

「呪いのことはどうなんだ？　おまえのおじいさんが――」

チャーリーは片手を振ってトレントの懸念を一笑に付した。「棺桶に片足を突っ込んでいて、ペヨーテで頭がいかれているじいさんだぜ」チャーリーはトレントの肩をぽんと叩いた。「びびって小便を漏らすんじゃないぞ。洞窟には矢じりとか、壊れた壺《つぼ》なんかがあるかもしれない。運がよければ骨が見つかるかもな。さあ、行くぞ」

トレントはチャーリーの後を追って、さっき見つけたばかりの細い獣道を下るよりほかなかった。慎重に谷底へと向かいながら、トレントはチャーリーの着ている深紅のジャケットの背中を見て顔をしかめた。ユタ大学を表す二枚の羽根が刺繍《ししゅう》されている。一方、トレントが着ているのは、ルーズヴェルト・ユニオンのクーガーが描かれた高校時代のジャケットだ。二人は小学校以来の親友だが、近頃は会う機会が減っていた。チャーリーは大学で一年目の年度を終えたところだが、トレントは父の経営する自動車修理工場で働いている。この夏休みも、チャーリーはユインタ居留地の法律事務所のインターンシップに参加するらしい。

どんどん世界を広げていく友人に対して、自分は田舎町ルーズヴェルトに閉じ込められている。いずれチャーリーは手の届かない世界に行ってしまうだろう。けれども、それは今に始まったことではない。チャーリーはこれまでずっと、トレントよりも目立つ存在だった。しかも、ユート族の血が半分流れていて、部族の特徴である黄褐色の肌と長い黒髪があるからなおさらだ。赤毛のクルーカットで、鼻から頬にかけてそばかすだらけのトレントは、学校時代のパーティーでは常にチャーリーの付き人のような存在だった。

そんな思いを口に出すことはなかったものの、大人の階段を上るにつれて自分たちの友情が終わりを迎えつつあることを、二人とも意識しているのは明らかだった。そのためのある種の通過儀礼として、二人は最後の冒険へと出かけることに決めた。ユート族にとって神聖な洞窟を探索することにしたのだ。

チャーリーによると、部族の長老の中でもほんの一握りの者たちだけしか、ハイ・ユインタス・ウィルダネスにあるこの埋葬地の存在を知らないという。しかも、その者たちも埋葬地について語ることはかたく禁じられているらしい。チャーリーがその存在を知ることができたのは、祖父のバーボン好きのおかげだった。内部をくり抜いたバッファローの角の中に隠してあった古いシカの皮の地図を、酔った祖父が孫に見せてくれたのだ。チャーリーの話では、祖父がそのことを記憶しているかどうかすら怪しいらしい。

トレントがその話を初めて聞いたのは、中学校時代にチャーリーと一緒に小型テントで過ごした夜のことだ。懐中電灯の光を顎の下から当てて雰囲気を出しながら、チャーリーは埋葬地にまつわる話を教えてくれた。「おじいちゃんが言ってたんだ、その洞窟には大いなる精霊が住みついているんだって。うちの部族の莫大な財宝を守っているのさ」

「どんな財宝なの？」トレントは半信半疑で訊ねた。あの時、トレントは父のクローゼットからこっそり持ち出した『プレイボーイ』誌の方が気になって仕方がなかった。当時の彼にとっては、それが何よりの宝物だったのだ。

チャーリーは肩をすくめた。「知らないよ。でも、きっと呪われているのさ」

「どういうこと？」

チャーリーは懐中電灯を顎に近づけ、片方の眉毛を大きく吊り上げた。「おじいちゃんの話だと、大いなる精霊の洞窟に侵入した者は、二度と外に出ることができないんだって」

「どうして？」

「洞窟から誰かが外に出たら、世界が終わりを迎えるんだってさ」

チャーリーが言い終わると同時に、トレントの年老いた猟犬が大きなうなり声をあげたため、二人はテントの中でびくっと震えた。それから二人は大笑いして、夜が更けるまで話し込んだ。あの時チャーリーは、祖父の話はただの迷信にすぎないと言って真に受けていなかった。現代に生きる先住民として、友人はそうした言い伝えを否定する側に回ることが多かったのだ。

それでも、チャーリーはトレントに対してその話を口外しないように約束させたし、地図に記されていた場所へ連れていこうともしなかった――今日までは。

「下の方が暖かい気がするな」チャーリーがつぶやいた。

トレントは手のひらを前に差し出した。友人の言う通りだ。雪は激しさを増し、雪片も大きくなってきたが、谷底へと下るにつれて空気が温かくなり、腐った卵のようなにおいがかすかに漂う。ある地点を境に、雪は細かい雨へと変わった。濡れた手のひらをズボンでぬぐったトレントは、尾根から見下ろした時に谷底を覆っている霧のように見えたものが、実は蒸気だということに気づいた。

その源が木々の間に見えてきた。峡谷の底の岩肌を、泡立った小さい川が流れている。

「硫黄くさいな」チャーリーがにおいを嗅ぎながらつぶやいた。小川のところにまで達すると、水の中に指を突っ込む。「熱いぞ。この近くにある温泉から流れ出ているんだろう」

それを聞いても、トレントは特に反応しなかった。このあたりの山間部には、そうした温泉がいくらでも湧き出ている。

チャーリーは立ち上がった。「この場所で合っているはずだ」

「どうしてだい？」

「このような温泉は、うちの部族にとって神聖な場所なのさ。だから、この場所を重要な埋葬地として選んだとしても、何の不思議もない」チャーリーは岩から岩へと飛び移りながら移動を始めた。「来いよ。もうすぐのはずだ」

二人は小川を上流へとさかのぼった。一歩進むごとに、気温が上昇しているかのように感じる。硫黄の臭気が目と鼻を刺激する。この場所が誰にも発見されなかったのも無理はない。目がしみて我慢できなくなったトレントは、引き返したいと思い始めた。その時、チャーリーが不意に立ち止まった。川が急角度で曲がっている地点だ。友人は携帯電話を持った手を前に伸ばし、体を三百六十度回転させてから、祖父の寝室から今朝盗み出してきたばかりの地図を確認した。

「ここだ」

トレントは周囲を見回した。洞窟など見当たらない。木々が鬱蒼《うっそう》と茂っているだけだ。頭上に目を移すと、標高の高い地点では雪が積もり始めているが、ここまで落ちてくるうちに雪は弱い雨へと変わってしまっている。

「入口はこの近くにあるはずだ」チャーリーがつぶやいた。

「それとも、ただの言い伝えにすぎなかったのかもな」

チャーリーは石を伝って小川の向こう岸に渡ると、シダのような植物の葉を足で蹴り始めた。

「ここまで来たんだから、探してみようぜ」

トレントは川から離れながら、自分のいる側をざっと調べた。「何もないよ！」トレントは友人に返事をした。花崗岩《かこう》の断崖が行く手をふさいでいる。「もうあきらめて――」

振り向こうとしたトレントの目がそれをとらえた。最初は崖の表面に映ったただの影のように見えた。峡谷の底を吹き抜ける弱い風が木々の枝を揺らすため、岩肌に映ったいくつもの影もそれに合わせて動いている。

だが、この影は動いていない。

トレントは影へと近づいた。洞窟の入口は上下の高さが低いが、横幅はある。しかめっつらのまま固まった口元のような形だ。地上から約一メートル二十センチほどの断崖の表面に開いていて、張り出した岩の下に隠れるような位置にある。

水音と毒づく声とともに、チャーリーが川を渡ってきた。

トレントは隙間を指差した。

「本当にここにあったんだ」そうつぶやくチャーリーの声から、初めてためらいがうかがえる。

二人は洞窟の入口を見つめたまま、しばらくその場に立ち尽くしていた。洞窟にまつわる話が脳裏によみがえる。どうしても足が前に動かないが、ここで引き返すのは男としてのプライドが許さない。

「やるのか？」ようやくトレントが訊ねた。

その言葉が迷いを解き放った。

チャーリーの背中に力が入る。「当たり前だ、やるぜ」

再び怖気《おじけ》づかないうちに、二人は崖に歩み寄り、洞窟の入口へとよじ登った。チャーリーが懐中電灯を取り出し、洞窟の奥を照らす。山腹の奥深くへと、傾斜の急な通路が延びている。

チャーリーは首をすくめて洞窟へと足を踏み入れた。「財宝とやらを発見しようぜ！」

友人の威勢のいい声に後押しされたかのように、トレントも後に続いた。

洞窟はすぐに横幅が狭くなったため、一列になって進まなければならなかった。洞窟内の方が外よりも気温が高い。しかし、雨に打たれることはないし、においもそれほど強くない。

体をよじりながらひときわ狭い部分を通り抜けようとした時、トレントのジャケットを通して花崗岩の表面の熱が伝わってきた。

「まいったな」隙間をすり抜けると、トレントはつぶやいた。「ここはまるでサウナみたいだ」

チャーリーの顔も汗で光っていた。「『スウェット・ロッジみたいだ』と言うべきだな。この洞窟はうちの部族によって蒸し風呂の代わりに使用されていたのかもしれない。きっとこの真下あたりから温泉が湧き出ているのさ」

そう言われてトレントは急に不安を覚えたが、今さら引き返すわけにもいかない。

さらに斜面を数歩下るとトンネルが終わり、バスケットボールコートほどの広さがある天井の低い空間へと出た。正面には岩を掘り下げて作った簡単な穴がある。かつてその穴で火が焚《た》かれていたのだろうか、周辺の大理石が黒く変色している。

不意にチャーリーの手がトレントの腕へと伸びた。しっかりと腕を握ったその手は、細かく震えている。トレントにもその理由がわかった。

空間内には先客がいる。

壁沿いや床の上に、無数の遺体が散乱していた。男性もいれば女性もいる。あぐらをかいて座っている遺体もあれば、横向きの姿勢で倒れている遺体もある。皮膚は乾燥して骨が浮き出ており、目は眼窩《がんか》へと落ち窪み、唇はまくれて黄ばんだ歯がむき出しになっている。遺体はどれも上半身が裸で、女性のむき出しになった乳房は干からびて垂れ下がっていた。羽根付きの頭飾りや、石と動物の腱で作ったネックレスなどの装飾品を身に着けた遺体もある。

「うちの部族の人たちだ」畏敬の念とともに声を震わせながら、チャーリーは一体のミイラ化した遺体へとゆっくり近づいた。

トレントも友人の後を追った。「それは確かなのか?」

懐中電灯の明るい光線を反射したその肌は、先住民にしては色が白すぎるように見えるし、髪の毛の色も明るすぎる。だが、トレントは専門家ではない。鉱物を多量に含む熱気にさらされたせいで、色があせてしまったのかもしれない。

チャーリーは黒い羽根で作った輪を首に巻いた男性の遺体を調べていた。懐中電灯の光を近づける。「赤い色をしているな」

チャーリーは遺体の皮膚のことを言っているのではない。懐中電灯の光を浴びて、乾燥した頭部に残る毛髪は赤みを帯びた鳶《とび》色に輝いていた。

トレントは別のことに気づいた。「首を見ろよ」

後頭部を大理石の壁につけた男性の顔は、斜め上を向いている。顎の下の皮膚が大きく裂け、骨と組織が見えていた。不自然なまでに真っ直ぐな切り口ができた理由は、推測するまでもない。男性の干からびた指には金属製の刃物が握られていた。きれいに磨き上げられたばかりのように、懐中電灯の光を反射して輝いている。

チャーリーはゆっくりと体を回しながら、懐中電灯で室内を照らした。床の上やほかの遺体の指の間にも、同じような刃物がいくつもある。

「どうやら集団自殺したみたいだな」トレントは唖然《あぜん》としながらつぶやいた。

「でも、何で自殺なんかしたんだ？」

トレントはこの空間内でもう一つ、目についたものを指差した。部屋の向こう側には山のさらに奥深くへと通じる真っ暗なトンネルの入口がある。「たぶん、この人たちはあの奥に何かを隠していたんじゃないのかな。誰にも知られたくない何かを」

二人はトンネルの入口を見つめた。トレントのつま先から震えが走り、両腕に鳥肌が立つ。

トレントもチャーリーも、その場を動こうとしなかった。死が支配するこの部屋の奥へと進むなんてまっぴらだ。財宝が存在する可能性にも、もはや心をひかれない。

チャーリーが沈黙を破った。「ここから出ようぜ」

トレントもそれには異存なかった。今日はもうこれ以上、怖い思いなどしたくない。

チャーリーは踵《きびす》を返し、出口へと向かった。それとともに、唯一の明かりも遠ざかっていく。

トレントもあわてて後を追った。だが、つい何度も部屋の方を振り返ってしまう。あの遺体の中のどれかが大いなる聖霊に取りつかれていて、刃物を手に自分たちを追いかけてくるのではないかと恐れたからだ。後ろに気を取られていたせいで、トレントはもろくなった岩で足を滑らせた。腹這いに通路に倒れると、傾斜の急な斜面をそのまま数メートルほど滑り落ち、部屋の方へと戻ってしまう。

だが、チャーリーは待ってくれなかった。それどころか、一刻も早くこの場を逃げ出したがっているようだ。トレントが立ち上がって膝に付いた土を払う頃には、チャーリーはトンネルの出口から外へと飛び出していた。

置いてきぼりにされたことに対して、トレントは大声で抗議しようとした——だが、自分の声よりも先に、激しい怒りの込められた叫び声がトンネルの外から響いてきた。ほかに誰かが表にいる。トレントはその場に凍りついた。激しく言い争う声がするが、何と言っているかまでは聞き取れない。

次の瞬間、一発の銃声がとどろいた。

トレントはびくっと体を震わせ、二歩後ずさりした。

銃声が峡谷内にこだまする中、ほかの物音は聞こえない。やがて重苦しい沈黙が訪れた。

〈チャーリー……?〉

恐怖に震えながら、トレントは後ろ向きのままトンネルを下り、出口から離れた。暗闇に目が慣れてきたため、音を立てることなくミイラたちの待つ空間へと戻ることができた。だが、部屋の入口で足がすくむ。背後に広がる暗闇と、外にいる何者かとの間に挟まれて、体が動かない。

静寂が支配し、時間の感覚が失われる。

その時、地面をこするような音と、かすかな息づかいが聞こえてきた。

〈やばいぞ〉

トレントは喉元を手で押さえた。何者かが洞窟内に侵入してきたのだ。心臓の鼓動が大きくなる。暗闇の奥深くへと姿を隠すよりほかない――だが、武器が必要だ。トレントは一人の男性の遺体に駆け寄り、手に握られていた刃物をもぎ取った。そのはずみで、遺体の指が枯れ枝のように簡単に折れてしまう。

武器を確保すると、トレントは刃物をベルトの間に挟み込み、遺体の間を縫って慎重に部屋の奥へと進んだ。前方に伸ばした両手の先が、もろくなった羽根や、乾燥して革のようにかたくなった皮膚や、ごわごわした手触りの髪の毛に触れる。骨と皮だけの細い手が自分をつかもうと伸びてくる姿を想像しながら、トレントは立ち止まらずに歩き続けた。

隠れることのできる場所を探さなければいけない。

その候補は一カ所だけある。

奥にあったもう一つのトンネル。

だが、そのトンネルの先に何があるのか？

下ろした足が床につかず、トレントは悲鳴をあげそうになった——だが、床を掘り下げた儀式用の穴のところまで到達していただけだった。トレントは身軽に穴を飛び越えた。暗闇の中、穴の位置からもう一方のトンネルの入口の場所を推測しようとする。だが、その必要はなくなった。

背後から光が差し込み、空間内が明るく照らし出される。

周囲が見えるようになったため、トレントはためらうことなく部屋の奥へと走った。トンネルの入口に到達すると同時に、後方から重いものが転がるような音が聞こえてくる。トレントは肩越しに振り返った。

外へと通じる洞窟から人間が転がり落ちてきて、床の上にうつ伏せの姿勢で倒れた。強くなりつつある光に照らされて、深紅のジャケットの背中に羽根の刺繍が見える。

チャーリーだ。

手で口を覆いながら、トレントはトンネルの暗がりの中へと逃げ込んだ。一歩進むごとに、突き刺すような恐怖が募る。

〈僕がここにいることも知られているのだろうか？〉

トンネルは平らで、足もともしっかりしていたが、奥行きはあまりない。ほんの五歩も進まないうちに、別の空間が姿を現した。

トンネルを抜けると、トレントは出口のすぐ脇の壁に体を預けた。激しい息づかいを整えようとする。相手に聞かれてしまうのではないかと思うと気が気ではない。見つかってしまうかもしれないと思いつつ、トレントは明かりの漏れる方をのぞき込んだ。

懐中電灯を手に、誰かがミイラの部屋へと侵入してきた。人影は体をかがめ、懐中電灯の光を揺らしながら、友人の死体を中央にある儀式用の穴へと引きずってくる。相手は一人だけだ。殺人犯は床に両膝を突き、懐中電灯を置き、チャーリーの死体を抱きかかえた。顔を天井に向け、体を揺らしながら、ユート語で何かを繰り返している。

トレントは息をのんだ。革製品のような色の肌をしたしわだらけの顔には見覚えがある。

トレントが見守る中、チャーリーの祖父はきれいに磨かれたスチール製の拳銃の銃口を側頭部に当てた。トレントは顔をそむけようとした。だが、間に合わなかった。狭い空間内に銃声がとどろく。チャーリーの祖父の顔の半分が、血と骨と肉の破片となって飛び散った。

拳銃が石の床の上に落下した。祖父の体が、孫に覆いかぶさるように崩れ落ちる。まるで孫の死体を守ろうとするかのようだ。力の抜けた腕が床に置かれた懐中電灯に当たる。そのはずみで光の向きが変わり、トレントの隠れている場所を明るく照らし出した。

恐怖のあまり、トレントはその場に座り込んだ。チャーリーの祖父が口にしていたという警告の言葉が頭によみがえる。あの時は迷信だと馬鹿にしていた。〈大いなる精霊の洞窟に侵入した者は、二度と外に出ることができない〉

ユート族の長老は、身をもってそのことをチャーリーに示したのだ。地図が盗まれたことに気づき、後を追ってここまでやってきたのだろう。

トレントは両手で顔を覆った。指の間から呼吸を繰り返す。ついさっき、この目で見たばかりの光景がどうしても信じられない。トレントは耳を澄ました。ほかにも誰かがいるのではないだろうか？　だが、周囲は静まり返っている。トレントはそのまま十分間、じっと待った。ようやくほかに誰もいないと確信すると、トレントはどうにか立ち上がった。奥の部屋の内部を振り返る。懐中電灯の光は小さな洞窟の奥にまで達し、はるか昔にこの場所に隠されたものを照らし出していた。

部屋の奥には弁当箱ほどの大きさの石がいくつも積み上げられていた。表面には油が塗ってあるらしく、樹皮でくるまれている。だが、トレントの目を引いたのは、部屋の中央に置かれている物体だった。

花崗岩の台座の上に、巨大な頭蓋骨が乗っている。

〈トーテムだ〉トレントは思った。

かつて目があった穴を見つめているうちに、トレントは頭蓋骨の頭頂部が高く盛り上がり、不自然なまでに長い二本の牙があることに気づいた。牙の長さは三十センチはあるだろうか。高校時代に地学の授業で教わった覚えがある。これはスミロドンの頭蓋骨だ。

だが、正体はわかるものの、頭蓋骨の不可解な状態には唖然とするばかりだ。殺人と自殺について、誰かに知らせる必要がある――この財宝についても。

説明のつかない財宝。

トレントは走ってトンネルを戻り、ミイラの部屋を横切った。外の光が近づいてくる。だが、洞窟の出口の手前まで戻ったところで、トレントは立ち止まった。チャーリーの祖父のもう一つの警告を思い出したからだ。洞窟に侵入した者が外に出たら、何が起こるか？

〈世界は終わりを迎える〉

涙をこらえながら、トレントはかぶりを振った。迷信のせいで親友は命を落とした。自分まで同じ目に遭ってたまるか。

大きくジャンプして、トレントは洞窟から外の世界へと戻った。

2

五月三十日午前十時三十八分
ユタ州ハイ・ユインタス・ウィルダネス

〈殺人事件となるとマスコミは大騒ぎをするんだから〉

マーガレット・グランサムは峡谷を見下ろす小高い草地に設置された仮設の野営地内を横切っていた。空気が薄いので少し呼吸が苦しい。寒さのせいで手の関節の神経痛がうずく。一陣の風で頭にかぶっていた帽子を吹き飛ばされそうになったが、彼女は手でしっかりと押さえ、外にこぼれた白髪交じりの髪を帽子の中に押し込んだ。

一・五ヘクタールほどの面積の中に、警察関係から報道陣まで、様々なチームによるいくつものテントが設営されていた。州兵の部隊が監視に当たっているが、彼らの存在はかえって現場の緊張を募らせるばかりだ。

この二週間のうちに、騒ぎを聞きつけた先住民のグループが、全米各地から人里離れたこの僻地《へきち》へと集結していた。徒歩で集まった者たちもいれば、馬の背に揺られてやってきた者たちもいる。NABO、AUNU、NAG、NCAIなど、組織の名称の頭文字を見ているだけで、その多彩さがわかる。だが、彼らの最終的な目的はただ一つ。アメリカ先住民の権利と部族の遺産を保護することにある。ティピーと呼ばれる昔ながらのテントは、伝統を重んじる一団によって設営されたものだ。

野営地の隅の空き地に向かって降下する地元メディアのヘリコプターに気づくと、マギーは顔をしかめながら首を左右に振った。マスコミの注目が集まれば、事態は悪化するばかりだ。

ブリガムヤング大学の人類学教授のマギーは、インディアン事務局ユタ支部から、この地の発見に関連した法的な問題の処理の仲介役を要請されていた。三十年間にわたり同大学で先住民のアウトリーチ活動に携わってきたマギーを、地元の部族は自分たちの考え方を理解してくれる人物だと見なしている。しかも、著名な歴史学者・博物学者であるショショーニ族のヘンリー・カノシュ教授とは、幾度となく仕事を共にした経験がある。

今回のように。

ヘンリーは洞窟のある峡谷へと下る小道の入口でマギーを待っていた。彼女と同じように、ブーツにジーンズ、カーキの作業着というでたちだ。白いものが交じった髪は、後ろでポニーテールにまとめている。マギーは彼の先住民としての本名「カイヴ・ウーヌー」を知る数少ない人物の一人だった。小道の手前でマギーを待つハンクの見た目は、「そびえたつ山」を意味するその名にふさわしい。年齢は六十に手が届こうとしているものの、身長は百九十センチ以上あり、筋肉質の体を維持している。花崗岩のような肌の色をしているが、薄い茶色の瞳に浮かぶ金色の斑点がその冷たい印象を和らげている。

ハンクの横には彼の飼い犬が座っている。山歩きで鍛えられたがっしりした体格のオーストラリアン・キャトルドッグで、片方の目の瞳は青、もう片方は茶色をしている。「カウッチ」という名前は、ユート族の言葉で「だめだ」を意味する。名前の由来を説明するハンクの言葉を思い出し、マギーは笑みを浮かべた。〈子犬の頃からそうやって叱ってばかりいるうちに、あいつはそれが自分の名前だと思い込んでしまったのさ〉

「そっちの状況はどうだい？」挨拶代わりの軽いハグが終わると、ハンクは訊ねた。

「よくないわね」マギーは答えた。「たぶん、この先も悪くなる一方よ」

「どうして？」

「さっき郡の保安官と話をしてきたところ。少年の祖父の薬物検査の結果が戻ってきたわ」

葉巻をくわえたハンクの口元が、心なしか険しくなる。彼は決して葉巻に火をつけない。ただ噛んでいるのが好きだと言う。モルモン教の戒律ではタバコは禁じられているが、ハンクにとってはこれが精いっぱいの妥協だった。両親ともにアメリカ先住民だが、ハンクはモルモン教徒として育てられた。十九世紀のベア川の虐殺後、洗礼を受けた北西部居住のショショーニ族の血を引いている。

「それで、報告書には何て記されていたんだ？」ハンクは葉巻をくわえたまま訊ねた。

「祖父からペヨーテの陽性反応が出たわ」

ハンクは首を左右に振った。「やれやれ。マスコミが喜びそうな話だな。ヤク中のインディアン、宗教儀式中に孫を殺害して自殺」

「今のところ詳細はまだ公表されていないけれど、時間の問題ね」マギーは大きくため息をついた。「最初の検死報告でさえ、あそこまでの反響があったというのに」

ユート族の若者とその祖父の殺害・自殺現場に捜査のため最初に到着したのは、郡の保安官たちだった。殺害された少年の友人という目撃者がいたために、事件の捜査はすぐに終了し、二人の遺体はソルトレイクシティにある州の遺体安置所へとヘリコプターで搬送された。当初の検死報告では、慢性のアルコール中毒による認知障害が悲劇の原因と認定された。その後、地元の新聞や全国紙には、アメリカ先住民の間に広がるアルコールの大量摂取に関する特集記事が掲載され、その多くは酒浸りのインディアンというイメージをことさら強調するような内容だった。

そうした記事がこの現場に悪影響を与えないはずがない。マギーはこの手の問題の扱いには慎重さが要求されることを知っていた。ここユタ州では、先住民と白人との間に流血と緊張の歴史があるからなおさらだ。

しかし、殺人事件だけなら政治的な泥沼の深みにはまることもなかった。事態をより厄介にしたのは、洞窟内で発見されたほかの遺体だった。ミイラ化した何百体もの遺体。

ハンクは洞窟へと通じる小道の方を指差した。彼の飼い犬が先頭に立ち、ふさふさした尾を高く上げながら小走りに道を下っていく。ハンクも後を追った。「調査官たちが今朝、報告書をまとめた。内容を読んだかい？」

ハンクの隣を歩きながら、マギーは首を横に振った。

「調査官によると、洞窟の入口は連邦政府の所有地だが、洞窟そのものは居留地の地下にまで延びているとのことだ」

「つまり、管轄《かんかつ》の境界線が曖昧《あいまい》だというわけね」

ハンクはうなずいた。「どこの管轄なのかという点を、あれこれ議論しても意味がないかもしれないな。インディアン事務局が提出した訴訟摘要書を読んだよ。一八六一年までさかのぼると、この一帯の土地はすべて、ウインタ・アンド・ユアレイ・インディアン居留地の一部に含まれていた。しかし、この一世紀半の間に、居留地の境界線は移動を繰り返している」

「ということは、洞窟の中身の所有者は自分たちだというインディアン局の主張が認められる可能性もあるということね」

「それはほかの要素次第だな。遺体が何年前のものか、埋葬されたのはいつか、そしていちばん大きな問題は、遺体がそもそも先住民なのかという点だ」

マギーはうなずいた。彼女がここに呼ばれた主な理由はそこにある。遺体の人種的な起源を判断することだ。すでに昨日、身体的な特徴の簡単な調査をすませていた。肌の色、毛髪の色、顔面の骨格の構造から見ると、遺体は白色人種と思われるが、遺物や服装は明らかに先住民のものだった。ＤＮＡ鑑定や化学分析など、より詳細な検査は、法的な問題のために実施できずにいる。洞窟の外へ遺体を搬出することさえも、アメリカ先住民墓地保護・返還法（ＮＡＧＰＲＡ）に基づく差し止め命令によって禁止されている。

「ケネウィック人騒動の再現ね」

ハンクは「何が言いたいんだ？」と問いかけるような視線を向けた。

「一九九六年、ワシントン州ケネウィックの川岸で古い人骨が発見された。最初に調査を行なった法医人類学者は、人骨が白色人種のものだと結論づけたわ」

ハンクはマギーを見ながら肩をすくめた。「それで？」

「放射性炭素年代測定法により、人骨は九千年以上前のものと判明した。アメリカ大陸で発見された最古の人骨の一つということになるわね。白色人種の特徴があるとされたことで、大きな注目を集めたの。現在の通説では、黄色人種がロシアからアラスカへと地峡を渡って移住し、北アメリカ大陸に初めて人類が定住したとされている。でも、白色人種の特徴を備えた古代の人骨の発見は、そうした説と矛盾するのよ。古代アメリカ大陸の歴史を書き換えることになるわ」

「その何が問題になったんだ？」

「地元の五人の先住民が人骨の所有権を主張したの。調査を中止し、人骨を埋葬するように求めて訴訟を起こしたのよ。裁判は十年以上も続いた。北アメリカ大陸ではそれ以外にも白色人種の人骨が発見されていて、同様に裁判沙汰になっているわ」マギーは指折り数えながら続けた。「ネヴァダ州スピリットケーブのミイラ、オレゴン州のプロスペクト人、アーリントン・スプリングスの女性。そうした人骨のほとんどは、十分な調査を行なうことができずにいる。それ以外にも、人知れず先住民の墓に埋葬されてしまった人骨もあるのよ」

「ここではそんな騒ぎに巻き込まれないことを祈るしかないな」ハンクは応じた。

話をしているうちに、二人は峡谷の底へと到達していた。カウッチが舌を出してはあはあと息をしながら、しっぽを高く上げて二人を待っている。

マギーは卵の腐ったようなにおいに顔をしかめた。硫黄泉のせいで谷底は気温が高い。顔は汗でじっとりと濡れている。マギーは手のひらで空気をあおいだ。

マギーが不快そうな表情を浮かべていることに気づいたのか、ハンクは洞窟の入口へと向かうように促した。ライフルとホルスターに収めた拳銃で武装した二名の州兵が、入口で警戒に当たっている。大きな注目が集まっており、盗掘の心配があるからだ。しかも、洞窟内に財宝が隠されているらしいことも報道されている。

州兵のうちの一人が近づいてきた。赤みがかった金髪を短く刈り込んだ童顔の若い男性だ。スティンソン二等兵はこの一週間ここで任務に就いているため、二人とはすでに顔見知りになっていた。

「ライアン少佐がすでに中でお待ちです」二等兵は告げた。「お二人の到着を待って、遺物を動かしたいとのことです」

「それがいい」ハンクは答えた。「これ以上、余計な緊張を生むのは避けたいからな」

「カメラも余計だわ」マギーは付け加えた。「米軍の制服を着た人間が先住民の神聖な遺物をこっそり運び出している映像なんて、好印象を与えるわけがないもの。この件は慎重な扱いが必要なのよ」

「ライアン少佐も同じ考えです」二等兵は二人のために道を開けたが、小声で付け加えた。「でも、少佐はかなりいらいらしていますよ。ここを取り巻く状況をあまり快く思っていないようです」

〈今さら教えてもらうまでもないわ〉

マギーにとって、ライアン少佐は悩みの種だった。

ハンクの手を借りて、マギーは遺体のある洞窟の入口へとよじ登った。彼の大きな手のひらが、腰をしっかりとつかんで押し上げる。マギーの全身がかっと熱くなると同時に、ほろ苦い思い出がよみがえった。かつて同じ手のひらが、彼女の裸体に触れたことがある。二人きりで幾晩も過ごすうちに、深い友情から生まれたつかの間の感情の高まり。しかし、そんな関係は二人には向いていなかった。恋人同士になるよりも、ただの友達でいる方がしっくりくる。

そう思いながらも、マギーは頰のほてりが気になって仕方がなかった。ハンクが洞窟の入口へと軽々とよじ登り、隣に立つ。ハンクは彼女の反応に気づいていないようだ。マギーはほっとすると同時に、少しだけ傷ついた。

ハンクはカウッチに向かって、外で待つように命令した。飼い犬は落胆した様子で頭を垂れた。

二人が洞窟の奥へと歩き始めると、内部からこもった怒鳴り声が響いてきた。マギーとハンクは顔を見合わせた。ハンクがやれやれといった表情を浮かべる。いつものことだが、ライアン少佐はご機嫌斜めらしい。ここに派遣された部隊の指揮官は、今回の発見が持つ人類学的な重要性などにはまったく関心がないどころか、この任務に割り当てられたことを苦々しく思っている。それに加えて、マギーは人種的な偏見の存在に感づいていた。野営地に集結した先住民たちを眺めながら、少佐が次のようにつぶやくのを耳にしたことがある。「あの時あいつらを一気に太平洋の彼方へ追いやっちまえばよかったんだ」

しかし、マギーは少佐と協力して作業に当たらなければならなかった――少なくとも、財宝の安全を確保するまでは。マギーとハンクに対して、トーテムの遺物をブリガムヤング大学の博物館へと移送する許可が与えられた理由の一つにはそれがある。あれだけの貴重な遺物を、警備もつけずに放置しておくわけにはいかない。遺物を運び出してしまえば、ここの警備体制も縮小されるし、野営地周辺で高まりつつある緊張状態も和らぐはずだ。

大きな部屋へとたどり着くと、マギーは入口で立ち止まった。ミイラ化した遺体が大量に並ぶ異様な光景に、改めて慄然《りつぜん》とする。バッテリー式のランプが室内を明るく照らし出していた。測量用のロープや犯罪現場を示す黄色いテープが、空間内に張り巡らされている。テープで仕切られた立入禁止の場所の間を縫うように、細い通り道が奥のトンネルへと通じている。

マギーは奥へと向かったが、ついつい周囲に散乱する遺体へと目が向いてしまう。遺体の保存状態は驚くほど良好だ。地熱の影響で高温に保たれているために、遺体から水分が蒸発して組織が乾燥した結果、体内に塩分が濃縮された。その塩分によって塩漬けの状態で保存されているのだ。

最初にここを訪れて以来、幾度となく浮かんだ疑問がまたしても脳裏に浮かぶ。なぜ彼らは自ら命を絶ったのだろう？　マギーはマサダ攻防戦の物語を思い浮かべた。立てこもったユダヤ人たちが、包囲したローマの軍門に下ることを拒み、集団自決した要塞だ。

〈ここでも同じような出来事が起きたのだろうか？〉

その答えはわからない。ここにはほかにも多くの謎がある。

目の端で影が動いたような気がして、マギーは思わず足を止めた。部屋の隅に折り重なる遺体の方を凝視する。不意に肩をつかまれ、マギーは息をのんだ。

力強く握り締める指のおかげで、冷静さが戻ってくる。「どうかしたのか？」ハンクが訊ねた。

「何かが見えたような――」

トンネルから聞こえた大声が、マギーの言葉を遮った。「ようやく到着されたようですね！」

奥のトンネルの入口で、光が揺れている。懐中電灯を手にしたライアン少佐が姿を現した。

軍服姿でヘルメットを深くかぶっているため、目から表情をうかがうことはできない。ただし、唇をきっと結んでいることから察するに、かなりいらついているのは間違いない。

少佐は懐中電灯で二人を手招きすると、踵を返し、トンネルへと戻っていく。「早いところ作業に取りかかりましょう。そちらの指示通り、運搬用の容器を準備してあります。部下が二人、お手伝いしますから」

少佐の後を追いながら、ハンクが小声でつぶやいた。「少佐はいつにもまして、ご機嫌うるわしいようだ」

マギーはトンネルの手前で立ち止まり、肩越しに振り返った。動くものは何も見えない。マギーは首を左右に振った。

〈ただの光のいたずらよ。影に怯えていただけだわ〉

「問題が発生しましてね」ライアン少佐の声で、マギーは我に返った。「ちょっとした事故です」

「どんな事故なのかね？」ハンクが訊ねた。

「ご自分の目でご覧いただいた方がよろしいかと」

急に不安を覚え、マギーも後を追った。

〈今度は何なの？〉

午前十一時四十分

物陰に身を隠したまま、工作員は三人がトンネルの中へと姿を消すのを見守っていた。ゆっくりと安堵《あんど》のため息を漏らしながら、恐怖からくる体の震えを抑えようとする。二体の遺体の陰にバックパックを移動させようとした時、危うく見つかるところだった。

暗闇の中、疑問ばかりが募る。

〈私はここで何をしているんだろう？〉

彼女は物陰で待ち続けた。早朝からずっと、うずくまった姿勢のままだ。彼女の名前はカイ。ナバホ語で「ヤナギの木」を意味する。心臓が早鐘を打つ中、カイは名前の由来となった植物の力があればいいのにと願った。今の自分に必要なのは、ヤナギの木のような忍耐強さと柔軟性だ。カイはゆっくりと足を伸ばし、左のふくらはぎの凝りをほぐした。しかし、背中の痛みは治まらない。

〈もう少しの辛抱〉カイは自分に言い聞かせた。

夜明けからずっと、カイはこの場所に隠れ続けている。彼女の友人が二人、酒に酔ったふりをして騒ぎ、それに気づいた州兵が洞窟の入口の持ち場から数メートル離れた。その隙をついて、カイは隠れていた場所から素早く飛び出し、トンネルの中へと潜り込んだのだった。

その後、物音を立てずに今いる位置まで忍び込むのは至難の業だった。だが、まだ十八歳のカイは、体がやわらかく、痩せている。しかも、物陰を利用して巧みに移動する術は体にしみついている。まだよちよち歩きだった頃から、父の後をくっついて歩いているうちに身に着けた技術だ。父は彼女に古いしきたりを教えてくれた――だが、そんな父も、ボストンでタクシー運転手をしていた時に射殺されてしまう。

その記憶が、骨の髄にまでしみ込んだ怒りを呼び覚ました。

父の死から一年後、カイはWAHYAから勧誘された。WAHYAはアメリカ先住民の権利を主張する好戦的な組織で、その名称はチェロキー語で「オオカミ」を意味する単語に由来する。過激であると同時に綿密な作戦のもとに行動するWAHYAは、全員が二十代またはそれ以下というカイのような若いメンバーで構成されている。権力にすり寄る既成の組織とは一線を画した行動を取ることに対して、メンバー全員が誇りを持っていた。

暗がりに隠れながら、カイは怒りの炎が体中に広がり、恐怖を焼き払っていくのを感じていた。WAHYAの創設者でありリーダーでもあるジョン・ホークスの激しい言葉が頭によみがえる。〈アメリカ政府が我々の権利を返してくれるまで、どうして大人しく待っていなければならないのだ？　なぜ我々の側がひざまずき、施しを受けなければならないのだ？〉

これまでにもＷＡＨＹＡは、ちょっとした騒ぎを引き起こしてその名を知られる存在になっていた。モンタナ州では、宗教儀式に際して幻覚作用のあるマッシュルームを使用したとの理由でクロウ族の先住民が有罪判決を受けた後、裁判所の入口でアメリカ国旗を燃やした。つい先月にも、先住民が運営する州のカジノに規制を加えようとしたコロラド州選出の下院議員の事務所に、スプレーで落書きをしたばかりだ。

しかし、ジョン・ホークスの話によれば、ここでの活動は組織が全米の注目を集める格好の機会だという。大きな論議を呼んでいる今回の件に関して、ＷＡＨＹＡは積極的に関与して主導権を握り、政府が先住民の問題に干渉することに対して断固抗議する姿勢を前面に打ち出すのだ。

叫び声を耳にして、カイは奥のトンネルへと目を向けた。

カイの体に緊張が走った。新たな二人の人物が到着する前、奥のトンネルの方角から何かが割れる音と、怒りをぶちまけながら悪態をつく声が聞こえていた。どうやら何か問題が発生しているようだ。カイはその問題が自分の任務に支障を来たすようなものではないことを祈った。

こんなにも長い時間、待ち続けたのだから。

カイは重心がかかる足を変え、もう少しの辛抱だと自分に言い聞かせながら、合図を待った。手を伸ばし、バックパックに触れる。中に詰まっているのはＣ４のプラスチック爆薬。すでにワイヤレスの起爆装置が埋め込まれている。

もう少しで、待つことから解放される。

午前十一時四十六分

「いったい何をしでかしたんだ?」ハンクが問いただした。怒りに震える声が、狭い空間内にこだまする。

マギーは彼を落ち着かせようと肩に手を置いた。この空間内に足を踏み入れるとすぐに、問題が目に飛び込んできた。

奥の壁の手前には、石でできた容器が積み上げられている。形状はどれも同じで、マギーはつい昨日、容器の一つを詳しく調査したばかりだ。死者の骨を納める四角形をした骨壺の小型版とでも言ったらいいだろうか。けれども、NAGPRAの先住民側の代表からの許可が下りない限り、容器のふたを開けることはできない。それぞれの容器の表面には油が塗られ、乾燥したネズの樹皮でくるまれていた。

ところが、昨日とは状況が変わっている。

マギーが見下ろす洞窟の床の上には、六個の容器が落下していた。いちばん手前にある容器は二つに割れていたが、樹皮にくるまれているおかげでかろうじてばらばらにはなっていない。

　ハンクは大きく息を吸い込むと、ライアン少佐をにらみつけた。「ここにある容器には一切手を触れてはならないという厳重な指示が出されているんだぞ。このことがどれほどの騒ぎを引き起こすことになるか、わかっているのか？　爆薬の導火線に火をつけたも同然の状態になってしまったことを、理解しているのか？」

「わかってますよ」ライアンは負けずに言い返した。「間抜けな部下の一人が、運搬用の容器を運び込んで向きを変えた拍子に、角をぶつけてしまいましてね。そうしたら、崩れ落ちてきたんですよ」

　マギーは室内にいる二人の州兵に視線を向けた。二人ともうつむいたまま、上官の叱責《しっせき》を受け止めている。二人の間には、緑色をしたプラスチック製のトランクが置かれていた。ふたが開いており、発泡スチロールを敷き詰めた内部が見える。この室内にある財宝を安全に外へと運び出すためのトランクだ。

「それで、次はどうするんですか？」ライアンはむっとしたまま訊ねた。

　マギーはその質問には答えなかった。無意識のうちに、床に落下して壊れた容器へと足が向く。自分を抑えることができない。マギーは容器の脇にひざまずいた。

　ハンクも隣に並んだ。「容器には手を触れない方がいい。破損の程度を文書に記録してから――」

「ちょっと中をのぞくくらいならいいじゃない」マギーは割れた石の塊へと手を伸ばした。まだ樹皮がこびりついている。「起きてしまったことは仕方ないでしょ」

ハンクの声が警告の口調を帯びる。「マギー」

マギーは石の塊を手でつかみ、そっと脇にどかした。長い年月を経て、光が初めて容器の内部を照らす。

固唾をのんでもう一つのかけらをどかすと、容器の内部の様子がさらに明らかになる。中身は金属の板のようだ。年代を経ているせいか、表面は黒ずんでいる。マギーは顔を近づけ、何度か首をかしげた。

〈変だわ……〉

「表面に書かれているのは文字かな?」ハンクが訊ねた。好奇心に負けて、ハンクも彼女の隣からのぞき込んでいる。

「腐食して筋が浮き出ただけかもしれないわ」

マギーは金属板に手を伸ばし、角の部分をそっと親指でぬぐった。黒い油が取れると、その下から見覚えのある黄色い輝きが姿を現す。マギーははっとして手を引っ込めた。

「金だ」ハンクも自然と小声になっている。

マギーはハンクの顔を見てから、壁の前に山積みされた石の容器へと視線を移した。これと同じような金属板が、すべての容器に収納されている様を思い浮かべる。心臓の鼓動が速くなり、喉元までせり上がってくるかのように感じる。〈ここにどれだけの量の金があるという

の？〉

マギーは立ち上がった。ここにある財宝がどれほどの規模になるのか、見当もつかない。「ライアン少佐」マギーは警告した。「あなたと部下は、当分の間この洞窟から離れられそうにないわよ」

少佐はうめき声を漏らした。「金はあれだけじゃなかったということか」

マギーは室内の中央にある花崗岩でできた台座へと目を向けた。その上にはスミロドンの巨大な頭蓋骨が置かれている。この先史時代の遺物だけでも、極めて貴重な大発見だ。殺害された部族にとっての精神的な支柱となるトーテム――部族の人たちが大切にしていたこの巨大な頭蓋骨の全面にも、融かした金が塗られている。

マギーは貴重な偶像の周囲をゆっくりと回った。一抹の恐怖を覚える。今回の一連の出来事に関しては、どこか釈然としないところがある。それが何なのか、具体的には説明できないのだが、絶対に何かがおかしい。

けれども、残念なことに、その謎について考えを巡らせている時間はない。

「だったら、少なくともこの頭蓋骨だけでもここから運び出してしまいましょう」ライアンは提案した。「容器のことは後で考えればいいじゃないですか。部下に手伝わせましょうか？」

ハンクがその提案を遮るかのように素早く立ち上がった。「我々二人に任せてくれ」

マギーもうなずいた。二人は黄金のトーテムを挟むような位置に立った。マギーが両手を差し出すと、長い黄金の牙が指に触れそうになる。

「私が前からつかむわ」マギーは指示した。「あなたは後頭部を支えてちょうだい。私の合図に合わせて持ち上げてから、トランクの中に入れましょう」

「了解」

二人は遺物へと手を伸ばした。マギーは二本の牙の付け根のあたりを握った。牙は回した指がかろうじて届くくらいの太さがある。

「一、二の……三」

二人は力を合わせて頭蓋骨を持ち上げた。金で覆われているからある程度は予想していたものの、それでも思っていたよりかなり重量がある。マギーは頭蓋骨の内部で何かが動くのを感じた。砂状のものがずれたかのような感触だ。大いに好奇心をそそられたものの、詳しい調査は後回しにしなければならない。二人はリズムを合わせてカニのように横歩きをしながら、ふたの開いたトランクのところへと移動し、発砲スチロールの敷き詰められた内部へと頭蓋骨を下ろした。頭蓋骨が発泡スチロールへと沈み込む。

二人は背中を伸ばし、顔を見合わせた。ハンクは手のひらをジーンズでこすりながら、マギーの顔をじっと見ている。どうやら彼も感じたのだろう。砂粒が動いたような気がしただけではない。もっと奇妙な感覚。ここの温度が高いので、マギーは頭蓋骨の表面も温かいだろうと想像していた。しかし、地熱効果で洞窟内は高温に保たれているにもかかわらず、頭蓋骨の表面は冷たかった。

〈どうしてあんなにも冷たいのかしら……〉

マギーはハンクの目に不安の色が浮かんでいることに気づいた。自分も同じ気持ちだ。

二人が口を開くよりも早く、ライアンが頭蓋骨の入ったトランクのふたを勢いよく閉じ、出口の方角を指差した。「私の部下が頭蓋骨を洞窟の外まで運びます。そこから先のことは、我々は関知しませんからね」

午後零時十二分

低い姿勢でうずくまったまま、カイはミイラ化した遺体の間を通り過ぎる人たちの列を目で追っていた。先頭を歩くのは年配の女性で、つばの広い帽子の下に髪の毛をたくし込んでいる。その後ろを三人の州兵が続く。州兵のうちの二人が、緑色をしたプラスチック製のトランクを抱えている。

〈黄金の頭蓋骨だわ〉カイは思った。

彼らは頭蓋骨を運び出そうとしている。事前に受けた説明の通りだ。すべては計画通りに進行している。頭蓋骨が運び出されてしまえば、洞窟内にいるのは自分だけ。あとは爆薬を仕掛け、日が暮れるのを待ち、こっそりと抜け出すだけだ。洞窟内に誰もいなくなったら、爆発で洞窟を崩落させ、先祖の遺体を埋め戻す。ＷＡＨＹＡの主張は明確だ。先住民がアメリカ政府の許可を得る時代は終わった。先祖の遺体を埋葬するという基本的な権利にまで、政府の顔色をうかがうのはもうまっぴらだ。

カイは列の最後尾を歩く背の高い男性に目を留めた。その途端に、全身が怒りに包まれる。カイはこの男性を知っていた。先住民の誰もがよく知る人物だ。ヘンリー・カノシュ教授は先住民の間で様々な物議を醸している人物で、その名前を耳にしただけで拒否反応を示す仲間も少なくない。もちろん、彼が先住民の主権拡大の強力な擁護者であることは疑う余地などないし、彼の尽力のおかげで西部諸州の居留地の面積が一割ほど増加したのも事実だ。しかし、教授は自らの部族の仲間たちと同じく、モルモン教を信仰している。古くからのしきたりを捨て、かつてユタ州で先住民の迫害や虐殺に手を染めた宗教の一派に加わっているのだ。地元の先住民の部族の中でも伝統を重んじる者たちは、モルモン教徒という理由だけで教授を敵視する。カイは以前、ジョン・ホークスが彼のことを「インディアン版のアンクル・トム」と呼んでいるのを耳にしたこともあった。

五人が外へと通じるトンネルへと達したところで、カノシュ教授は後方を指差した。「この問題の調査がもう少し進むまで、あの容器の中で見つかった金のことは口外しないでもらいたい。ここだけの秘密だ。ゴールドラッシュさながらの大騒動になるのはごめんだからな」

カイは教授の言葉に反応した。〈金?〉

事前の説明によれば、洞窟内にある金は先史時代の頭蓋骨に塗られている分だけのはずだ。あのトーテムが洞窟内から移送されることに関しては、WAHYAの側も特に異存はなかった。遺物は先住民の博物館で展示される予定になっているから、一向にかまわない。それに、爆発によってミイラ化した遺体とともに黄金の頭蓋骨までも埋まってしまったら、何とかして頭蓋骨を掘り出そうと考える人間が現れるかもしれない。そんなことになれば、祖先の安らかな眠りが再び妨げられることになってしまう。

〈でも、この中にもっと金が存在するならば……〉

一行がトンネルの中へと姿を消すのを見届けてから、カイは立ち上がり、バックパックを背負った。遺体の散らばる中をおそるおそる進みながら、奥のもう一つの部屋へと向かう。自分の目で確認する必要がある。本当に大量の金が隠されているのなら、事情は大きく変わってくる。頭蓋骨のほかにも財宝が存在すると知ったら、一攫千金を狙う者たちが大挙して押し寄せることだろう。

真相を確かめなければならない。

奥のトンネルへと駆け寄り、暗い入口へと走り込んだカイは、別の不安材料に思い当たった。この奥に大量の金が本当に存在するなら、兵士たちが見張りのために戻ってくるに違いない。そうなれば、自分の脱出計画にも支障が生じる。この洞窟内で身動きが取れなくなってしまうだろう。もし捕まった場合、プラスチック爆薬の詰まったバックパックを背負っている理由を説明できるはずがない。数十年とはいかないまでも、数年間は刑務所暮らしを覚悟しなければならない。

恐怖が募るにつれて、自然と足も速まる。

奥の洞窟へと達すると、カイはペンライトのスイッチを入れ、狭くて暗い内部を照らした。最初は特に変わったところがあるようには見えなかった。古びた石の容器と、もはや何も乗っていない花崗岩の台座があるだけだ。しかし、何かが光を反射したことに気づき、カイは足もとに視線を落とした。容器が一つ、床に落ちて割れている。

カイは床に片膝を突き、ペンライトの光を近づけた。容器の中には、厚さ一センチほどの金属板らしきものが詰まっている。いちばん上にある金属板の角の部分を見ると、ぬぐい取られた汚れの下から金が顔をのぞかせていた。カイは驚いて体を起こした。壁一面に積み上げられた石の容器にペンライトの光を向ける。

〈いったいどうすればいいの？〉

地下にいるから無線で指示を仰ぐこともできない。こんな事態は自分の手に負えない。けれども、逃げ出すわけにもいかない。自分で決断を下さなければならない。時間の経過とともに、警備の兵士が戻ってくるのではという恐怖が募る。落ち着いて考えを巡らせることができない。息づかいが荒くなる。暗闇に体が締めつけられているかのように感じる。

遠くから叫び声が聞こえ、カイは体をすくめた。出口の方へと向き直る。こもった声が続いた後、誰かが悲鳴をあげた。

カイは立ち上がった。

〈何が起きているの？〉

バックパックを握り締めたカイは、ＷＡＨＹＡの入念な計画が破綻《はたん》しつつあることを認識した。パニックに襲われ、心臓の鼓動が速まる。恐怖が理性をのみ込む。カイは体をかがめ、割れた石の容器に手を突っ込み、いちばん上にある三枚の金の板をつかんだ。ペーパーバック版の本と同じくらいの大きさだ。意外に重さがあるため、カイは金の板をジャケットの下に押し込み、ジッパーを締めて体にぴったりとつけた。

任務を放棄した理由をジョン・ホークスに説明する際、その証拠が必要になる。この結果には喜ばないだろうが、グループにとってこの金は使い道があるかもしれない。政府による隠蔽《いんぺい》工作があるのならばなおさらだ。カイはカノシュ教授の言葉を思い出した。

〈ここだけの秘密だ〉

カイも言いふらすつもりなどなかったが、今はそれよりもここから脱出することの方が先決だ。手前の大きな部屋へと急いで戻ると、外からの怒りに震える声も大きくなる。何が原因で騒動が持ち上がっているのか、カイには見当もつかなかったが、その騒ぎに紛れて逃げ出すことができるかもしれないとの期待もふくらむ。一か八かの賭けに打って出るしかない。兵士たちが戻ってきたら、この洞窟内に閉じ込められてしまう。

考えられる方法は一つだけ。自分のいちばんの強み。スピードだ。

〈洞窟の外へ飛び出し、走って森の中に逃げ込めれば……〉

だが、出口の外では何が待ち構えているのだろうか？

カノシュ教授の大きな声が、洞窟内の空気を震わせた。「近づくな！」

午後零時二十二分

マギーは洞窟の出口から数メートル離れたところに立っていた。外に出るやいなや、騒ぎに巻き込まれてしまったのだ。

カメラのフラッシュを浴びながら、マギーたちは身動きができずにいた。ほんの少し離れたところには、彫りの深い顔をした見覚えのある人物が立っている。白髪で淡い青色の瞳をしたその男性は、ＣＮＮのベテランレポーターだ。そのすぐそばにはユタ州の州知事が立っている。これでは州兵といえども、テレビの取材チームがここまで下りてくるのを制止できなかったわけだ。再選を狙う州知事にとって、カメラの前に立つ機会ほどありがたいものはない。

当然ながら、洞窟の近くにいるのはテレビ関係者だけではない。全米の注目を集めるためにカメラに映るチャンスをうかがういつもの連中がいる。

「我々の遺産を盗む気か！」集まった大勢の人たちの間から叫び声があがる。

マギーは野次を飛ばした男性に目を向けた。シカ革の衣装に身を包み、顔にはペイントを施してある。男性はｉＰｈｏｎｅを高く掲げ、一部始終を録画していた。おそらく一時間もしないうちに、マギーたちをとらえた映像はＹｏｕＴｕｂｅにアップされるだろう。

マギーは反論したくなる気持ちを抑えた。ここで自分が何か言い返したところで、火に油を注ぐだけだ。

マギーたちのグループが洞窟から外へ出た直後、そのことに気づいた群衆は、テレビカメラの前でインタビューを受けていた州知事を押しのけて洞窟の入口へと殺到した。押されて転ぶ人も出る中、数カ所で小競《こぜ》り合いが起こり、不穏な空気が漂い始めた。ライアン少佐の指示で州兵たちが立ちはだかり、人の流れを押し戻してくれたおかげで、かろうじて秩序が保たれている。

その隙にハンクとほかの州兵たちが、テレビカメラや抗議の声をあげる人たちとマギーとの間に壁を作ってくれたのだった。

ハンクが片手を上げた。「遺物を見たいのならば」大きな声が響き渡る。「見せてあげよう。けれども、その後ドクター・グランサムは遺物を持ってブリガムヤング大学へと向かう。大学ではスミソニアンの国立アメリカ・インディアン博物館から派遣された歴史学者によって、遺物の調査が行なわれる予定になっている」

別の怒声がハンクの説明を遮った。「おまえたちはこの頭蓋骨に対しても、ブラックホークの遺体と同じことをするつもりなんだ！」

マギーはたじろいだ。ユタ州の暗い歴史の一つだ。ブラックホークは先住民ソーク族の族長で、十九世紀半ばの開拓者たちとの戦いで命を落とした。死後、彼の遺体は各地の博物館で展示されたが、そのうちに所在がわからなくなってしまった。その後、イーグルスカウトのための活動を行なっていたボーイスカウトの隊員によってモルモン教会の倉庫に保管されているのが発見されるまで、遺体は行方不明のままだったのである。発見後、遺体は再び埋葬された。

これ以上黙っていることはできない。マギーは緑色をした運搬用のスーツケースの隣で手を上げた。全員の視線とすべてのカメラが彼女の方を向く。

「私たちは何も隠したりしません！」マギーは声を張り上げた。「この発見に関して、激しい感情論があることも十分に承知しています。けれども、私がこの場でみなさんに約束します。この遺物の扱いには最大限の敬意を払うと」

「口先だけだ！　何も隠したりしないと言うなら、我々に頭蓋骨を見せろ！」

それを合図に、群衆の間から「そうだ」という声があがり、やがて「頭蓋骨を見せろ」の大合唱が始まった。

マギーは州知事が自分の方を見ていることに気づいた。その視線は人々の要求に従うよう訴えている。ここに集まった人たちは、黄金のトーテムが歴史的な価値のある遺物だという理由からではなく、単なる物珍しさから見たがっているのではないか。マギーはそんな気がしていた。そういうことなら、観客の要望にこたえてあげるのも悪くない。

群衆に背を向けると、マギーは体をかがめ、しっかりと閉まった掛け金を外そうとした。神経痛のせいで指が思うように動かない。しかも、谷底にかかっていたもやが細かい雨へと変わっていた。トランクのプラスチック製の表面に小さな雨粒が降り注ぐ。群衆は静まり返った。

ようやく掛け金を外すと、マギーはトランクを開いた。降りしきる雨に、遺物を長時間さらすわけにはいかない。せいぜい一分が限度だろう。マギーは発泡スチロールの中に収納された金色の頭蓋骨を見下ろした。谷底は薄暗いにもかかわらず、遺物の表面は明るく輝いている。

カメラと群衆から中身が見えるように、マギーはトランクから一歩離れた。その間も、頭蓋骨から目をそらすことができない。頭蓋骨の表面には薄いもやのようなものがかかっていた。マギーの見ている目の前で、雨粒が金色の表面に落ちる――その瞬間、雨粒は涙の形に凍結した。

背後の群衆がいっせいに息をのんだ。

彼らも今の光景を目撃したに違いない、そう思った時――マギーの耳は岩とブーツとがこすれる音をとらえた。顔を上げると、黒のジーンズにジャケット姿の細身の少女が、洞窟の入口から飛び降りたところだった。ほんの一メートルも離れていない距離だ。漆黒の長い髪が、カラスの羽根のように翻《ひるがえ》る。少女は片手でジャケットを押さえていたが、着地のはずみで何かが滑り落ち、大きな金属音とともに岩の上に落下した。

金の板の一枚だ。

ライアンが泥棒に向かって「止まれ！」と叫んだ。

命令を無視して、少女は体を反転させ、森の中へと逃げ込もうとした。しかし、洞窟の外の雨に濡れた岩場で足を滑らせる。前のめりになり、バランスを取ろうと片腕を伸ばした拍子に、バックパックが肩から外れた。バックパックは宙を舞い、トランクの近くに落下する。少女は転倒しそうになったが、野生のシカのような敏捷《びんしょう》さで体勢を立て直した。つま先立って回転しながら体の向きを変え、森の端へと駆けていく。

その間、マギーはふたを開いたトランクに覆いかぶさるような姿勢でじっとしていた。中身を見て、遺物の無事を確認する。そのわずかな時間のうちに、さらに数滴の雨粒が落下し、凍結していた。黄金の遺物の表面に、いくつもの氷の粒が付着している。

無意識のうちに伸びた指先が氷に触れると同時に、強い衝撃が走った。激しい痛みが腕を伝わる。だが、体が後方にはじき飛ばされるわけではない。マギーは逆に腕が引っ張られるのを感じた。手のひらが金色の表面に貼り付く。それと同時に、指の骨が燃え上がり、内側から肉を焼き尽くしていく。ショックと恐怖で、マギーは声をあげることすらできなかった。膝の力が抜けていく。

ハンクの叫び声が聞こえる。

ライアンも大声をあげた。

苦痛の中、ある言葉が耳に届く。

〈爆弾だ！〉

午後零時三十四分

まばゆい閃光《せんこう》にハンクは目がくらんだ。マギーに向かって叫んでいた次の瞬間、目の前が真っ白な光に包まれる。雷鳴のような轟音が鼓膜を直撃し、何も音が聞こえなくなる。氷のような冷たい衝撃波で体が飛ばされる。冷え切った神の手で平手打ちを食らったかのようだ。仰向けに倒れたハンクは、何かに引っ張られるような不思議な感覚にとらわれた。爆発の方へと体が引き寄せられている。

ハンクは体の芯からの恐怖を覚えながら、その力に逆らった。何かがおかしいという感覚だけではない。自然の理《ことわり》に反する何かの存在を感じる。全身の力を振り絞って、不可解な流れに抵抗する。

次の瞬間、それはふっと消えた。

説明のつかない力が消滅し、ハンクの体は解放された。同時に、五感が戻る。人々の泣き叫ぶ声が耳に飛び込んでくる。ぼやけた視界の焦点が合ってくる。ハンクは脇腹を下にした姿勢で地面の上に横たわっていた。顔はさっきまでマギーが立っていた場所を向いている。衝撃のあまり、ハンクは身動き一つできなかった。

マギーの姿は消えていた――トランクも、頭蓋骨も、洞窟の入口も、その周囲の断崖の大部分も。

ハンクは肘をついて体を起こし、あたりを見回した。

マギーの姿は見当たらない。黒焦げになった死体も、ばらばらになった肉片もない。環状に黒く変色した大地が、湯気を噴き上げているだけだ。

ハンクは立ち上がろうとした。カウッチが体を震わせながら近寄ってくる。怯えた様子で、しっぽはだらりと垂れ下がったままだ。自分にもしっぽがあったなら、きっと同じような格好をしていたに違いない。ハンクは飼い犬を安心させようと脇腹をさすってやった。

「大丈夫だ」

そうであってほしい。

その頃には、周囲にいた人たちのほとんどが立ち上がっていた。パニックに陥った群衆が、いっせいに逃げ惑い始めた。テレビ局の取材チームは、州兵に守られながらやや高い地点へと移動していた。二人の兵士が州知事の体を抱えながら、小道を登っている。新たな襲撃があった場合に備えての行動だ。

ハンクは少女が放り投げたバックパックを思い浮かべた。トランクの近くに落ちたバックパックの口が開き、中身が外にこぼれ出した。黄色がかった灰色をした、配線済みの物体。

ライアン少佐は即座にその脅威を指摘した。

〈爆弾だ〉

だが、その警告もマギーには手遅れだった。

体の奥深くから激しい怒りの炎が湧き上がる。襲撃者の容貌《ようぼう》を思い浮かべながら、ハンクは怒りをさらに募らせた。磨き上げた銅のような色をした肌、茶色い瞳、黒髪。あの少女が先住民なのは間違いない。テロリストは身内に存在したのだ。ただでさえ厄介な事態に陥っていたというのに。

大きな悲しみに包まれたまま、ハンクはおぼつかない足取りで爆発地点へと向かった。この状況を理解しなければならない。隣にいたライアン少佐も、ヘルメットを手に取って頭にかぶり直した。

「こんなのは今までに見たことがありません」半ば呆然《ぼうぜん》とした様子で、ライアンは口を開いた。「これほどの威力の爆発だったら、ここにいた人たちの半数が死んでいてもおかしくない。もちろん、我々も含めてです」少佐は手を開いた。「それにこの熱はいったい……」

ハンクも同じ思いだった。まるで溶鉱炉の近くに立っているかのような熱気だ。空気中に硫黄の燃えるにおいが充満しているせいで吐き気を催す。

二人の見ている目の前で、爆発地点にあった巨大な岩が砕け、小さなかけらへと分解していく。それと同じように、崖の表面も小さな石や砂粒となって流れ落ちている。硬度のある花崗岩がもろい砂岩と化し、ぼろぼろと崩れ落ちているかのようだ。

「地面を見てください」ライアンが言った。

ハンクは爆発地点の地面に視線を落とした。噴き上がる湯気が霧のように漂っている。降り注ぐ雨が地面に当たると、しゅっという音とともに蒸発する。だが、ハンクにはライアン少佐が何を気にしているのかわからなかった。きっと少佐は若いから目がいいのだろう。

ハンクは地面をよく観察するために片膝を突いた。その時、彼も気づいた。湯気が立ちこめていたせいでよく見えなかったのだ。岩の表面はもはや固体ではない。細かく挽《ひ》いたコショウの粒のような状態だ――しかも、粒は動いている！

熱したフライパンの上に垂らした油のように、細かい粒は小刻みに震えていた。表面にあった小石が、目の粗い砂粒となり、さらに細かい粉末へと変化していく。雨粒が落ち、地面から水蒸気が昇る。それと同時に、まるで穏やかな水面に小石を投げ込んだかのごとく、微小な粒と化した地表を波紋が外側へと広がっていく。

目の前の光景が信じられず、ハンクはただ首を横に振るばかりだった。漠然とした恐怖を覚えながら、ハンクは爆発地点とかたい岩肌との境目を観察した。ハンクの見ている目の前で、かたい大地が砂粒へと変化し、少しずつ範囲が広がっている。

「拡大しているぞ」ハンクはライアンを押し戻した。

「いったいどういうことです？」

ハンクには答えようがなかった。ただし、断言できることが一つだけある。「何かがまだ活動している。岩を砕きながら、外側へと広がっているんだ」

「そんな馬鹿な。ありえないですよ――」

爆発地点の中心付近の地中から、大量の水が噴き出した。高温の水の柱は、高さ数メートルにまで達している。降り注ぐ熱湯から逃れるために、二人は現場からさらに離れた。

火傷を負い、目玉を熱湯でゆでられたかのような熱さを感じながら、ハンクは立ち止まった。あえぎながらも、説明を試みる。

「地熱温泉にまで達してしまったに違いない……この峡谷の地下にあるやつだ」

「いったい何の話ですか？」ライアンは上着の襟を立て、口と鼻を覆っていた。強烈な硫黄の臭気で呼吸もままならない。

「ここで発生した何かは、外側へと広がっているだけじゃない」

ハンクは小さな間欠泉《かんけつせん》を指差した。

「地下にも広がっているんだ」

3

五月三十日午後三時三十九分
ワシントンDC

〈ディナーの予定はキャンセルだな〉

ユタ州で爆発事件が発生したのは、ほんの一時間前のことだ。だが、ペインター・クロウは当分の間、この司令部に缶詰めにならざるをえないだろうと覚悟した。一分ごとに新たな情報が飛び込んでくる。だが、爆発現場が辺鄙《へんぴ》な山間部のため、詳しい状況はいまだにつかむことができずにいた。ワシントンの全情報機関が警戒態勢に入り、各組織の総力を結集して状況の分析に当たっているところだ。

もちろん、その中にはシグマも含まれる。

ペインターの率いる組織はＤＡＲＰＡ（国防高等研究計画局）直属の機密部隊だ。隊員は特殊部隊に所属する兵士の中から選抜されている——ずば抜けたＩＱを持つ者や、比類のない観察眼を持つ者たちから成る集団。採用された隊員たちは様々な科学分野の再訓練を受け、国防総省の研究・開発部門の実戦部隊として必要な知識を身に着ける。その後、隊員たちは世界各地へと派遣され、地球規模の脅威との戦いを繰り広げている。

通常、今回のユタ州のような国内で発生した事案は、シグマの管轄外に当たる。だが、いくつかの不審な点が、ペインターの上司でもあるＤＡＲＰＡの長官グレゴリー・メトカーフ大将の目に留まった。それだけなら、このような状況のはっきりしない事案にシグマの隊員を動員することに対して、ペインターは異議を唱えていたかもしれない。しかし、爆発を取り巻く問題を考慮した結果、かつてシグマに命を救われたことのある大統領が直々に、この慎重な扱いが求められる問題に対するシグマの援助を要請してきたのだ。

〈ジェームズ・Ｔ・ギャント大統領の要請を拒むわけにはいかない〉

そのため、ペインターが立てていた恋人との今夜のバーベキューは、キャンセルせざるをえなくなった。

バーベキューの用意をする代わりに、ペインターは机に背を向け、オフィスの三方の壁に設置された薄型モニターの画面を見つめていた。様々な角度から撮影された爆発の模様が映し出されている。最も鮮明なのは、取材のために現地を訪れていたＣＮＮのカメラが撮影した映像だ。ほかの二台のモニターには、二十一世紀の世界におけるデジタルの目として利用されている携帯電話で撮影された、画素の粗い映像や写真が次々と流れている。

ペインターはＣＮＮからの映像を凝視していた。繰り返し再生される映像を、すでに何十回も眺めている。年配の女性——人類学者のドクター・マーガレット・グランサムが、緑色をした軍の運搬用トランクにかがみこむ。掛け金を外し、トランクを開く。その直後に周囲がざわつき、映像が揺れる。カメラが大きく振れると、女性の奥に別の人影がよぎる。人影が走り去ったかと思うと——目もくらむような閃光がきらめく。

リモコンのボタンを押して、ペインターは映像を静止した。爆発の中心地点を見据える。目を凝らすと、閃光の中に女性の影をかろうじて確認することができる。閃光の中に潜む幽霊のようだ。ペインターは映像を一コマずつ先に進めた。女性の影がゆっくりとまばゆい光にのみ込まれ、やがて完全に消滅する。

大きなため息をつきながら、ペインターは早送りのボタンを押した。そこから映像は乱れ、画面が大きく揺れる。木々や空、走り回る人々の姿が映っているだけだ。その後、カメラマンは少し高い地点へと移動し、安全だと判断したのか、撮影を再開する。再び映像にとらえられた爆発地点は、水蒸気のようなものでかすんでいた。逃げ惑う人々で、周囲は大混乱に陥っている。数人が下に残り、慎重に現場の調査を行なっている。その直後、間欠泉が噴出し、残っていた人たちも爆発地点から避難した。

シグマ所属の地質学者による仮の報告書は、すでにペインターの机の上に置かれていた。報告書には、爆発により「地表近くの地熱水」が噴出したと思われると記されている。

ペインターは再び間欠泉へと視線を戻した。すでに「地表近くの」という形容は当てはまらない。地質学者による報告書には、現場周辺の温泉の位置を示す地図も添付されていた。専門用語が頻出するその文章の端々から、まだ若い地質学者の強い思いが感じられる。現場を自分の目で観察したくてうずうずしているのだろう。

そのような意欲にこたえてやりたいのはやまやまだが、現場は州兵によって封鎖されていた。爆発の背後に存在すると思われる謎の人物の捜査が進行中だ。もう一度リモコンを操作して、ペインターは現場から逃走する容疑者がとらえられているところで映像を静止した。あまり鮮明ではなく、ぼやけた姿しか映っていない。カメラが容疑者をとらえていたのは、せいぜい一秒くらいだろうか。

目撃者の話によると、容疑者は若い女だったらしい。起爆装置を接続したC４の詰まったバックパックを投げた後、森の中に逃げ込んだという。州兵、地元の警察、さらにはＦＢＩのソルトレイクシティ支局の捜査官が、付近一帯の封鎖を試みているが、現場が険しい山間部で深い森に覆われているため、女の発見には困難が予想されている。容疑者が土地勘のある人間ならばなおさらだ。

事態をいっそう複雑なものにしそうな要素は、その女はアメリカ先住民だったと目撃者が証言している点だ。それが本当ならば、政治的な緊張がいっそう高まるだろう。

モニターの画面に自分の姿が反射していることに気づき、ペインターは自らの血筋の影を探した。ペインターの父はピクォート族の先住民だったが、青い瞳と淡い色の肌はイタリア系の母親譲りだ。一目で先住民だと言われることはまずないが、よく見れば高く広い頰骨や漆黒の髪などに特徴が現れている。しかも、年齢を重ねるにつれて、先住民の特徴が色濃くなっているように思える。

つい先月も、リサからそのことを指摘されたばかりだ。けだるい日曜日の朝、起きなければいけない理由も特になかったため、二人でベッドに横になったまま新聞を読んでいた時のこと。リサは頰杖を突いて寝転がりながら、もう片方の手の指でペインターの顔の表面をたどっていた。「この頃、日焼けが落ちにくくなってきたみたいね。しわになった色の薄い部分も目立つようになったし。何だか昔のお父様の写真にますますよく似てきているわ」

恋人と一緒にベッドで過ごしている時に言われてうれしい台詞《せりふ》ではない。

リサは手を伸ばし、ペインターの耳の後ろにある白髪に触れた。その部分だけ髪が白くなっていて、黒い海に白い羽根が一本だけ落ちているかのように見える。「それとも、髪を伸ばしているせいかしら。もうすぐ後ろで結ぶこともできそうよ」

ペインター本人は髪を伸ばしているつもりなどなかった。この数カ月間、散髪に行く暇がなかっただけだ。シグマの司令部で過ごす時間が、近頃はますます多くなっている。組織の存在そのものが機密扱いとなっているシグマの司令部は、ナショナルモールにあるスミソニアン・キャッスルの地下に位置している。第二次世界大戦中には掩蔽壕《えんぺいごう》として使用されていたところだ。政府関係の各機関へのアクセスが便利であると同時に、スミソニアン協会の多くの研究施設からも近い距離にあることから、この場所が選ばれた。

ペインターが一日のほとんどを過ごしているのが、その司令部だった。彼のオフィスには窓がない。外の世界を見るために使用するのが、三台の大型モニターだ。

ペインターはモニターに背を向け、自分の机へと戻った。地元出身のテロリストが、アメリカ先住民と思われる人物が、事件に関与している可能性について考えを巡らせる。少年時代のおおかたは養父母の家を転々としながら育ったため、自分に先住民の血が流れていることについて深く考えたことはほとんどない。鬱《うつ》病を患った母は、七年間の結婚生活で息子を一人授かりながら、父をナイフで刺し殺した。その後、ペインターは父方の親族に引き取られたため、先住民としての自分を意識する機会がなかったわけではない。しかし、親族の家を渡り歩きながら貧しく落ち着かない日々を過ごしたせいか、成長するにつれてアメリカ先住民としてよりも、単にアメリカ人としての自分を強く意識するようになったことは否めない。

開いたままにしてあったオフィスの扉をノックする音で、ペインターは我に返った。顔を上げると、シグマ所属の地質学者ロナルド・チンが入口の向こうに立っていた。「これをご覧いただいた方がよろしいかと思いまして」

ペインターはチンに手で合図して、中に入るように促した。地質学者の身長は百八十センチにわずかに届かない。髪をきれいに剃り上げているせいで届かないのだろう、というのがもっぱらの噂だ。灰色のつなぎの作業着を着ているが、ジッパーを半分しか締めていないため、レンジャー部隊のTシャツが顔をのぞかせていた。

「いったい何だ?」ペインターは訊ねた。

「いくつもの報告書に目を通していたところ、ちょっと気になるものを見つけました」チンはファイルを机の上に置いた。「現場にいた州兵の一人、アシュリー・ライアン少佐に行なった聞き取り調査の内容です。質問の大半は容疑者の身元に関するもので、そのほか爆発に至るまでの経緯も含まれています。けれども、ライアン少佐は爆発そのものに対してひどく動揺している様子なのです」

ペインターは椅子に座り直し、ファイルに手を伸ばした。

「十八ページをご覧ください。重要な箇所にはマーカーを引いてあります」

ペインターはファイルを開いてページをめくり、黄色の蛍光ペンで線が引かれている部分を読んだ。ほんの数回、質問と回答のやり取りがなされているだけだが、少佐の最後の答えを目にしたペインターは全身に寒気を覚えた。

ペインターはその部分を読み上げた。「『地面が……まるで融けてなくなっていくようだった』」

チンは両手を後ろに組んで、机を挟んだ向かい側に立っていた。「当初から、この爆発にはどこか奇妙なところがあると感じていたのです。そこで、シグマの爆発物専門家にも意見を聞いてみました。彼の結論も同じです。岩盤に穴を開け、地熱温泉にまで達するほどの規模の爆発ならば、衝撃波が十倍の範囲にまで及んでいなければおかしいのです」

オフィスの入口から、ぶっきらぼうな調子の声が聞こえてきた。「その通り。ドカンの規模が狭いみたいでしてね」

ペインターは再び入口へと目を向けた。シグマの新任の爆発物専門家も、チンと同じ判断に達したらしい。扉の脇にもたれかかった男性は、身長はチンより十五センチほど高いだけだが、体重の方は同僚を優に二十キロは上回る。しかも、そのほとんどは筋肉だ。黒い髪は無精ひげくらいの長さしかないが、それでもジェルを使って後ろになでつけてある。チンと同じ作業着姿だが、むき出しの胸がのぞいているため、その下には何も着ていないかのように見える。

爆発物専門家の右手には、粘土の塊が握られていた。

ペインターは急に不安に駆られた。「コワルスキ、そいつは武器保管庫にあったC4か？」

コワルスキは背筋を伸ばしながら肩をすくめた。いたずらを見咎《みとが》められた子供のような表情を浮かべている。「ちょっとテストをしようかと……」

ペインターは胃に不快感を覚えた。ジョー・コワルスキは元海軍所属で、数年前シグマに採用された。ほかの隊員たちとは違い、彼はシグマにスカウトされたというより、「拾われた」とする方が正確かもしれない。これまで用心棒およびチームのサポート役として任務に就いてきたが、ペインターはこの男が見た目からはうかがい知ることのできない何かを持っているかもしれないという気がしていた。鈍そうな外見の下に、鋭い英知が潜んでいるのではないかと。

そうでなければ困る。

ペインターはシグマに加わって以降のコワルスキの任務を見直し、適正と能力を分析した結果、本人に最もふさわしいと思われる研究分野を割り当てた——何かを吹き飛ばすことだ。

だが、ペインターはその決断を後悔し始めていた。「爆発物のテストが必要になるとは思わない」そう言いながら、机の上のファイルを指差す。「この現地からの報告書は読んだのか？」

「ざっとですが」

「君の考えは？」

「C4でないのは確実ですね」コワルスキは手に持ったプラスチック爆薬を高く掲げ、ぎゅっと握り締めた。「爆発は別の何かのせいです」

「何だと思う？」

「爆発現場を調査しないうちは何とも。サンプルを採取しないことには、見当もつきませんよ」

確かに、コワルスキの言うことにも一理ある。及第点ぎりぎりの答えだが。

「いずれにしても、真実を知っている人間がいる」ペインターは椅子の背もたれに体を預けながら、モニターへと視線を移した。静止状態のままの画面には、容疑者の姿が映っている。

「問題は、この女を見つけることができるかどうかだ」

午後二時二十二分
ユタ州山間部

カイは冷たい水の流れる小川沿いに密生したマウンテンウィローの陰に身を潜めていた。川辺に膝を突き、両手で透明な水をすくい、喉を潤す。ジアルジアなどの腸管寄生虫の不安がないと言えば嘘になるが、そのことは考えないようにした。このあたりを流れるのはほとんどが雪融け水だ。多少の危険は覚悟して、水分を補給しなければならない。

水に口をつけ、喉の渇きを癒《いや》してから、カイは冷たい手のひらで顔を覆った。氷のような冷たさが、集中力を研ぎ澄ましてくれる。

しかし、目をしっかりと閉じていても、頭の中に映像が鮮明によみがえってくる。ミイラ化した遺体のある洞窟から逃げる際、振り返った彼女はまばゆい閃光を目にすると同時に、雷鳴のような音を聞いた。森の奥へと逃げる自分を、悲鳴と叫び声がどこまでも追いかけてきた。

〈なぜバックパックを落としてしまったのだろう？〉

ジョン・ホークスは断言していた。Ｃ４は絶対に安全だと。たとえ爆薬に銃弾を撃ち込んだとしても、何も起こらないと。それなのに、どうしてあんな事態になってしまったのか？　不安に怯えたカイは、ある恐ろしい可能性に思い当たった。ＷＡＨＹＡのメンバーの一人が洞窟から逃げる彼女を目撃し、起爆装置を操作する人間に電話を入れたのだろうか？

けれども、あれだけ大勢の人が周囲にいるとわかっていながら、なぜ爆発させたりしたのだろうか？

怪我人を出さないことが前提の計画だったのに。

考えを巡らせている余裕はない。この二時間ほど、カイはシカのような敏捷さで森の中を走り続けていた。空から発見されないような場所を選びながら逃げた。すでに尾根の上空をかすめるように飛行するヘリコプターを一機、目撃している。彼女の捜索を行なっているのではなく、どこかのテレビ局のヘリのように見えたが、それでもカイはとっさに茂みの陰へと飛び込んだ。

日が落ちるまでの間に、追跡者たちとの間にできるだけ距離を置かなければならない。自分は捜索の対象になっているはずだ。アメリカ中のテレビの画面に自分の顔が映し出されていることだろう。当分の間は身元が明らかにならないのではないか、そんな淡い期待は抱いていない。

〈あんなにもたくさんのカメラがあったんだもの……誰か一人くらいは私の姿をはっきりと撮影していたはずだわ〉

このままでは捕まるのも時間の問題だ。

助けが必要だ。

でも、いったい誰を信用したらいいのだろう？

午後四時三十五分
ワシントンＤＣ

「司令官、ようやく糸口らしきものが見つかったかもしれません」

「見せてくれ」暗い室内へと足を踏み入れながら、ペインターは応じた。明かりを発しているのは円形に配置されたモニターとコンピューターの画面だけだ。

ペインターはシグマの衛星監視室に入るたびに、暗視状態を保つために照明の光量を落としてある原子力潜水艦の制御室を連想する。そんな潜水艦の制御室と同じように、この監視室はシグマ司令部の中枢だ。国内外の様々な情報機関からのあらゆる情報が、クモの巣のように張り巡らされたルートを通じてここに集結し、そして発信される。

この巣の主であるクモが、何台ものモニターが並んだ前に立ってペインターを手招きしている。キャスリン・ブライアント大尉はシグマの情報分析において中心的な役割を担っており、今やペインターに次ぐ副官とも言うべき存在となっていた。彼女はペインターの目となり耳となってワシントンの情報を集めると同時に、アメリカの政界という濁った世界を巧みに動き回ることもできる。彼女の綿密な情報網は、獲物を捕らえやすいように幅広く張り巡らされている。しかし、キャットの最大の武器は、張り巡らした糸のかすかな揺れをも察知し、無駄な情報は切り捨て、必要なものだけを収集できる能力にある。

今もその能力をいかんなく発揮している。

ペインターがここへとやってきたのは、キャットから捜索に大きな進展があったとの連絡を受けたからだ。

「ちょっと待ってください。ソルトレイクシティからの映像を呼び出しますから」キャットは言った。

キャットは顔をかすかにしかめ、腹部に手のひらを当ててから、もう片方の手でキーボードを操作した。妊娠八カ月目に入っているためにかなりおなかが大きくなっているが、早めに産休を取るようにとの勧めを頑《かたく》なに拒んでいる。体調を考慮して何か変化があったとすれば、服装がいつもの細身の青い制服から、ゆったりとしたシャツとジャケットになったことと、ピンでしっかりと留めていた鳶色の髪を肩まで垂らすようになったことくらいだ。

「とりあえず座ったらどうだ？」そう声をかけながら、ペインターはモニターの前にある椅子を引いた。

「今までずっと座りっぱなしだったんです。ランチの後からずっと、赤ん坊が私のおなかの中でタップダンスを踊っていましたよ」キャットはモニターを指差した。「司令官、これをご覧になってください。今回の件の調査が始まってから、ソルトレイクシティの地元局のニュース番組をずっと監視していました。局のコンピューターサーバーに侵入して、夜のニュース用に準備した映像を一足早くチェックするのも、それほど難しい作業ではありませんでした」

「なぜそんなことを?」

「携帯電話なら簡単に隠すことができるからです」

ペインターはキャットの顔を見ながら説明を促した。

「あれだけの数の人々が爆発を目撃していたのですから、容疑者の写真や映像をとらえていた人がいた確率はかなり高いはずです。それなのに、どうして携帯電話からの映像がテレビで流れていないのでしょうか?」

「たぶん、パニックに陥って撮影どころじゃなかったんだろう」

「爆発の後だったらそうかもしれませんが、爆発の前は違います。写真が撮影されていたと仮定すると、なぜそれが警察に提出されていないのでしょうか?　その線で考えていくと、動機としてお金が浮かび上がってきます」

「つまり、誰かが容疑者の映像を隠し持っていて、そいつでひと儲けしようと企んでいると言うのだな」

「そのような可能性は排除できないと考えました。混乱の中、携帯電話を見つからないように隠すのは簡単だったはずです。あるいは、映像をメールで送信し、本体からデータを削除してしまうこともできたでしょう。そこで、ソルトレイクシティの地元局の夜のニュース番組用の素材を調べていたところ、ＮＢＣの系列局のサーバーで『ユタ州爆発事件の新たな映像』というタイトルの付いたファイルを発見しました」

キャットがキーボードのボタンを押すと、ビデオの再生が始まった。ペインターが何度となく繰り返して見た映像を、別の角度から撮影したものだ。ただし、この映像には、洞窟から飛び出し、まだバックパックを背負っている容疑者の姿がとらえられている。女の動きは速いが、ほんの一瞬、その顔がカメラの方を向いた。

キャットはその瞬間を逃さず、映像を静止した。あまり鮮明ではないが、目撃者の証言通り、確かに女は先住民のように見える。

ペインターは画面に顔を近づけた。心臓の鼓動が速くなる。「顔を拡大できるか？」

「解像度が低いので、プログラムをかけるのに少し時間がかかります」キャットの指先がキーボードの上を目にも止まらぬ速さで動いた。「この映像に関してはどこよりも早く我々が情報をつかんでいるはずです。ソルトレイクシティの現地時間午後六時からの番組でトップニュースとして放送される予定になっています。映像ファイルと一緒に保存されていたニュース原稿にも目を通すことができました。相当過激な内容ですね。この襲撃は先住民側の運動が再び先鋭化してきた可能性を示すものだと決めつけています。同じフォルダーの中には、ウーンデッド・ニーの資料映像も含まれていました」

ペインターはうめき声が漏れそうになるのを抑えた。一九七三年、サウスダコタ州ウーンデッド・ニーの町に立てこもったアメリカ先住民の運動団体をＦＢＩが包囲した。その後に起きた銃撃戦により、二人が死亡、多くの負傷者を出す事態となったのである。先住民と政府との間の緊張関係が緩和されるまで、数十年の月日を要した。

「これでいいわ」キャットの声がする。「プログラムでの映像処理が終わりました」

再び画像が表示された。さっきよりもはるかに鮮明な画像だ。キャットがマウスを操作すると、少女の顔が画面いっぱいに拡大される。細部まではっきりと映っている。黒い瞳は恐怖に怯え、かすかに開いた唇からは焦燥《しょうそう》感がうかがえる。大きく広がった黒い髪が、先住民の特徴をさらに際立たせている。

「なかなかの美人ですね」キャットはつぶやいた。「きっと知っている人がいるはずです。これだけ可愛らしい女性ならば、名前が判明するまでにそれほど時間はかからないでしょう」

だが、ペインターの耳にはキャットの言葉がほとんど聞こえていなかった。ひたすら画面を凝視する。視界が狭まり、静止画像以外は目に入らない。

そんなペインターの様子に気づいたのか、キャットが顔を向けた。「クロウ司令官？」

ペインターが口を開くより早く、携帯電話の着信音が鳴った。ペインターはブラックベリーを取り出した。個人用の携帯で、暗号はかかっていない。

〈リサがバーベキューの予定の確認のために連絡を入れてきたのだろう〉

ペインターは携帯電話を耳に当てた。リサの声が恋しい。

だが、電話をかけてきたのはリサではなかった。相手の声は早口で、息も絶え絶えといった様子だ。「クロウおじさん……お願い、助けて」

ペインターの全身に衝撃が走る。

「大変なことになったの。とってもまずい事態に。どうしたらいいのか――」

不意に声が途切れた。電話の向こうで、大型の動物らしき低いうなり声がする。それに続いて、甲高い、恐怖に怯えた悲鳴。

ペインターは携帯電話を握り締めた。「カイ!」

だが、すでに電話は切れていた。

4

五月三十日午後二時五十分
ユタ州山間部

カイは後ずさりしながら犬から離れた。

泥まみれでびしょ濡れだから、きっと野犬に違いない。狂犬病にかかっているかもしれない。唇がまくれ上がり、歯をむき出して威嚇《いかく》のうなり声をあげている。犬はゆっくりとカイに忍び寄りながら、頭を下げ、しっぽを高く上げ、今にも喉笛に食らいつこうかという構えだ。

その時、背後から大声がして、カイはびくっと体を震わせた。「もういいぞ、カウッチ！下がりなさい！」

カイが振り返ると、ステットソンのカウボーイハットをかぶり、栗毛のクォーターホースにまたがった背の高い男性が、ヨレハマツの木立の間から姿を現した。牝馬《ひんば》は優雅な足取りで、ほとんど音を立てずに斜面を登ってくる。

カイは木の幹に背中をつけ、逃げようと身構えた。きっと連邦保安官に違いない。バッジもはっきりと見えたような気がした。だが、男性が近づいてくると、バッジだと思ったのは首からぶら下がっている方位磁石だった。男性は方位磁石をシャツの下に戻した。

「追いつくまでに手を焼かせてくれたな、お嬢さん」男性の口調は険しいが、顔はカウボーイハットに隠れてよく見えない。「だが、カウッチがにおいを嗅ぎつけたら、誰も逃げ切ることはできないのさ」

犬は勢いよくしっぽを振ったが、鋭い視線がカイから離れることはない。再び低いうなり声が響く。

男性は鞍から降り、身軽に地面へと着地した。カイへと歩み寄りながら、犬を軽く叩いてなだめる。「カウッチのことは勘弁してやってくれ。あの爆発のせいで驚いたものだから、かなりぴりぴりしているのだよ」

男性の態度をどう解釈したものか、カイは判断がつきかねていた。どう見ても州兵ではないし、州警察の関係者でもない。賞金稼ぎだろうか？　カイは男性の右腰のホルスターに収められた拳銃に目をやった。あの拳銃は自分に対して使用するために持っているのだろうか？　それとも、このあたりの森に生息するアメリカグマやボブキャットを警戒しての護身用なのだろうか？

男性はようやく影になった場所から出てきた。カウボーイハットを脱ぎ、ハンカチで額の汗をぬぐう。カイはポニーテールに結んだ白髪交じりの髪に見覚えがあった。顔の骨格もアメリカ先住民ならではの特徴を備えている。驚きのあまり、カイは一瞬、頭がくらくらした。ほんの数時間前、あの洞窟でこの男性を目撃したばかりだ。

「カノシュ教授……」思わず名前を口にする。怒りと安堵感とがないまぜになった声だ。

名前を呼ばれた男性も、驚いたのか片方の眉を吊り上げた。答えが返ってくるまでに間が開く。男性は片手を差し出した。「こういった状況だったら、ハンクと呼んでもらいたいな」

カイはその手を握ろうとはしなかった。目の前の男性について、ジョン・ホークスの語った言葉が脳裏によみがえる。〈インディアン版のアンクル・トム〉……この裏切り者は政府の手伝いをしていて、自分の後を追っていたのだろう。そうに決まっている。

教授は手を下ろした。両手を腰に当てる際、右手の指先がホルスターの中の拳銃に軽く触れる。「さて、いったい君をどうしたものかな、お嬢さん。君はいろいろと困った状況に陥っているんだよ。ロッキー山脈のこちら側では、あらゆる捜査機関が血眼《ちまなこ》になって君の行方を捜している。あの爆発は――」

これ以上は黙って聞いていられない。「私のせいじゃない！」カイは思わず言い返していた。怒りを込めて、はっきりとした声で。誰かに怒りをぶちまけないことには気がすまない。

「いったい何が起こったのか、私にもわからないんだから！」

「そうかもしれないが、あの爆発で死んだ人がいるのも事実だ。私の大切な友人だよ。事情を知っている人間を探すのは当然だろう？」

カイは教授をじっと見つめた。目尻の深いしわから、大きな悲しみを感じ取ることができる。教授は嘘をついていない。

教授の言葉を聞いた途端、心の中の怒りが吹き消されたろうそくの炎のようにふっと消えた。最も恐れていたことが現実のものとなってしまったのだ。カイは両手で顔を覆った。爆発が、目もくらむような閃光が、頭によみがえる。彼女は木の幹にもたれたままその場に崩れ落ち、膝を抱えて座った。自分は人を殺してしまったのだ。

爆発が起きて以来、胸の中にたまっていた涙が、恐怖という名の堰《せき》を越えてあふれ出した。嗚咽《おえつ》が全身を震わせる。

「誰も怪我をしないはずだったのに」やっとのことで絞り出したものの、その言葉は自分の耳にもうつろに響く。

体が影に包まれる。教授がひざまずき、片方の腕を肩に回し、カイの体を抱き寄せた。カイは抵抗する気力もなかった。

「君がバックパックいっぱいに詰まった爆薬で何をするつもりだったのかはわからない」教授は優しく語りかけた。「でも、君がさっき言った通りだ。あの爆発は君のせいではない」

だが、カイはその慰めを受け入れまいとした。父は生前、彼女に正しいことと悪いこととの違いを教え、責任の大切さを強く言い聞かせた。カイはこれまでの人生のほとんどを、父と二人で過ごしてきた。食べ物を買い、家賃を払うために、父は二つの仕事を掛け持ちしていた。

カイも夜は自分の家にいるよりも、近所の子供のベビーシッターをしていることの方が多かった。二人は支え合いながら生きていたのだ。

　だから、カイは自分をごまかすことなどできなかった。事故であろうとそうでなかろうと、自分の行動のせいで、今日は一人の人間の命が奪われてしまったのだから。

「あそこで何が起こったのかは私にもわからない」カノシュ教授の話は続いている。その声は穏やかで、優しさに満ちている。「けれども、山腹を吹き飛ばしたのは君が持っていた爆薬ではない。あのトーテムの頭蓋骨のせいではないかと思う。あるいは、あの頭蓋骨の内部にあった何かだ」

　教授の説明を聞きながら、カイは藁《わら》にもすがる思いでその言葉を信じようとしている自分がいることに気づいた。その一方で、罪悪感に苛《さいな》まれ、悲嘆に暮れる中、教授の言葉をすべて受け入れてしまうことを恐れている自分もいる。

　そんなカイの胸の内を察したのか、教授は静かに話し始めた。「ここを訪れる前に、洞窟にまつわる噂に関する報告書に目を通した。部族の一部の長老だけが知る、昔からの言い伝えのことだ。その言い伝えによると、埋葬地となっていた洞窟は呪われていて、誰かがそこに立ち入ればすべての者に災いが降りかかると信じられている」教授は嘲笑うかのように、だが悲しげに、鼻を鳴らした。「ちゃんと耳を傾けるべきだったのかもしれないな。我々の過去について調べを進めれば進めるほど、そうした言い伝えの中に真実のかけらが含まれている例を見出すことができるのだよ」

教授の腕の力強さとその言葉がもたらす安心感のおかげで、カイは冷静さを取り戻した。涙は止まらないが、顔を上げて教授の顔をしっかり見ながら、話を聞かなければいけないという気持ちが湧いてくる。

「つまり……つまり、私のバックパックに入っていたC４が爆発したわけではないの？」

「ああ。もっと恐ろしい何かだ。私が君を探しているのはそのためだ。君を守るためなんだよ」

カイは背中を伸ばし、教授の腕から離れた。彼女の顔に浮かんだ疑問の表情に、教授は気づいたに違いない。

「あの爆発は山間部でくすぶっていた火薬庫に火をつけてしまったようだ。私が現場を離れた時、山の上では集結した活動家たちがすでに州兵と小競り合いを起こしていた。誰もがあらゆる種類の罪状や不法行為をあげつらって、相手側を非難している。しかし、彼らの意見が一致していることが一つだけある」

カイは息をのんだ。答えが容易に推測できたからだ。「みんな私のせいだと思っているのね」

「しかも、彼らも君の行方を追っている。あれだけ緊張が高まり、混乱した状況にあることを考えると、尋問するより先に引き金を引こうとするような連中ばかりだろう」

急に寒気を覚え、カイの体は震えた。「私はどうしたらいいの？」

「まず、起こったことを私に話してくれ。何もかもだ。どんなに些細なことでも隠さずに。真実こそが、戦いに際しては最大の盾となる」

カイはどこから話を始めればいいのか迷った。自分が真実をすべて知っているのかどうかすら定かではない。しかし、教授の手が彼女の手をつかむと、力づけるかのように握り締めてくれた。カイはがっしりとした教授の指から、力をもらったような気がした。ごつごつした父の手が、かつて力を与えてくれた時のように。

それでも、最初は思うように言葉が出てこなかった。だが、しばらくすると、カイの口から止めどもなく言葉があふれ始めた。告白として、せめてもの罪滅ぼしとして。しかし、心の奥底では、この重荷を誰かに打ち明け、誰かと分かち合わずにはいられないという思いがあることにも気づいていた。

午後三時八分

ハンクは事の経緯を話す少女の言葉に耳を傾けながら、その様子を観察していた。質問は最小限にとどめながら、起こった出来事そのものからではなく、少女の語り口から真実を見出そうとする。少女の瞳に強く映っていた恐怖の色が、次第に薄らいでいく。話を聞いているうちに、少女が父の死後、誰かに裏切られたという強い気持ちを抱き続けていることに気づいた。無意味な殺人から意味をつかむためには、非難の矛先を向ける相手が必要だったのだろう。途方に暮れ、怯えた一人の少女は、やがて新しい家を見つけた。好戦的なＷＡＨＹＡの仲間という、新しい部族を。

これまでにもハンクは、同じような事例をアメリカ先住民の若者たちの間に幾度となく目にしてきた。崩壊した家族、貧困、虐待、アルコール中毒。すべては居留地での隔絶された生活が原因であり、解決への道筋は見えない。若者たちは将来に希望を持てず、常に怒りを感じ、発散する機会をうかがっている。犯罪に手を染める者も少なくない。権力に対して強い嫌悪感を抱く者もいる。そうした迷える魂を食い物にし、十代の若者の怒りを自らの目的のために利用しているのが、ＷＡＨＹＡの創設者ジョン・ホークスのような人間なのだ。

そんな若者たちの姿は、かつてのハンクの姿でもある。十代の頃、彼は麻薬の売買に関わるようになり、最初は学校の中だけで行なっていた取引を、次第に広げていった。やがては常習者を商売相手にするようになる。そんなヤク中に親友の一人を殺され、ハンクはようやく目が覚めた。信仰心を取り戻し、部族のモルモン教会へと再び足を運ぶようになったのである。先住民がそのような形で魂の救済を得たことに対して、多くの人たちは奇異な印象を受けるだろう。モルモン教に改宗した部族に対して、ほかの先住民の部族が軽蔑の念を抱いていることも知っている。しかし、神への信仰を取り戻して以来、それまで味わったことのなかった満ち足りた気持ちを感じているのも事実だ。

それから今まで、ハンクは道を誤った者たちを見捨てるような真似は決してしなかった。先住民の権利の保護のために活動を続けている理由の一つがそれだ。部族全体のためというよりも、居留地の支援と環境改善を通じて、若者や子供たちのためのよりよい基盤を築くことに主眼を置いている。

祖父はかなり前に亡くなったが、生前こんな話を聞いたことがある。〈最も収穫の多い畑は、いちばんしっかりと耕した畑だ〉――ハンクはその言葉を人生哲学として、日々を過ごしている。

話を終えた少女がジャケットのジッパーを下ろしたので、ハンクは注意を戻した。少女はペーパーバック版の本ほどの大きさがある二枚の金属板を取り出した。

「爆薬を設置せずに洞窟を離れた理由がこれなの。勝手に持ち出したのは、ジョン・ホークスへの証拠が必要だったから。あのネコの頭蓋骨のほかにも、金がたくさんあることを証明するためよ」

ハンクは目を見開いた。少女は金の板を二枚、盗み出していたのだ。崩れた山の下に埋もれて、金はすべて失われてしまったと思っていた。

「見せてもらえるかな？」

少女が差し出した一枚の板を受け取り、ハンクは太陽の光の下で観察した。黒い汚れに覆われているものの、金の表面に文字のような線が彫られているのを確認できる。あの洞窟と集団自殺の謎を解明するための手がかりは、これだけしか残されていない。命を絶ってまで守ろうとした秘密とは、いったい何なのか？

しかし、ハンクの関心は学問的な見地にとどまらなかった。金の板を持つ手がかすかに震える。ハンクは先住民であると同時に、モルモン教徒でもある——さらには歴史学者でもあるため、アメリカ先住民の遺産ばかりではなく、モルモン教の歴史についても深く研究している。モルモン教の教えによると、末日聖徒イエス・キリスト教会の創設者ジョセフ・スミスが発見した金の板に失われた言語が記されており、それを翻訳したものがモルモン書であるとされている。モルモン教の創設以降、同じような金の板が発見されたという噂がアメリカ各地で相次いでいる。しかし、そうした発見のほとんどは作り話や偽物で、そもそも何かが発見された形跡すらないような例も少なくない。

ハンクは金の板の表面に浮かぶ文字をじっと見つめた。そこに何が記されているのか、詳しく調べてみたいという強い思いに駆られる。しかし、その前に別の問題がある。

少女がその問題を口にした。「これからどうするの？」

ハンクは金の板を少女に戻すと、再びジャケットの下に隠してジッパーを閉めるように身振りで示した。片手を差し出し、自己紹介をやり直す。「ハンク・カノシュだ」

今度は少女も手を握り返した。「カイ……カイ・クォチーツよ」

名前を聞いて、ハンクは眉間《みけん》にしわを寄せた。「記憶違いでなければ、『カイ』はナバホ語で『ヤナギの木』の意味のはずだ。だが、訛りや外見からすると、君は北東部の部族の出身のように思うのだが」

少女はうなずいた。「ピクォート族なの。名前は母がつけてくれたわ。母はナバホ族のクォーターで、父から聞いた話では私に少しでもその歴史を引き継いでほしいと思っていたみたい」

ハンクは山腹の下の方を指差した。「それならば、君がその名に恥じない資質を持っていることを見せてもらおうかな。ヤナギの木は強い風にも負けない強靭《きょうじん》さで知られている。今は君の身のまわりに嵐が迫っている状況だぞ」

その言葉に、少女ははにかんだような笑みを浮かべた。

ハンクは馬へと近づいた。すでに二十歳になる牝馬だが、まだ頑強な足腰をしている。腰に軽い痛みを覚えながら、ハンクは馬の背中にまたがった。

ハンクはカウッチに向かって先を歩くように合図した。武装した兵士たちによる山狩りが行なわれている今は、そんな相手といきなり鉢合わせるような事態は避けなければならない。ほかの人間が接近してきた場合は、カウッチが警告してくれるだろう。

鞍にまたがったまま体をひねると、ハンクはカイに向かって片手を差し出した。だが、少女は不安そうな面持ちで馬をじっと見ている。「馬に乗ったことがないのかい？」ハンクは訊ねた。

「だって、ボストン育ちよ」

「わかった、だったら私の手をつかんでくれ。引っ張って乗せてあげるよ。マライアは君を振り落としたりはしないから」

少女はハンクの手首を握った。「どこへ行くの？」

「君を捜査当局に引き渡すのさ」

少女の顔から笑みが消えた。それに代わって、瞳にかすかに残っていた恐怖が再び色濃くなる。だが、抗議の声があがるより先に、ハンクは片手でカイを引っ張り上げた。今度は肩に軽い痛みが走る。

「悪く思わないでくれ。だが、自分のしたことには向き合わなければならない」

カイはハンクの後ろで鞍にまたがった。「私のせいで爆発したわけじゃないのに」

ハンクは上半身をひねって少女の顔を見た。「その通りだ。だが、未遂に終わったとはいえ、君は犯罪計画の実行犯だった。その事実を無視することはできない。でも、心配する必要はない。私は君の味方だ……先住民の優秀な弁護士たちをつけることも約束するよ」

その言葉を聞いても、少女の瞳から恐怖の色が消えることはなかった。

だが、ハンクにはほかにどうすることもできなかった。できるだけ早く当局の保護下に置くことが、カイの身の安全のためにもなるのだ。その考えが届いたかのように、どこからともなくヘリコプターのローターの回転音が聞こえてきた。空を見上げたハンクの腰に、二本の震える腕がしっかりとしがみつく。ハンクには子供がいないが、少女のこんなちょっとした仕草にも温かい気持ちを覚えた。父親代わりとして、この怯えた少女を守ってやらなければいけないという思いが強くなる。

北の方角に当たる隣の谷から、小型の軍用ヘリコプターが姿を現した。尾根を越え、機首を下げながら、ゆっくりとこちらに向かって飛行してくる。捜索を行なっているヘリコプターならではの動きだ。形状からは、怒りに燃えてしつこく獲物を追撃中のスズメバチのような印象を受ける。軍特有の緑色に塗られていなくても、ハンクにはヘリコプターがユタ州兵所有の一機だとわかった。アパッチ・ロングボウと呼ばれる機種だ。

二人ともアパッチ族ではないものの、ハンクは機種の名称が吉兆であることを祈った。馬を進め、マツの森の外れへと向かう。少し先には開けた草地がある。

〈早ければ早いほどいい〉

腰に回した少女の手に、いっそう力が込められる。

「大人しくしていなさい」ハンクは指示した。「私が話をするから」

ハンクはマライアをゆっくりと歩かせた。馬は体を揺すりながら、太陽の光が差し込む草地へと向かっていく。いきなり姿を現して、相手を警戒させてはまずいことになる。ハンクたちが深い森の外れまで近づかないうちに、ヘリコプターは急旋回し、真っ直ぐ近づいてきた。

〈赤外線センサーを搭載しているようだ。我々の体温を検知したのだろう〉

ハンクはそのまま馬を進め、開けた場所へと出た。

ヘリコプターは機首を下げ、急降下した。空気を切り裂くローターの回転音で耳がほとんど聞こえない。あまりの騒音のため、ハンクは草と土が飛び散るのを見ても、すぐには気づかなかった。草地に刻まれる二本の筋が、自分たちのいる位置へと向かってくる。

ようやくハンクの耳は、ヘリコプターに装備された機関砲の銃声をとらえた。

〈どういうことだ……?〉

ショックと信じられない思いとで、全身が凍りつく。

自分たちは銃撃されている。

手綱を強く引くと、ハンクはマライアを反転させた。

無意識のうちに大きな声を出していた。「しっかりつかまっていなさい！」

5

五月三十日午後五時十四分
ワシントンＤＣ

「姪御《めいご》さんの携帯電話の逆探知にはまだ成功していません」ペインターのオフィスに入ってくると同時に、キャットは報告した。「作業は継続していますが」

ペインターは机の後ろに立ち、荷物を詰め込んだブリーフケースの中身をチェックしていた。ジェット機は三十分後にレーガン・ナショナル空港を離陸する。ソルトレイクシティ到着予定は四時間後だ。

ペインターはキャットの顔を見た。眉間に刻まれた一本のしわが、彼女の懸念を表している。ペインターも同じ気持ちだった。

取り乱した様子の姪との通話が突然切れてから、すでに三十分以上が経過している。電話をかけ直したのだが、応答はない。電波の届かない地点へと移動してしまったのか？　それとも、携帯電話の電源を切ってしまったのだろうか？　キャットは通話の逆探知を試みてくれているが、作業は難航しているようだ。

「彼女の身柄がユタ州で拘束されたという連絡もまだないのか?」ペインターは訊ねた。

キャットは首を横に振った。「司令官はできるだけ早く現地入りされた方がいいと思います。新たな情報が入ったら、飛行中でも連絡を入れますから。コワルスキとチンは、すでに上で司令官を待っています」

ペインターはブリーフケースのふたを閉めた。カイからの電話を受ける前、ペインターは奇妙な爆発の真相を突き止めるために、シグマのチームをユタ州の現地へと派遣することを考えていた。チンが適任なのは言うまでもない――それにコワルスキも、調査チームの一員として現場での活動を希望している。

しかし、あの一本の電話で、これはペインター個人に関わる案件となった。

ペインターはブリーフケースを手に持ち、扉へと向かった。今のところ、姪の件はごく一部の人間しか知らない。伝える相手を慎重に選ばなければならない情報だ。すでに大勢の人間がカイの行方を追っているのだから。

さらに念のための措置として、ペインターはDARPAの長官で直属の上司に当たるメトカーフ大将に、一切何も伝えずにユタ州へ飛ぶことにした。そうでもしないと、ペインター自らが現地に赴かなければならない理由を、長々と説明する必要が生じるからだ。メトカーフは規則を重視するタイプで、その融通の利かない性格は、しばしばペインターの自由な行動の妨げになる。今回の任務の個人的な事情を鑑みて、事前に許可を求めるよりも事後承諾を得る方が話は早いだろう、ペインターはそう判断したのだった。

しかも、このところペインターとメトカーフは、必ずしも良好な関係にあるとは言えない。その原因は、六カ月前にペインターが開始した私的な調査にある。創設以来、シグマを悩ませ続けているある謎の組織の正体を突き止めるための調査だ。この秘密の調査計画の存在を知るのは、地球上で五人しかいない。しかし、いつまでもメトカーフに隠し通すこともできない。水面下で何かが動いていることにメトカーフは感づき始めていて、ペインターがなるべく答えたくない質問を投げかけるようになっている。

その意味でも、しばらくの間ワシントンを離れる方がいいのかもしれない。

キャットもペインターの後から廊下に出た。

二人がオフィスの外に出ると、廊下の椅子に座っていた一人の男性が立ち上がった。思いがけない人物の姿を目にして、ペインターは驚いた。キャットの夫、モンク・コッカリスだ。

岩のようなごつごつした顔立ち、スキンヘッド、ボクサーのような体型といったちょっと近寄りがたい外見からは想像もつかないが、モンクは明晰な頭脳の持ち主だ。かつてグリーンベレーに所属していたが、シグマにスカウトされた後、法医学の専門課程の訓練を受けたほか、二次科目としてバイオテクノロジーも修了した。バイオテクノロジーを学んだのは本人の希望によるものだ。モンクは過去の任務の最中に、左手の手首から先を失った。現在はＤＡＲＰＡ

の科学技術の粋を集めた最先端の義手を装着している。あらゆる場面を想定した機能が組み込まれているため、義手としてだけではなく武器としても使用できる。

「モンク、いったいここで何をしているんだ？　新しい義手の調整試験を行なっているはずじゃなかったのか？」

「試験はすべて終わりました。百点満点の出来ですよ」モンクは義手の方の腕を差し出し、結果を証明するかのように指を動かした。「ちょうど試験が終わった時、キャットから電話があったんです。もう一人、現地入りできる人手が必要になるんじゃないかという話でしたので。もっとも、私が手を貸すとなると、半分は機械の手ということになりますが」

ペインターはキャットを一瞥した。

キャットは表情を変えない。「実戦経験の豊かな隊員が同行した方がよろしいかと判断したものですから」

ペインターはキャットの心遣いをありがたく思った。モンクと離れ離れになることをキャットが望んでいないことは、十分すぎるほど承知していたからだ。しかも、今は第二子の出産予定日が間近に迫っている。だが、ペインターは任務上の判断から申し出を断った。

「ありがとう。しかし、山間部での緊張状態が刻一刻と高まりつつあることを考慮すると、少人数で目立たないように行動する方が得策だと思う」

キャットの眉間のしわから緊張が消えていくのを目にして、ペインターは自分の下した判断が正しかったことを悟った。司令部を留守にする間、キャットにならばシグマの暫定司令官の役割を何の不安もなく任せることができる——しかも、モンクがそばにいてくれれば、キャットの心配材料が一つ減る。キャットが船だとすれば、モンクは錨《いかり》の役割を果たすと同時に、船が浮かぶ海そのもののような存在でもある。モンクは片方の腕をキャットの腰に回し、手のひらを妻の腹部に当てた。キャットもモンクに体を寄せる。

案件が解決したのを見て、ペインターは廊下を歩き始めた。

「現地では気をつけてください、司令官」モンクが声をかける。

ペインターはその声から、モンクが完全に納得したわけではないことを感じ取った。同行を申し出たのは、おそらくキャット一人の考えではないのだろう。同じように、ペインターがモンクをワシントンに残す決断を下したのは、キャット一人のためではなかった。確かに、モンクは妻をつなぎとめる錨としての役割を果たしているが、同時にもう一人の人間にとっても同じように大切な存在だ。この二カ月ほど、非常につらい毎日を過ごしている仲間がいる。

しかも、その状況は悪化の一途をたどりそうなのだから。

午後五時二十二分

グレイソン・ピアース隊長は母への対応に困り果てていた。母は診察室の外の待合室を、落ち着かない様子で行ったり来たりしている。

「神経内科の先生がお父さんに質問する間、どうしてそばにいることができないのかしら」母の声からは怒りと不安が感じられる。

「理由はわかっているだろ」グレイは静かに答えた。「ソーシャルワーカーの人が説明してくれたじゃないか。父さんが先生から受けている認知症検査は、家族がそばにいない方が正確な結果が出るって」

母はグレイの答えを手で遮ると背を向け、再び待合室の中を歩き始めた。母が足をつまずかせ、体が左側に傾く。グレイは母の体を支えようと椅子から腰を浮かせたが、母は自分で体勢を立て直した。

プラスチック製の椅子に再び腰を下ろしながら、グレイは母の様子を観察した。この二カ月間の心労のせいで体重が減っている。肩の肉が落ちたせいでシルクのブラウスの襟元がのぞき、片方のブラジャーのストラップが見える。いつもの母からは考えられないようなだらしなさだが、そこまで気が回らないのだろう。きちんとしているのは、後ろにまとめてピンで留めた白髪交じりの髪だけだ。グレイは一生懸命に髪型を整えている母の姿を想像した。日々の生活の中で、母の思い通りになるのは髪型くらいしか残されていない。

母が歩き回りながら不安な気持ちを抑えている間、グレイは診察室から聞こえるくぐもった声のやり取りに耳を傾けていた。一つ一つの単語までは聞き取れないが、強い口調の声から父がいらだっていることはわかる。今にも怒りを爆発させそうなその声に、グレイは身構えた。場合によっては、診察室に駆け込まなくてはならない。かつてテキサス州の油田で働いていた父の気性が激しいのは、今に始まったことではない。グレイの子供時代には、癇癪《かんしゃく》を起こして手を上げることも少なくなかった。まだ働き盛りの頃に事故で片脚を失って以降、その傾向に拍車がかかった。しかも、アルツハイマーの進行により自制心ばかりか記憶までも蝕《むしば》まれてしまった結果、父は以前にも増して気が短くなっている。

「そばにいてあげるべきだわ」母は繰り返した。

グレイはあえて反論しなかった。このことについて両親とは、今まで何度となく話し合いの場を設けている。記憶力のケアを行なってくれる介護施設に、父を入所させた方がいいと繰り返し説得した。しかし、グレイが提案するたびに、怒りと疑念という大きな壁が立ちはだかった。両親とも、十年近く暮らしてきたタコマパークの自宅から離れることを拒んでいる。施設の援助を受けるよりも、住み慣れた家で過ごす方が落ち着くと言う。それが幻想にすぎないとわかっているにもかかわらず。

だが、グレイはその状態をあとどれだけ続けられるのか、疑問を感じていた。

父のためだけではない。母のことも考えなければならない。

向きを変えようとして、再び母の足がもつれた。グレイは母の肘を支えた。「座ったら？」

グレイは言った。「そんなに歩いていたら疲れてしまうよ。それに、そろそろ検査も終わるはずだし」

母の腕を取って椅子に座らせながら、グレイは母の腕が今にも折れそうなほどに細いことを痛感した。ソーシャルワーカーからも両親を交えずに話を聞いたばかりだ。彼女は母の健康状態を――肉体面と精神面の両方を憂慮していた。患者よりも介護する側の方がストレスでまいってしまい、先に命を落とす例が少なくないという。

しかし、グレイとしてはこれ以上手の打ちようがなかった。母の負担を減らそうと、日中はフルタイムのヘルパーに来てもらっているが、両親はそれを自分たちの生活への侵害と見なし、受け入れるどころか反発している。しかも、今ではそれでも手が足りない状態だ。薬の問題があるし、古い家の安全性の問題があるし、食事の献立を考えたり調理をしたりすることすら満足にできない事態になっている。夜中に電話が鳴るたびに、グレイは最悪の知らせを覚悟し、心臓の鼓動を抑えながら応答する日々が続いている。

自分が実家へと戻ることを申し出たこともある。そうすれば、夜中に何かが起きた時でもすぐに対応できるからだ。だが、母はその一線を越えることは頑なに拒んだ。そんな母の姿勢は、妻としての意地からではなく、息子に余計な負担をかけることに対する罪悪感からなのではないか、グレイにはそんな気がしていた。これまで決して良好とは言いがたかった父と自分との関係を考慮すると、その方がいいのかもしれない。そのため、今のところは夫婦が二人で綱渡りをしているような状態が続いている。

　診察室の扉が開き、グレイは我に返った。神経内科の医師が待合室に入ってくるのを見て、椅子に座り直す。医師の険しい表情から推測するに、検査結果は芳しくないようだ。それから二十分間、グレイは検査結果がいかに芳しくないかに関する説明を受けた。父のアルツハイマーは、中期からより深刻な段階へと進行しているとのことだ。さらに病状が進むと、自分で着替えができなくなり、一人で排泄《はいせつ》することも困難になるという。徘徊《はいかい》したり、家に帰れなくなったりといった問題も増える。ソーシャルワーカーからは玄関に警報器を設置するように勧められた。

　そんな話を聞きながら、グレイは待合室の隅に母と座る父を目で追っていた。その姿からは、かつての相手を威圧するような態度はほとんど見て取ることができない。不機嫌そうな顔をして椅子に座り、医師が言葉を発するたびに顔をしかめる。時折「ふざけやがって」という言葉が口から漏れるが、グレイの耳にしか聞こえないような小さな声だ。

　その一方で、グレイは父が母の手をしっかりと握り締めていることにも気づいていた。お互いに相手の手を握りながら、医師の診察結果を受け止めようとしている。意志の力をもってすれば病状の悪化を食い止めることができるし、相手を失うこともないと信じているかのごとく。

　保険関係の書類の記入と新たな処方箋《せん》の発行が終わり、ようやくグレイたちは病院から解放された。グレイは両親を車で家まで送り、夕食の準備ができたのを確認してから、自転車で自宅へと戻った。必要以上にペダルを強くこぎ、高速で通りを走り抜けながら、体を動かすことで頭をすっきりさせようとする。

自宅へと戻ると、グレイはゆっくりと時間をかけて、お湯が出なくなるまでシャワーを浴びた。冷たい水しか出なくなると、体を震わせながらタオルで体をふき、ボクサーパンツをはいてキッチンへと向かう。昨日買ったハイネケンの六本パックの最後の一本が残っているはずだ。冷蔵庫の扉へと手を伸ばそうとした時、グレイはソファーに座る人影に気づいた。

グレイは素早く体を反転させた。これほどまで注意がおろそかになっていた自分に腹が立つ。生死をかけた任務に携わるシグマの隊員としては失格だ。しかし、スチール製のジッパーの付いた黒のレザースーツに身を包んだ女性は、微動だにせずに座っていた。バイクのヘルメットがソファーの肘掛けに置かれている。

相手はグレイのよく知る女性だが、だからといって心臓の鼓動が落ち着くことはない。両腕に走った寒気が治まることもない。だが、それも無理はない。自宅の居間で雌ヒョウがのんびりとくつろいでいたのだから。

「セイチャン……」グレイはつぶやいた。

その呼びかけに対する返事は、脚を組み替えただけだ。しかし、そんなちょっとした身のこなしからも、鞭《むち》のように鍛え上げた体からにじみ出る力強さとしなやかさが感じられる。翡翠《ひすい》の色に似た緑の瞳が、グレイを値踏みするかのように見つめているが、その表情から考えを読み取ることはできない。光の届かない影にいるため、そのユーラシア系の風貌は青白い大理石の彫刻のように見える。やわらかさが感じられるのは、襟元の少し下まで垂れた髪だけだ。以前は短めのボブだったが、どうやら髪を伸ばしたようだ。左の口角がほんの少しだけ上を向く。グレイの驚いた表情を楽しんでいるのだろう――それとも、単なる影のいたずらだろうか？

鍵のかかった室内にどうやって入り込んだのか、何の予告もなしになぜ突然姿を現したのか、そんな質問をしても無駄だとグレイはあきらめた。セイチャンは腕利きの暗殺者で、かつては国際的な犯罪組織ギルドに所属していた――もっとも、その名称は正式なものではない。攻撃部隊や情報機関の書類の都合上、使用されている呼び名にすぎない。組織の真の正体と目的は、いまだに謎のままだ。所属する工作員たちにも知らされていない。組織は世界各地に配置された小さなグループごとに活動し、それぞれが独立して運営されているために、その全体像を把握している人間は一人もいない。

かつての雇い主を裏切ったセイチャンは、組織にも国にも属さない存在となった。アメリカ国内を含め、世界各国の情報機関が最重要指名手配犯として彼女の行方を追っているところだ。モサドからは発見次第射殺せよとの指令が出されている。しかし、一年前から、セイチャンはシグマのために活動していた。クロウ司令官から非公式の接触を受け、一切の記録を残すことのできない極秘の任務に就いている。その任務とは、ギルドを操る上層部の人間の身元を突き止めること。

だが、彼女の協力姿勢にだまされてはならない。セイチャンがこの任務を遂行しているのは、自分が生き残るためであって、シグマへの忠誠心からではない。先にギルドをつぶさなければ、自分の命が危険にさらされるからだ。この暗殺者に課された特別任務に関しては、アメリカ政府内でもほんの一握りの人間しか知らない。機密保持のため、グレイがセイチャンの監視役に任命され、彼女とシグマとの接触はグレイだけを通して行なわれる手筈《てはず》になっている。

セイチャンから最後に報告があったのは五週間前のことだ。しかも、電話を通じての報告だった。あの時、セイチャンはフランスのどこかにいると話していた。これまでのところ、彼女の調査はいずれも成果を得られなかったと聞いている。

〈それなのに、いったいここで何をしているんだ?〉

セイチャンはグレイの心の疑問に答えた。「問題が発生したわ」

グレイはセイチャンから視線をそらさずにいた。本来ならば不安を覚えるべきだと思いつつも、安堵している自分がいることを否定できない。冷蔵庫の中のビール瓶が頭に浮かび、グレイはなぜビールを飲まずにはいられなかったのかを思い出した。新たな問題の発生も、ソーシャルワーカーや神経内科医や処方箋と関係のない話ならば、ありがたいとすら感じる。

「その問題というのは」グレイは口を開いた。「ユタ州の件と何か関係があるのか?」

「ユタ州の件って?」セイチャンは訊ねた。目つきが険しくなる。

グレイはセイチャンの顔を観察しながら、言葉と表情に嘘がないか探した。爆発事件でシグマは大きく揺れている。セイチャンの突然の出現が、爆発と何か関係があるのではないかと勘ぐりたくなるのも当然だ。

ようやくセイチャンは肩をすくめた。「あんたにこれを見せにきたのよ」

セイチャンはソファーから立ち上がり、グレイに紙の束を手渡すと、玄関へと向かった。何も言わないが、後をついてくるようにということなのだろう。グレイはいちばん上の紙に描かれている図柄に目を落としたが、関連性がまったく見えてこない。

グレイが顔を上げると、セイチャンは玄関の扉のところまで達していた。

「何かが原因で、ハチの巣をつついたような大騒ぎになっている」セイチャンは言った。「あんたのお膝元のここで。何か大きなことが持ち上がっているのよ。私たちが待ち望んでいたチャンスかもしれない」

「詳しく説明してくれ」

「十二日前、私が世界各地に張り巡らせていた情報のアンテナが大きく揺れたわ。それこそ地震の揺れをキャッチしたような感じね。ところが、揺れが治まったと思ったら、私の作り上げてきた情報網から一切の連絡が途絶えてしまったのよ」

十二日前というと……

ユタ州でアメリカ先住民の若者が殺害されたのと同じ日だ。関連があるのだろうか？

セイチャンは説明を続けている。「何か大きな出来事が、ギルドの興味をひいたのよ。しかも、その地震の揺れだけど……震源地はこのワシントンよ」扉の前でセイチャンはグレイの方に向き直った。「まさに今この瞬間も、目に見えない勢力が配置に就きつつあるのを感じることができるわ。封印された扉に隙間が生じるのは、こうした混乱状態にある時よ。その隙間から、情報の断片が外に漏れ出す可能性もある」

グレイはセイチャンの瞳が輝きを発していることに気づいた。話を進めるうちに、息づかいも荒くなっている。「何か見つけたんだな」

セイチャンはグレイが手にしている紙の束を指差した。「それがスタート地点よ」

グレイは改めていちばん上の紙の図柄を眺めた。

アメリカ合衆国の国璽《こくじ》だ。

　これだけでは理解できない。グレイは紙をめくった。タイプで打った調査記録や、スケッチ、古い手書きの書簡の写真などがある。書簡のインクは色があせてしまっているが、丁寧な筆記体の文字は読み取ることができる。フランス語のようだ。グレイは書簡の宛て名を読んだ。アルシャール・フォルテスキュー。フランス人と考えて間違いないだろう。だが、グレイの目を引いたのは、書簡のいちばん下に記されている署名だった。この手紙を書いた人物の名前は、アメリカ人なら小学生でも知っている。

　ベンジャミン・フランクリン。

　グレイはその名前に眉をひそめ、そのままセイチャンへと視線を移した。「この紙がギルドとどんな関係があるんだ？」

「あんたとクロウは、連中の起源を探るようにと言ったわね」セイチャンはグレイに背を向け、扉を引き開けた。だが、彼女が顔をそむける瞬間、表情にかすかな恐怖がよぎったのをグレイは見逃さなかった。「あんたたちにとってうれしくないものを見つけてしまったみたい」

　グレイはセイチャンの後を追った。不安が募ると同時に、好奇心を抑えることができない。

「何を見つけたんだ」

　セイチャンは夜の町へと足を踏み出しながら答えた。「ギルドだけど……その歴史はアメリカの建国にまでさかのぼるのよ」

6

五月三十一日午前六時二十四分
日本　岐阜県

データはまったく意味を成さない。

吉田純は神岡宇宙素粒子研究施設内のオフィスに座っていた。背中に走る鈍い痛みを無視して、コンピューターの画面に目を凝らす。

画面上に表示されているデータは、自分が今いるオフィスの真下、池の山の地下千メートルから送られてきている。捕捉が困難な素粒子の観測に際しては、宇宙線が妨げとなりうる。その宇宙線を遮蔽《しゃへい》するため地下深くに設置されているのが、深さ四十メートルのステンレス鋼《こう》のタンクに五万トンの超純水を蓄えた検出器、スーパーカミオカンデだ。この巨大な施設の目的は、宇宙空間に存在する最小の粒子の一つであるニュートリノの研究にある。ニュートリノは極めて小さな亜原子粒子であるため、電荷を持たず、質量もゼロに近い。その微小さゆえに、固体と反応することなく透過してしまう。

ニュートリノは宇宙空間から地球上へと絶え間なく降り注ぐ。毎秒六百億個のニュートリノが、人間の指先の爪を通り抜けている計算になる。宇宙の基本粒子の一つであるにもかかわらず、現代物理学でもその謎は解明されていない。

地下のスーパーカミオカンデは、検出の難しいこの粒子の通過を記録し、研究するために設置された。ごくまれに、一個のニュートリノが一個の分子と——この検出器の場合は、水の分子と衝突する。ぶつかった時の衝撃で原子核が破壊されると、円錐《えんすい》形の青い光を放射する。この短時間の、しかもごく微量の発光を観測するためには、完全な暗闇の状態でなければならない。光の観測用に一万三千本の光電子増倍管が巨大な水槽内に設置され、光のまったく届かないタンクの内部を見守りながら、ニュートリノの通過を記録しようと待ち構えている。

しかし、このような巨大な遮蔽装置をもってしても、ニュートリノの観測は至難の業だ。光電子増倍管により捕捉されるニュートリノの数は、年間を通じてほぼ一定の値を保っている——吉田が画面上のデータに困惑しているのは、それに反する結果が出ているからだ。

吉田は画面上のグラフを凝視した。グラフはこの十五時間のニュートリノの活動を表している。

吉田は画面に指先を近づけ、グラフの線をたどった。今朝の午前三時の時点で、指が大きく上に動く。約三時間前に起きた、ニュートリノの突然の大量放出を示している。これほどの規模の活動はこれまでに例がない。

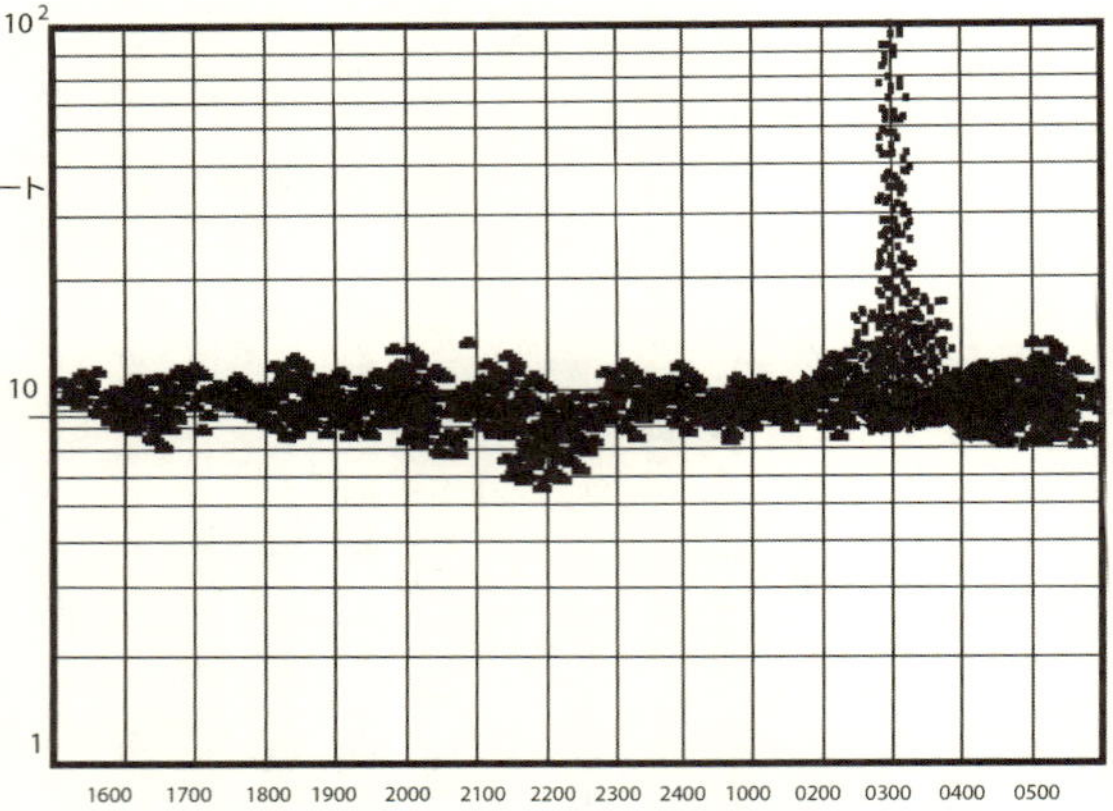

〈何らかのエラーに違いない。機器のちょっとした不具合だろう〉

この三時間、研究施設内ではスタッフ総出ですべての装置や電子機器の点検を行なっていた。来月には、スイスの欧州原子核研究機構（ＣＥＲＮ）との共同実験が控えている。

〈実験が中止になったりしたら――〉

吉田は立ち上がり、背中の凝りをほぐすと、窓際へと歩み寄った。彼は早朝の時間の明るさが好きだった。趣味の写真撮影にちょうどいい光の強さだ。オフィス内の壁には、河口湖の湖面に映った日の出頃の富士山や、燃えるような紅葉を背景にそびえる奈良の五重塔の写真が飾られている。いちばんのお気に入りは、冬の白糸の滝の写真だ。凍てついた木々に朝の陽光が反射し、滝に虹がかかっている。

それに比べると、窓の外に見える研究棟の敷地はかなり見劣りする光景だが、建物の下には池を配した小さな庭園があり、その隣には背の高いごつごつとした岩を中心にしてきれいに掃き清められた禅庭園が造られている。吉田はしばしば自分の姿をその岩に重ね合わせた。一人立つ猫背の自分の周囲を、人生が目まぐるしく動いている。

物思いにふけっていた吉田の背後で、扉が勢いよく開く。すらりとした脚の金髪の女性、ドクター・ジャニス・クーパーが、つかつかと室内に入ってきた。スタンフォード大学の大学院生のクーパーは、吉田よりも三十歳若く、贅肉《ぜいにく》の付いた彼とは対照的な体型をしている。ほのかにココナッツオイルの香りがする。カリフォルニアの陽光をたっぷりと浴びて育った彼女は、若さにあふれるはつらつとした女性だ。

そんな彼女がそばにいるだけで、吉田は疲労感を覚えることがある。

「ドクター吉田！」まるでここまで走ってきたかのように、息を切らしている。「たった今、カナダのサドバリー・ニュートリノ観測所と、南極のアイスキューブ観測所から連絡がありました。どちらも私たちと同時刻に、ニュートリノの異常な増加を観測しています」

まだ話が続きそうだったので、吉田は片手を上げてドクター・クーパーの言葉を遮った。考える時間が必要だからだ。同時に、安堵のため息が漏れる。データは機器の不具合のせいではなかったわけだ。これで一つの謎は解決した――だが、新たにもっと気がかりな謎が生じた。このような膨大な量のニュートリノの放出は、何が原因なのだろうか？　宇宙空間のはるか彼方で、超新星が誕生したのか？　それとも、巨大な太陽フレアか？

その考えを読み取ったかのように、ドクター・クーパーが口を開いた。「下に来てほしいと陸が言っていました。大量のニュートリノの発生源を特定する方法がわかったとのことです。私がここへ向かう時も、そのための作業を進めていました」

吉田は田中陸の一風変わったやり方に関わり合っている余裕などなかった。ニュートリノの数値の急増が自分たちの施設側の問題ではないとはっきり証明されたのだから、新たな謎の解明は数時間ほど後回しにしたいところだ。昨夜は一睡もしていない。六十三歳にもなると、徹夜は体にこたえる。

「ぜひ来てほしいとのことです」ドクター・クーパーは繰り返した。「重要だと言っています」

「田中の場合は何もかもが重要だからな」吉田は不快感を隠そうともせずに小声でつぶやいた。

それでも、ドクター・クーパーは興奮した口調で続けた。「陸はそのニュートリノが地球ニュートリノではないかと考えています」

吉田は彼女をにらみつけた。「そんなことはありえん」

ニュートリノの大部分は、太陽フレア、惑星の消滅、銀河の崩壊など、宇宙からのバックグラウンド放射線として地球上に降り注ぐ。しかし、地球ニュートリノと呼ばれる一部のニュートリノは、地球上で発生する。地中のアイソトープの崩壊、上層大気に衝突する宇宙線、原子爆弾の爆発などがその起源だ。

「でも、陸はそう確信しています」ドクター・クーパーは食い下がった。「馬鹿なことを。これほどの規模のニュートリノを放出するためには、水素爆弾を百個は爆発させる必要がある」

吉田は扉へと向かった。だが、急に体を動かしたせいで、右脚に坐骨《ざこつ》神経痛の痛みが走る。

〈よし、下に行ってやろうじゃないか〉

その気持ちは、田中の発見が正しいことを確認したいからではない。若手物理学者の誤りを指摘してやろうとの考えによるものだった。こんな機会はめったにない。逃してなるものか。

ほかの作業を終わらせるため上に残るドクター・クーパーが、扉を開けて支えてくれる。吉田は足を引きずっていることを悟られないように注意しながら扉を抜け、エレベーターへと向かった。エレベーターは地上にあるオフィスから、地下の研究室へと通じている。まだ設置されてから日が浅い。エレベーターができる以前は、坑道をトラックで進むか、トロッコで移動するしかなかった。エレベーターの方が時間の短縮にはなるものの、どことなく不安を感じるのも事実だ。

エレベーターの籠が崖を落下する岩のように急降下すると、吉田は胃が喉元までせり上がってくるかのように感じた。閉所恐怖症の気味がある吉田にとって、頭上にある何十メートルもの岩盤を意識するなという方が無理な話だ。ようやく最深部に到着すると、エレベーターの扉が開いた。目の前には検知器用の主制御室がある。いくつもの小部屋や作業スペースに仕切られており、地上にある研究室と何ら変わりはない。

だが、それは見た目だけの話だ。

エレベーターから出ると、吉田は背中を丸めた。頭上にそびえる池の山の岩盤の重みが伝わってくるかのようだ。正面の壁に設置されたＬＥＤモニターの脇に立つ当直の物理学者の姿が見える。

田中陸は二十代前半で、身長は百六十センチもない。物理学の天才として名高く、すでに二つの博士号を取得しているほか、ここで三つ目の博士号のための研究に取り組んでいる。

田中は背中を真っ直ぐに伸ばし、両手を後ろに組んだ姿勢で、回転する地球儀の画像を眺めていた。画面の左半分には、何列ものデータがスクロール表示されている。

田中は軽く頭を傾けた。まるで自分にしか聞こえない音に、宇宙の秘密に関する答えを教えるささやき声に、耳を傾けているかのような仕草だ。

「実に興味深い結果ですよ」田中は振り返りもせずに話し始めた。電源の入っていない隣のモニターに映る吉田の姿を確認したのだろう。

吉田は礼儀をわきまえないその態度に顔をしかめた。お辞儀をすることもなければ、わざわざ下りてきてくれたことに対するお礼の言葉もない。噂によれば、田中は軽度の自閉症であるアスペルガー症候群を患っているらしい。しかし、吉田はこの若い同僚が単に礼儀知らずなだけで、診断結果を自分に都合のいいように利用しているだけだろうと踏んでいた。

吉田はモニターの前に並んで立つと、相手に合わせてぶっきらぼうに切り出した。「何の結果だ？」

「世界各地のニュートリノ観測所からのデータを収集していたんですよ。ロシアのバイカル湖、アメリカのロスアラモス、カナダのサドバリー」

「その話は聞いた」吉田は応じた。「いずれの観測所も、ニュートリノの急増を記録しているそうだな」

「そうした観測所からデータを送ってもらったんです」田中はスクロール表示されているデータに向かってうなずいた。「ニュートリノは発生した地点から一直線に進みます。重力も磁場も、その進行を妨げませんからね」

吉田はいらだちを覚えた。そんな基本的な知識は、わざわざ説明されるまでもない。

しかし、田中は相手が気分を害したことに気づいた素振りも見せず、説明を続けた。「ということは、世界各地から集まったデータを使用して、三角法で主要な発生源を測定すればいいだけの話ですよ」

吉田は思わず目を見開いた。確かに、実に簡単な方法だ。吉田は頬が紅潮するのを感じた。この研究所の主任として、自らその方法を思いつくべきだった。

「プログラムを四回実行し、そのたびにパラメーターを微調整しました。発生源が地球上にあることはほぼ確実ですね」

田中はモニターの下にあるキーボードを叩いた。画面上の地球儀の上に、幅の広い二本の線が出現した。線が細くなるにつれて、交差した部分が絞られていく。西半球、北アメリカ大陸、アメリカ合衆国西部。さらに数回キーを叩くと、線がさらに細くなり、地球儀の画像が拡大された。線はロッキー山脈中の一点で交わっている。

「ここが発生源ですね」

吉田は画面上に強調表示された地名を目で追った。

ユタ州。

「いったいどういうことだ?」吉田はかろうじて言葉を発した。ありえない結果を目の前に突きつけられて、考えがまとまらない。吉田はドクター・クーパーとの会話を思い返した。〈これほどの規模のニュートリノを放出するためには、水素爆弾を百個は爆発させる必要がある〉

だが、隣の田中は肩をすくめただけだ。癪《しゃく》に障るほど落ち着き払った態度だ。吉田はこの男の頬を平手打ちし、何らかの反応を引き出してやりたいという衝動をかろうじて抑えた。その代わりに、モニターの画面に目を凝らす。山間部の地図を眺める彼の頭には、大きな疑問が浮かんでいた。

〈そこで何が起きているんだ?〉

7

五月三十日午後三時五十二分
ユタ州山間部

ベイマツ、ベイトウヒ、ヨレハマツの森を駆け下りる牝馬の背中にまたがったまま、ハンクは垂れ下がった枝をよけるために、たてがみに体がくっつくほど姿勢を低くしていた。それでも、枝が体に当たり、あちこちに擦り傷ができている。彼の後ろで腰にしがみついているカイも、無傷ではいられない。

突然、カイが苦痛の叫び声をあげた。カイの体が鞍の上で高く弾んだのを感じる。だが、カイは痛みよりも恐怖と戦っているのだろう。指がハンクのシャツにしっかりと食い込んでいるし、息も絶え絶えの様子だ。

ハンクはマライアを自由に走らせていた。地形を読み取る目と足に全幅の信頼を置いているからだ。森の中という安全な場所から外れそうになった時だけ、手綱を強く引いて進路を修正する。飼い犬のカウッチも、木々の間を馬よりも自由に走り抜けながら、ハンクたちと並走している。

背後からは軍用ヘリコプターが追跡を続けていた。木々の梢《こずえ》の上から轟音が聞こえる。樹木に遮られて姿は見えないはずだが、赤外線センサーを使い、体温を感知して追跡しているに違いない。

激しい銃声とともに、左手にあるトウヒの針状の葉と枝が飛散した。枝の破片がハンクの頬に刺さる。追っ手の狙いは徐々に正確さを増している。機関砲の音がやむと同時に、すぐ後ろから甲高い悲鳴が聞こえた。

「教授！」カイは大声をあげながら、片方の腕を離して指差した。

前方の行く手に草地が広がり、太陽のまばゆい光に照らされている。かなりの広さがある。ネズの木がまばらに生え、ところどころに花崗岩が露出しているだけだ。草地の先には深い森が続いているが、どうやって向こう側までたどり着けばいいのだろうか？　遮るもののない草地に出たら、格好の標的になってしまう。

その懸念を感じ取ったかのように、マライアが速度を落とし始めた。

彼らが窮地に陥ったことを悟った者はほかにもいた。新たな銃声がとどろき、背後の森を切り裂いていく。

〈連中は我々を森から追い出そうとしている〉

このまま機関砲の餌食になるわけにはいかない。ハンクはマライアを再び全速力で走らせた。

深い森の中では危険なまでの速度だ。カウッチに向かって口笛を吹き、そばを離れないように指示すると、太陽の光のもとへと飛び出す。森から出たハンクは、いちばん近くにある地表から露出した岩を目指した。銃声が彼らの後を追う。二門の機関砲からの銃弾が、草地に二本の線を刻んでいく。

露出した花崗岩のところまで達すると、ハンクはロデオレースでバレルのまわりを回るかのように、マライアに岩の周囲を一周させた。やわらかい土壌と草を蹄で踏みしめながら、マライアが急に方向転換する。ハンクは重心を低くしてバランスを保ったが、カイの腕が腰から外れるのを感じた。突然の動きに不意を突かれたのだろう。

「しっかりつかまってろ！」ハンクは叫んだ。

馬の動きを予期していなかったのはカイだけではなかった。

ハンクたちが回り込んだ花崗岩に銃弾が当たり、火花が散る──次の瞬間、ヘリコプターは獲物の動きに対応できず、頭上を通過した。旋回してUターンしてから、再び攻撃を仕掛けようとする。

ハンクはマライアの速度を緩めなかった。花崗岩の周囲を一回りしてから、高度を下げるヘリコプター目がけて馬を走らせる。ヘリの真正面に位置すると、ハンクはホルスターから拳銃を抜いた。ルガー・ブラックホークは、山中で時に遭遇する野生のクマに対しても有効だ。先住民が州兵のヘリコプターに発砲することが戦争行為に当たるのかどうかは定かではないが、先に仕掛けてきたのは向こうだ。それに、こちらの目的は相手を殺すことではない。攪乱《かくらん》するだけだ。

ヘリコプターに向かって馬を走らせながら、ハンクは繰り返し引き金を引いた。すべての銃弾を撃ち尽くす。念のために弾を残しておく必要などない。数発の銃弾がヘリに命中し、フロントガラスにひびが入った。

予想外の反撃に、追跡者たちは完全に不意を突かれた。

機体が大きく揺れると同時に、応戦してくる銃声も途絶えた。機内で機関砲を操作していた人間も大きく揺さぶられたからだ。ハンクはかかとを蹴ってマライアをそのまま前進させ、ヘリコプターの機体の真下に突っ込んだ。ヘリコプターの高度が落ちていたため、片手を上に伸ばせば着陸用のスキッドに触れることができたかもしれない。

乗組員の一人が、開いたハッチから身を乗り出している。黒ずくめの戦闘服姿だ。一瞬、ハンクと視線が合う。だが、マライアはヘリコプターの下を一気に駆け抜けた。エンジンの轟音とローターの巻き起こす風のせいで、指示を与えなくてもさらに速度を上げていく。

マライアはそのまま森へと突き進み、木々の間へと飛び込んだ。

数メートル左で、カウッチも森の中に逃げ込む。

甲高い悲鳴のようなエンジン音とともに、ヘリコプターは高度を上げ、再び追跡を開始した。

いつまでもこの追いかけっこを続けているわけにはいかない。ここまでは運にも恵まれていた。しかし、山をさらに下っていけば、高山帯の森林は次第に姿を消し、ナラの木立や丈の低い草地が多くなる。追っ手も同じことを考えているはずだ。ヘリコプターは速度を上げながら追ってくる。もう不意打ちは通用しない。

しかも、拳銃には弾が残っていない。

ハンクの目は右手に銀色の輝きをとらえた。氷河を水源とする小川だ。雪融け水と先日の嵐の雨で増水し、数段の滝を形成しながら山腹を流れ落ちている。ハンクは膝で合図を送り、マライアを小川の方角へと向けた。

川岸へと達すると、ハンクはマライアの腹部をかかとで押した。大きな水音を立てながら、馬は二人を乗せたまま小川へと飛び込んだ——ただし、行動を共にするのはここまでだ。

ハンクは手綱を放し、カイの腰に腕を回すと、馬よりも下流の水面へと身を投げた。もう片方の手のひらで、馬の尻をぽんと叩く。そのまま先に行けという合図と同時に、別れの挨拶の意味も込めて。

ハンクとカイが凍えるように冷たい水面へと落下すると同時に、馬は向こう岸に駆け上がった。カウッチも二人のすぐ近くの水面に飛び込んだ。二人と一匹は激しい流れにもまれながら、下流へと流されていく。水中へと引きずり込まれる前にハンクが最後に耳にしたのは、少女の甲高い悲鳴だった。

カイは水面に浮かび上がろうともがきながら、必死に水を蹴った。かかとがやわらかい何かに当たる。いきなり体をつかまれ、鞍から引きずり降ろされた時は、あまりに突然のことでまったく反応できなかった。しかし、氷のように冷たい水に包まれると、数時間前の爆発以来、体の中に閉じ込められていた悲鳴が一気にあふれ出た。

次の瞬間、口の中に大量の水が入り込んでくる。

悲鳴をあげていたせいで息を吸う暇もなかったため、カイはたちまち呼吸が苦しくなった。水の中で体がぐるぐると回転する。表面のつるつるした石が体に当たる。冷たい水が鼻の穴から入ってくる。ようやく頭が水面の上に出た。咳き込みながら叫び声をあげる。二本の腕が体を抱きかかえ、岸の方へと引っ張ってくれた。カイは急いで岸に上がろうとしたが、がっしりとした二本の腕が彼女の体を水中へと引き戻す。

「川の中にいるんだ」カノシュ教授の小声がする。白髪交じりの髪が頭に貼り付き、まるで溺死寸前のように見える。飼い犬も岩の上によじ登ったが、体の半分は水に浸かったままだ。

「どうして?」カイは訊ねた。歯がガチガチと鳴っている。寒さのせいでもあり、恐怖のせいでもある。

教授は上を指差した。

カイが上を向くと、西の尾根を越えてヘリコプターが姿を消すところだった。

「体温だ」教授は説明した。「森の中を執拗に追跡され、どうしても逃げ切れなかった理由だよ。しばらくの間、汗をかいたマライアの大きな尻を追い続けてくれることを祈ろうじゃないか」

カイは理解した。「そしてこの冷たい水が……私たちの姿を隠してくれるわけね」

「ちょっとした知恵さ。森の中でハンターをまくことができなかったら、先住民として失格だからな」

とてもそんな状況ではないのに、教授の目に笑みが浮かんだ。カイはその微笑みから温かさを感じた。

「さあ、行くぞ」教授はそう声をかけると、カイが凍えるような水温の川から出るのに手を貸してくれた。

飼い犬も二人の後から岸に上がると、体を揺すって水をはじき飛ばした。何事もなかったかのように大人しくしている。

カイは犬の真似をして、髪の毛を振り、ジャケットを揺すって、体にまとわりつく冷気を払い落とそうとした。金の板が一枚、ジャケットからこぼれて地面に落ちる。カノシュ教授は金の板に視線を落としたが、自分で拾い上げようとはしない。カイは手を伸ばし、もう一枚の板と一緒にジャケットの下にしまった。

教授は下流の方角を指差した。「動き続けて、体を温めないといけない」

「どこへ行くの?」歯を鳴らしながらカイは訊ねた。

「まずは、ここからできるだけ離れることだ。しばらくは連中の目を欺くことができるだろうが、マライアが森の外へと出るまでの話だ。鞍に誰もまたがっていないことに気づけば、やつらはここへと戻ってくる。ぐずぐずしていられないぞ」

「それから?」

「町に出て、助けを求める。我々の味方となってくれる人たちと行動を共にするんだ」

教授は細い獣道を伝って山を下り始めた。だが、その表情には不安の色が浮かんでいる。カイは教授に見つかった時にかけていた電話のことを思い出した。クロウおじさんはワシントンではけっこうな大物だと聞いている。国の安全保障とやらに関わる仕事をしているらしい。実際にはそれほど近い親戚というわけではなく、父方の異母おじだったか異父おじだったか……これまで数回しか会ったことがない。最後に会ったのは父の葬儀の時だった。しかし、ピクォート族は全員が大きな家族のような存在だ。部族全体が血縁や姻戚関係でつながっている。カイにもおばやおじが数え切れないほどいる。それでも、部族のみんなが言っている。困ったことに巻き込まれたら、クロウおじさんに電話をかければ何とかしてくれると。

「助けてくれるかもしれない人を知っているわ」カイは申し出た。

歩きながら、カイはズボンのポケットに手を入れ、携帯電話を取り出した。だが、川につかった後なので、携帯電話からは水が滴り落ちている。これでは電源すら入りそうもない。カイは顔をしかめながら携帯電話をポケットに戻した。どっちにしろ、こんなところでは電波が届くとは思えない。さっきはもっと標高の高い地点にいて、受信状態を示すバーがたまたま運よく一本だけ表示されたのだ。

教授もカイが何をしようと考えているのか気づいたようだ。「わかった。それなら第一の目標は、ハンターたちが再び我々の存在を嗅ぎつける前に、電話を見つけることにしよう。そのためには、州警察や州兵に出頭することも選択肢に入れておかないといけない」

カイは足がもつれた。「でも、彼らは私たちを殺そうとしているんじゃないの?」

「いいや、そうではない。連中の制服を見たんだ。兵士なのは間違いないが、州兵所属の部隊のものではない」

「それなら誰なの?」

「政府の別の機関という可能性はある。あるいは、懸賞金目当ての傭兵集団かもしれない。いずれにしても、一つだけはっきりと言えることがある」

「何?」

教授の答えは、冷たい川に身を沈めていた時以上に、カイの体を震え上がらせた。

「やつらが何者なのかはわからないが、我々を亡き者にしようとしていることは確かだ」

8

五月三十日午後九時十八分
ユタ州ソルトレイクシティ

「少なくとも、番号は伝えてくれたんだな?」政府のナンバープレートが付いたシボレー・タホの助手席へと乗り込みながら、ペインターは訊ねた。ペインターたちを乗せたガルフストリームのプライベートジェットが着陸した時、滑走路の脇ですでに待機していた車だ。

コワルスキは運転席に座り、大きな体が収まるように座席の位置を調節している。もう一人のチームメイトのチンは、一足先にロッキー山脈中にある爆発現場へと向かうため、すでに州兵のヘリコプターへと乗り換えていた。しかし、奇妙な爆発事件の調査へと神経を集中させる前に、ペインターには確認をしておかなければならない別の問題があった。

暗号のかかった回線を通したキャットの声が甲高く響く。「姪御さんから聞き出せたのはそれだけです。かなり怯えた様子でした。それに誰も信用できないと思っているみたいですね。プリペイド式の携帯電話からかけていましたから。でも、番号は教えてくれました。着陸したら、すぐに電話をかけてほしいとのことです」

「その番号を教えてくれ」

だが、キャットからの報告は電話番号の件だけではなかった。「ピアース隊長からも連絡がありました」キャットの口調が険しくなったことからすると、どうやらいい知らせではないらしい。「現在、彼はセイチャンと行動を共にしています」

携帯電話を握り締める指に思わず力が入る。「彼女はアメリカに戻ってきていたのか?」

「どうやらそのようです」

ペインターは目を閉じ、一呼吸置いた。セイチャンがアメリカに再入国したとの情報はまったくつかんでいなかった。だが、彼女のこれまでの経歴やコネを考えると、驚くようなことではない。それでも、セイチャンが唐突に姿を現したという事実は、重大な何かが動きつつあることを暗示している。「何があったんだ?」

「エシェロンへとつながる手がかりを入手したと言っています」

「どんな手がかりだ?」コワルスキがエンジンをアイドリングさせて待機する中、ペインターは助手席で身構えた。エシェロンというのは、ギルドと呼ばれる闇のテロ組織の上層部を表すコードネームだ。ペインターはワシントンから離れたことを後悔し始めた。

「グレイから詳しい説明はありませんでした。国立公文書記録管理局での調査のために、セイチャンから支援を要請されたと聞いているだけです。今夜、管理局のアーキビストと面会する予定になっています」

ペインターの眉間にしわが寄る。なぜセイチャンが国立公文書記録管理局を嗅ぎ回らなければならないのだろうか？　あそこにはアメリカ合衆国の歴史的な資料や文書が保管されている。その所蔵物とギルドにどのような関係があるというのか？　ペインターは腕時計を確認した。時計の針は九時半を示している。ワシントンではもうすぐ日付が変わろうかという頃だ。施設の職員と面会する時間にしてはかなり遅い。

「調査に進展があったらすぐに電話をするとグレイは言っていました。連絡が入り次第、司令官にもお伝えします」

「わかった。姪の問題がすぐに片付きそうもなかったら、明朝にはそっちに戻る。それまでの間、任せたぞ」

キャットとの電話が切れると、ペインターは記憶した電話番号を押した。呼び出し音が鳴ると同時に、早口の声が応答した。

「クロウおじさん？」

「カイ、どこにいるんだ？」

しばらくの間、沈黙が続いた。電話の奥で低い声がする。早く答えるように促している。

ようやく聞こえてきたカイの声は途切れ途切れで、涙と恐怖の狭間で震えていた。「私は……私たちはプロヴォにいるの。ブリガムヤング大学のキャンパス。ヘンリー・カノシュ教授の研究室よ」

ペインターは顔をしかめた。聞き覚えのある名前だ。その時、ペインターはワシントンからソルトレイクシティへの移動中の機内で読んだ内容を思い出した。山間部で発生した出来事に関する未発表の報告書にその名前が記されていた。カノシュ教授は爆発で命を落とした人類学者と親しかったという。

カイは研究室の住所を教えてくれたが、その声から恐怖の色が消えることはない。

ペインターは何とかカイを安心させようとした。「プロヴォには一時間以内で行ける」そう言いながら、空港の外へと車を走らせるよう、コワルスキに合図を送る。「私が着くまで、そこでじっとしているんだぞ」

カイに代わって新しい声が聞こえてきた。「クロウさん、ハンク・カノシュといいます。私のことはご存じないと思うが」

「マーガレット・グランサムの仕事仲間の方ですね。爆発が発生した時、現場に居合わせたと聞いています」ペインターは床の上に置いたブリーフケースを膝に乗せた。この男性をはじめとして、爆発を目撃した大勢の人に関する簡単な情報はすでに入手している。

反応があるまで一瞬の間があった。ペインターの答えに驚いたのだろう。だが、声が震えていたことから察するに、返事に詰まったのは驚きだけが理由ではなかったようだ。

「マギーは……彼女はマギーと呼ばれるのが好きだったものでね」

ペインターは声を落とした。「お悔やみを申し上げます」

「ありがとう。ところで、君に伝えておかなければならないことがある。君の姪と私は、山から逃げる際に攻撃を受けた。州兵のヘリコプターから銃撃されたのだよ」

「何だって?」キャットからは爆破テロリストと思しき人物の目撃情報も、カイが銃撃されたという話も聞かされていない。

「だが、どうやら本物の州兵ではなさそうだ。傭兵集団ではないかという印象を受けた。賞金稼ぎの連中が、州兵のヘリコプターを借りていたのかもしれない」

だが、ペインターは教授の説明に納得していなかった。目撃や銃撃の報告が、正規のルートを通じて流れていないからだ。つまり、ほかの何者かが、テロリストと思しき人物の捕獲あるいは殺害を試みたということになる。これは新たな問題の発生だ。「カノシュ教授、襲撃者に顔を見られましたか?」

教授は自信のなさそうな声で答えた。「それは……大丈夫だと思う。ほとんど森の中に隠れていたし、カウボーイハットをかぶっていたから。しかし、もし顔を見られていた場合、連中は我々を探してここにやってくる可能性があるということだな?　そこまで考えは回らなかった」

「それは仕方ありません」ペインターのような仕事に就いていない人間がそこまで気にしていたら、被害妄想だと笑われるだろう。「念のため、あなたとカイは移動した方がいいでしょう。

直接あなたへとたどられるおそれのない場所はありますか？」

沈黙が続く中、ペインターは教授が頭の中で考えを巡らせる音まで聞こえたかのように感じた。しばらくして、教授は答えた。「隣にある地学の研究棟で調べ物をしようと思っていたところだ。そこで会うのはどうだろう？」

「いい考えだと思います」

必要な情報を手に入れてから、ペインターは電話を切った。車はすでに州道十五号線を南に走っている。

コワルスキは火のついていない葉巻をくわえたまましゃべった。「プロヴォまであと六十キロくらいですかね」

ペインターはGPSに表示された推定所要時間の数字を読み上げた。「五十二分か」小声でつぶやく。

コワルスキは片目をちらりとペインターの方に向けた。「命令とあれば、四十二分で着けますけど」コワルスキはすでにアクセルを踏み込み、片方の眉を吊り上げて答えを待っている。

ペインターは座席に深く座り直した。心臓の鼓動は激しくなるばかりだ。相手はすでにカイと教授の行き先を絞り込んでいるかもしれない。「三十二分で行けるか？」

コワルスキはアクセルをさらに深く踏み込み、唇を歪めながら笑みを浮かべた。「そうこなくっちゃ」

ＳＵＶが速度を上げると、ペインターの体は座席の背もたれに押しつけられた。時速百六十キロに届こうかというスピードメーターの針に、本来なら不安を覚えるべきだろう。だが、ペインターは自らユタに赴いたことに対して心の底から安堵していた。スミソニアン・キャッスルの地下に閉じこもっているにもかかわらず、危険を察知する勘が鈍っていないことの証明になる。

ここで重大な何かが動きつつあるのは間違いない。

しかも、ここだけに限られないかもしれない。

ペインターはキャットからの電話の内容を思い返した。セイチャンの突然の出現、ギルドの真の上層部につながる手がかりを入手できる可能性。あの組織の内部から情報が漏洩《ろうえい》するのは極めて珍しい。連中の警戒が緩むほどの、とてつもなく重大な何かが持ち上がっているのでなければありえない事態だ。

例えば、今回の謎の爆発のような。

深読みのしすぎかもしれない。だが、ペインターは偶然の一致で物事を片付けることができない性分だった。それに予感が当たっていたとしても、東海岸で手がかりを追っているのは最も優秀な部下の一人だ。向こうはすでにかなり遅い時間だが、彼は調査に取りかかっていることだろう。

ただし、調査に集中できる状態であればの話だが。

9

五月三十日午後十一時四十八分
ワシントンＤＣ

グレイはセイチャンの後について、何本もの巨大な柱に支えられた国立公文書記録管理局の入口へと向かっていた。季節外れに気温の低い夜で、ワシントン特有の蒸し暑い夏が訪れる前に、寒気が最後の抵抗を試みている。真夜中近い時間のため、通りを走る車の姿はほとんどない。

何の前触れもなくセイチャンが自宅に現れた後、グレイは黒のズボンとブーツをはき、陸軍の長袖のＴシャツに袖を通し、膝丈まであるウールのコートを羽織った。しかし、セイチャンは寒さが気にならないらしく、バイクジャケットの前をはだけたままだ。その下に着ている薄手の深紅のブラウスも上の方のボタンを留めていないため、レースの下着がのぞいている。レザーパンツは体の線をはっきりと浮かび上がらせているが、彼女の仕草からはグレイを誘うような気配は見られない。はっきりとした目的を持った足取りで歩みを進めている。風に吹かれて枝が揺れるたびに、セイチャンの視線が素早く動く。緊張の糸が今にもはじけんばかりに張り詰めた状態にある。しかし、彼女はそうしなければ生き延びることのできない人生を送っているのだ。

二人が向かっているのは、ペンシルヴェニア通りにある公文書記録管理局の調査部の入口だ。建物の反対側には巨大なブロンズ製の扉を備えた一般用の入口があるが、それに比べると目の前の入口にはこれといった目立つ特徴がない。一般用の扉をくぐった先には大きな円形広間があり、独立宣言、合衆国憲法、権利章典の原版が、ヘリウムを注入したガラス製の容器に保管された状態で展示されている。

しかし、二人が深夜に公文書記録管理局を訪れた目的は、そうした文書を眺めるためではなかった。建物内には広さ八十万平方メートル以上に及ぶ保管庫があり、アメリカの歴史を網羅する百億点以上の記録が分類して収蔵されている。自分たちが探そうとしている文書を見つけるためには、専門家の助けが必要だ。

グレイたちが入口へと近づくと、扉が内側から開いた。グレイは思わず身構えたが、姿を現した痩せた男性は、二人に向かってあまり歓迎していない様子で手を振った。顔には不機嫌そうな表情が浮かんでいる。ドクター・エリック・ハイズマンは公文書記録管理局のアーキビストの一人で、植民地時代のアメリカ史が専門だ。

「君たちの同僚はすでに中にいるよ」彼は挨拶代わりに告げた。

ハイズマンの髪は雪のように白く、襟にかかるくらいの長さまで伸びている。顎ひげはきれいに刈り込まれていた。二人が通る間、扉を支えながら、ハイズマンはもう片方の手で首に掛けたチェーンの先にある眼鏡に触れた。こんな遅い時間に自宅から呼び出されたことを、当然のことながら快く思っていないらしい。あわてて駆けつけたからだろうか、ジーンズにセーターというカジュアルな服装だ。

グレイはハイズマンの着ているセーターにワシントン・レッドスキンズのマークが縫い付けられていることに気づいた。羽根飾りを付けたアメリカ先住民の横顔が描かれている。これから依頼する予定の調査内容を考えると、皮肉とも思えるような模様だ。ドクター・ハイズマンの研究の中心は、拡大の一途をたどっていたアメリカの植民地と、入植者たちが新世界で出会った先住民との関係にある。グレイが自らの調査を進めるうえで、まさに必要としている人材だ。

「一緒に来てくれたまえ」ハイズマンは言った。「第一書庫の近くの研究室を用意してある。私の助手に言ってもらえれば、君たちが必要としている記録を何でも持ってきてくれる」廊下を歩きながら、彼は二人の方を振り返った。「これは極めて異例の対応だ。最高裁判所の職員でさえも、勤務時間外に記録の閲覧を要求したりはしないのだからな。それに、君たちの調査内容を前もって具体的に教えてもらえれば、こちらもそれなりの準備をすることができたものを」

ハイズマンはまだまだ言い足りない様子だったが、その目がセイチャンの表情をとらえた途端、彼は口をつぐむと、あわてて顔をそむけた。

グレイはセイチャンの顔を見た。グレイの視線に気づいたセイチャンは、片方の眉をかすかに吊り上げた。「私は何もしていないわ」とでも言うかのような仕草だ。セイチャンが前に向き直った時、グレイは彼女の右耳の下に小さな傷跡があることに気づいた。長く伸びた黒髪でちょうど隠れるような位置にある。新しい傷なのは間違いない。ギルドの件の調査のためにセイチャンがどこへ赴いたのかは知らないが、決して楽な道のりではなかったようだ。

アーキビストの後について迷路のような廊下を進むうちに、グレイたちは小さな部屋へと行き着いた。部屋の中央にはテーブルがあり、一方の壁際にはマイクロフィッシュリーダーが何台も並べられている。室内では二人の人物がグレイたちの到着を待っていた。一人は大学生くらいの年齢に見える若い女性で、きれいな褐色の肌をしている。ファッション雑誌のグラビアから飛び出してきたかのようだ。黒のペンシルドレスが、スタイルのよさをいっそう際立たせている。顔にはしっかりとメイクが施されていることからすると、急に勤務先へと呼び出された時も、自宅でのんびりとくつろいでいたわけではなさそうだ。

「助手のシャリン・デュプレだ。彼女は五カ国語に堪能だが、母語はフランス語でね」

「お会いできて光栄です」女性はやわらかな低い声で挨拶した。かすかにアラビア系の訛りがある。

グレイは女性の手を握った。〈アルジェリア出身だな〉声の抑揚から、そう推測する。アルジェリアは一九六〇年代初めにフランスから独立したが、今も国民の多くはフランス語を使用している。

「お待たせしてしまって申し訳ない」グレイは詫びた。

「全然気にしていないぜ」テーブルの向かい側から、しわがれ声の答えが返ってくる。室内で待っていたもう一人は、グレイのよく知る人物だ。スウェットの上下に野球帽をかぶったモンク・コッカリスが、テーブルの上に両足を乗せていた。蛍光灯の光を浴びて、顔が明るく光っている。モンクは細身の助手の方に頭を傾けた。「こんな素敵な人と一緒だったんだから」

女性は戸惑ったような表情を浮かべながらお辞儀をした。口元にかすかな笑みが浮かぶ。

モンクはグレイたちより一足先に国立公文書記録管理局に到着していた。シグマの司令部はここからナショナルモールを歩いてすぐの距離にある。今夜の調査にモンクを加えるように勧めたのはキャットだった。もっとも、調査の応援として必要だからというより、任務に就きたくてうずうずしている夫を大人しくさせるためにこの作業を割り振ったのではないか、グレイはそんな気がしていた。

ハイズマンを除いた全員がテーブルに着いた。ハイズマンだけは、両手を後ろに組んで立ったたままだ。「なぜこんな遅い時間にいきなり呼び出されたのか、そろそろ理由を聞かせてもらえないかな」

グレイは自分の前に置いたファイルを開き、フランス語で書かれた書簡を取り出すと、テーブルの上をシャリンの方へと滑らせた。だが、シャリンが手を伸ばすよりも先に、ハイズマンが素早く片手で書簡を拾い上げ、もう片方の手で眼鏡をかけた。

「これは何だね?」ページを繰って頭を上下に動かしながら、ハイズマンは訊ねた。どうやらフランス語は読めないようだが、書簡の最後に記された署名に気づくと、その目を大きく見開いた。「ベンジャミン・フランクリン」ハイズマンはグレイの方を見た。「本人の署名のように見受けられるが」

「ええ、その点はすでに確認済みで、内容の翻訳も終わって——」

ハイズマンはグレイの説明を遮った。「だが、これは複写だ。原本はどこにある?」

「それは関係ありません」

「いいや、大ありだ!」ハイズマンは大声をあげた。「私はこれまで、フランクリンの書いたものにはすべて目を通している。しかし、このような書簡は見たことがない。この絵だけでも……」ハイズマンは一枚の紙をテーブルの上に叩きつけ、手描きのスケッチを指差した。

翼を広げたハクトウワシが、片足の鉤爪《かぎづめ》でオリーブの枝を、もう片方の足の鉤爪で矢の束を握っている絵だ。まだ作成途中のものらしい。走り書きのメモらしきものもあり、文字は解読できないが、絵の中の数カ所に向かって矢印が延びている。

「これはどうやらアメリカ合衆国の国璽の下書きのようだ。しかし、この書簡の日付は一七七

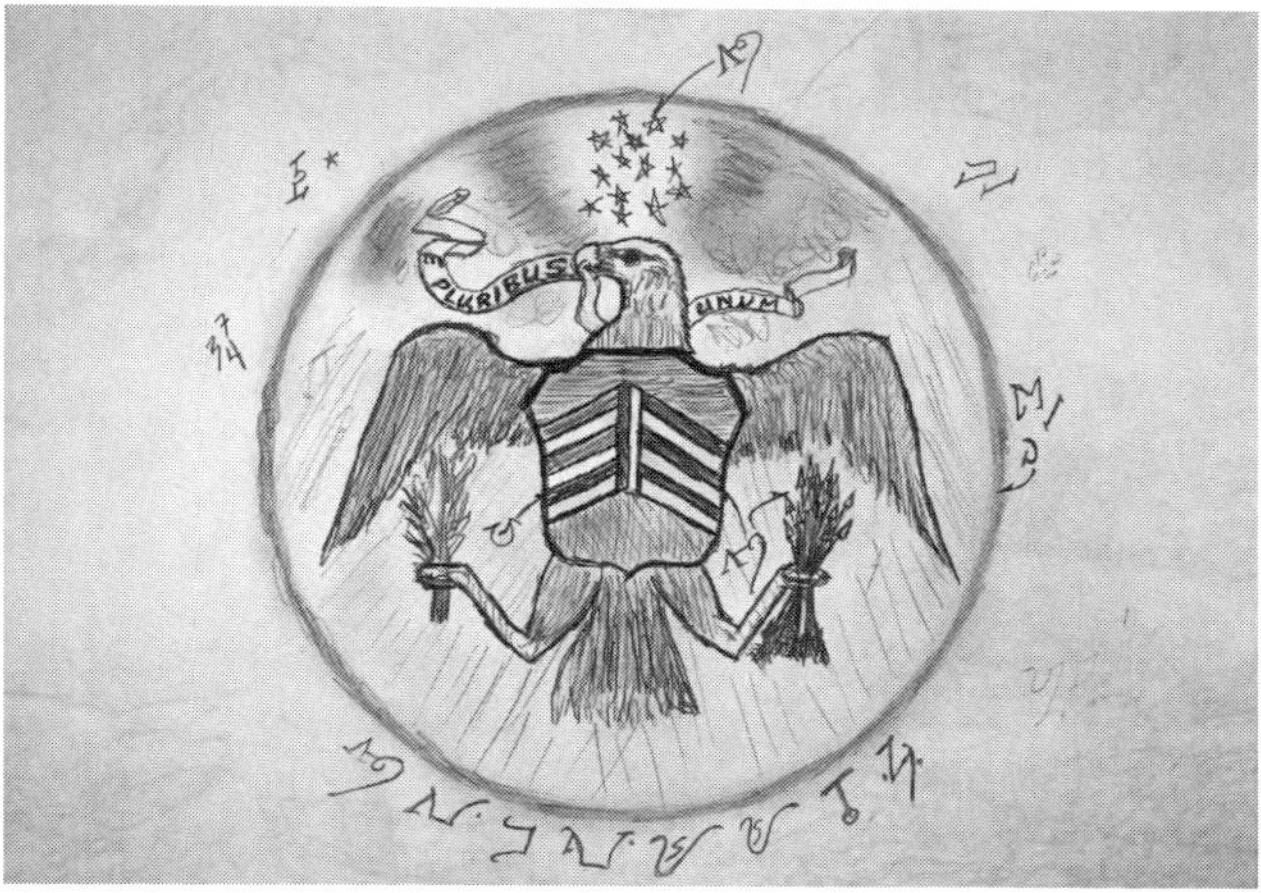

八年となっていて、このような国璽の下書きが公の記録に登場するようになる一七八二年頃とは四年もの開きがある。きっとこれは後世に描かれた偽物だろう」

「そうではありません」グレイは応じた。

「ちょっとよろしいですか?」シャリンはそっと書簡を手に取った。「すでに翻訳を終えたとのお話でしたが、翻訳結果が正確かどうか、確認させていただけないでしょうか?」

「ぜひともお願いしたい」グレイは答えた。

ハイズマンは落ち着きなくテーブルの脇を行ったり来たりしていた。「この書簡の内容が、今回の深夜の顔合わせの引き金になったということだな。なぜ二世紀も前のことが、明日の朝まで待てないほど急ぎなのか、理由を説明してもらえないかね?」

セイチャンが初めて口を開いた。穏やかな声だが、有無を言わせぬ威圧感を伴っている。「これを手に入れるために、血が流れたからよ」

その言葉でハイズマンは冷静さを取り戻し、テーブルに手をついて立ち止まった。「わかった。書簡について話してくれ」

グレイは切り出した。「これはフランクリンがフランス人の科学者に宛てた手紙です。相手の名前はアルシャール・フォルテスキュー。フランクリンが創設した科学者の団体、アメリカ知識振興協会の会員だった人物です」

「ああ、その団体のことなら知っている」ハイズマンは応じた。「アメリカ哲学協会から生まれた組織で、具体的には新しい科学知識の研究を活動の中心に据えていたグループだ。早くからアメリカ先住民の遺跡の考古学的な調査を行なっていたことで最もよく知られている。やがてこの団体は、何かに魅入られたかのようにそうした調査に執着するようになった。植民地各地にある先住民の墓や墳丘を掘り返していたほどだ」

ハイズマンの隣に座っていたシャリンも口を開いた。「この書簡の内容は、まさにそのことに触れていますね。フランス人の科学者に対して、フランクリンがケンタッキーで実施する探検の援助を依頼しています」シャリンは眉間にしわを寄せながら、その続きを翻訳した。「『**大蛇の形をしたインディアンの墳丘を見つけて発掘し、その中に埋められているアメリカにとっての脅威を捜索する**』」

シャリンは書簡から顔を上げた。「どうやら内容からすると、かなり急を要する案件だったようです」彼女は書簡の文章に指を走らせながら、該当箇所を翻訳した。「『我が親愛なる友よ、十四番目の植民地――デビルコロニーへの希望は、残念ながら潰《つい》えてしまったことを報告しなければならない。イロコイ連邦の代表者のシャーマンたちは、ジェファーソン知事との会合に向かう途上、極めて残虐な形で殺害された。彼らの死とともに、大いなる秘薬と白いインディアンの知識を持つ者は、全員が神のもとへと旅立ってしまった。しかし、一人のシャーマンが仲間の死体の下に隠れて瀕死の状態で生き延び、息を引き取る直前に最後の希望を伝えてくれた。彼の話では、角を持つ悪魔の頭蓋骨の内部に貼り付けられ、装飾を施したバッファローの毛皮にくるまれた地図があるという。その地図は、ケンタッキー郡に住む部族たちによって神聖視されている墳丘の中に隠されているというのだ。悪魔や失われた地図などという話は、死を間際にして混濁《こんだく》した頭の生み出した幻にすぎないかもしれないが、わずかな可能性であっても排除するわけにはいかない。その地図は我々が確保しなければならない。敵の手に落ちてはならない。そのことに関してだが、我々の誕生間もない国家を引き裂こうとする勢力に関する一つの手がかりを入手した。敵を表す記号だ』」

シャリンはページを裏返して全員に記号を見せた。コンパスの下に直角定規があり、小さな三日月と星の模様を包み込んでいる。

シャリンは顔を上げた。「フリーメイソンのシンボルのように見えますが、このような形は今まで見たことがありません。星と月が含まれているものなんて。みなさんは？」

グレイは黙っていた。ドクター・ハイズマンは記号を凝視した後、ゆっくりとかぶりを振った。「フランクリンはフリーメイソンの会員だった。自分が所属する組織を悪《あ》し様《ざま》に言ったりはしないはずだ。まったく別個の組織に違いない」

記号をよく見ようとして、モンクも身を乗り出した。その表情にはまったく変化が見られないが、グレイはモンクの鼻の穴がくさいにおいを嗅いだ時のように、かすかに動いたことを見逃さなかった。グレイと同じように、モンクもギルドの上層部を表す記号のことは知っている。

モンクはグレイと視線を合わせた。その目に浮かぶ疑問を、グレイははっきりと読み取ること

がでぎた。〈なぜこの記号が、ベンジャミン・フランクリンからフランス人科学者に宛てた手紙の中に？〉

グレイもその答えを求めていた。

モンクは別の疑問を口にした。「どうして我らがベンは、この研究の援助をフランス人に要請したんです？　ケンタッキーの未開拓地への探検を率いてもらうにしても、もっと身近に人材がいたのではないですか？」

セイチャンが一つの答えを提供した。「たぶん、彼は自分のまわりの人たちを百パーセント信用していたわけではなかったんじゃないの。彼の手紙にある謎の組織だけど……政府の内部にまで食い込んでいたのかもしれない」

「そうかもしれん」ハイズマンは応じた。「しかし、独立戦争で英国と戦っていた時、フランスは我々の味方だった。フランクリンはパリに滞在していた時期もある。さらに重要なのは、カナダの入植者たちが現地の先住民と手を組んで英国と戦ったフレンチ・インディアン戦争に際して、フランス人入植者たちもアメリカ先住民の部族と緊密な同盟関係を築いたという事実だ。当時の先住民に関して慎重な扱いを要する調査を任せられる人間を探していたフランクリンが、フランス人に接触したとしても不思議ではない」

「この書簡にはその理由が記されているようです」そう言うと、シャリンは該当箇所を翻訳した。「『アルシャールよ、今は亡きカナサテゴ族長――彼の毒殺は我々の敵による恐るべき所業だと、私は今も強く信じている――彼と心を許し合った友人である君以外に、このような重要な探検を率いるのにふさわしい人物は思い当たらない。これは失敗してはならない任務なのだ』」

手紙にはそう記されているにもかかわらず、モンクの疑問への答えとしては、セイチャンもハイズマンも正解なのではないか、グレイはそんな気がしていた。文面から察するに、フランクリンは疑心暗鬼になっていて、自分が信頼を置ける人物であると同時に、現地の部族と密接な関係を持つ人物に対して、協力を要請したのだろう。

「ところで、このカナサテゴとかいうのは誰です？」モンクが拳であくびを隠しながら訊ねた。だが、友人の目が鋭い輝きを発しているのを見たグレイは、彼がさりげなさを装って質問したことに感づいていた。

グレイはモンクの意図が理解できた。書簡からは、フランクリンにとっての謎の敵が、先住民の族長を殺害したことがうかがえる――もし書簡に記されている記号が単なる偶然の一致でなければ、シグマがここ何年間にもわたって戦いを繰り広げている相手も、同じ敵だということになる。にわかには信じられない話だ。だが、それならなぜギルドはこの書簡を、自分たちの記号が描かれているこの書簡を、人目に触れないように隠し続けていたのだろうか？

大きく深呼吸をしたハイズマンの声から、よそよそしい調子が少しずつ薄れていく。「カナサテゴ族長のことか」親友の思い出を語るかのような穏やかな口調だ。「彼は歴史上実在する人物だが、その名前はあまり知られていない。しかし、アメリカの建国において重要な役割を果たしている。彼のことを『失われた建国の父』と評する者もいるくらいだ」

シャリンがいくぶん誇らしげな口調で説明を引き継いだ。「ドクター・ハイズマンはこのイロコイ族の族長に関して、広範な研究を行なっているのです。ドクターの執筆した論文が契機となって、この国の建国に際してアメリカ先住民の果たした役割を認める決議が議会で採択されたと言っても過言ではありません」

ハイズマンは片手を振って助手の称賛を遮ろうとしたが、その頬には赤みが差し、胸を張るかのように背筋が伸びている。「カナサテゴは実に魅力的な人物だ。当時の最も偉大な、同時に最も影響力のあったアメリカ先住民だろう。不慮の死を遂げることがなければ、この国のその後の歩みが、とりわけ先住民との関係が、まったく違ったものになっていたかもしれない」

グレイは椅子の背もたれに体を預けた。「彼は手紙にあるように殺されたのですか？」

ハイズマンはうなずくと、ようやく椅子に腰を下ろした。「毒殺されたのだ。首謀者に関しては、歴史家の間でも意見が分かれている。英国政府のスパイの仕業だとする説もあれば、同じ先住民の手によって殺されたとする説もある」

「でも、ベンの主張する説はどちらでもないみたいですね」モンクは付け加えた。

ハイズマンは飢えた獣のような目で書簡を見つめている。「実に興味深いな」

どうやらこのアーキビストから調査への協力を取りつけることは、もはや難しい問題ではなくなったようだ。さっきまでその態度からにじみ出ていたいらだちと眠気はすっかり消え、知識への飽くなき探求心だけがうかがえる。

「どうしてこのイロコイ族の族長はそれほどまでの重要人物だったのですか?」モンクは訊ねた。

ハイズマンは書簡の複写を手に取り、翼を広げたハクトウワシの絵が描かれたページを見せた。矢の束を握っている鉤爪を指差す。「これがその理由だ」ハイズマンはテーブルを見回した。「合衆国の印璽に矢の束を握ったハクトウワシが描かれている理由を知っているかね?」

グレイは肩をすくめ、ページを手元に引き寄せた。「片方の鉤爪のオリーブの枝は平和を、もう片方の鉤爪の矢は戦争を表しています」

この夜初めて、アーキビストの口元に笑みが浮かんだ。「誰もがそのように勘違いしている。だが、十三本の矢の束が描かれている裏には、カナサテゴ族長にまつわる話がある」

グレイは余計な質問を挟むまいとした。自由に話をさせた方が、より多くの情報を得ることができそうだと判断したからだ。

「カナサテゴはオノンダガ族の族長だった。オノンダガは後にイロコイ連邦を結成することになる六つの部族国家のうちの一つだ。この独自の形態を持つ部族連合は長い歴史を持っていて、最初に結成されたのは十六世紀というから、アメリカの建国よりもはるかに前のことだな。その後、何世代にもわたって血なまぐさい争いを繰り広げた後、各部族の間でようやく話がまとまり、ばらばらだった部族国家は共通の目的のために一つとなることに同意した。彼らは独自の民主主義的かつ平等主義的な政府を結成し、各部族の代表者が等しい発言権を有していた。その当時の世界では類を見ない形態の政府で、独自の法体系や憲法も有していたのだ」

「どこかで聞いたような話ですね」モンクがつぶやいた。

「それもそのはずだ。カナサテゴ族長は一七四四年に入植者たちと会合を持ち、イロコイ連邦を例として提示しながら、入植者たちに向かって共通の目的のため一つにまとまることの重要性を説いたと言われる」

ハイズマンは全員の顔を見回した。「ベンジャミン・フランクリンはその会合に出席しており、カナサテゴの言葉を伝えた仲間たちとともに、後にアメリカ合衆国の憲法を制定することになる。実際、憲法制定会議の代議員の一人――サウスカロライナ邦のジョン・ラトリッジは、イロコイ連邦の法律の一文を仲間の代議員たちに読み上げた。彼は部族連合の協約から直接引用して、以下のように述べたとされる。『我々人民は、連邦を形成し、平和と平等と秩序を樹立し――』」

「ちょっと待ってください」モンクは椅子に座ったまま姿勢を正した。「今のは合衆国憲法の前文とほとんど同じじゃないですか。つまりあなたは、建国の際の文書がインディアンの古い法律にならったものだと言うのですか？」

「私個人の意見ではなく、合衆国議会が認定したことだ。一九八八年十月に可決された三三一号議案では、イロコイ連邦の憲法が、我が国の憲法や権利章典に影響を及ぼしたことを認めている。影響の度合いに関しては議論の余地があるものの、事実から目をそむけることはできない。我が国の建国の父たちは、その影響を国璽という形で永遠に残しているのだ」

「どういう意味ですか？」グレイは訊ねた。

ハイズマンは再びハクトウワシの絵を指差した。「一七四四年の会合の席で、カナサテゴ族長はベンジャミン・フランクリンに歩み寄り、贈り物を手渡した。矢羽の付いた一本の矢だ。フランクリンが困惑していると、カナサテゴはその矢を取り戻し、膝を当てて真っ二つに折ると、床に投げ捨てた。次に、カナサテゴはフランクリンに対して、革紐で束ねた十三本の矢を見せた。彼はこれも膝に当てて折ろうとしたが、一本の束にまとまっていたため、どうしても折ることができない。カナサテゴはその束をフランクリンに手渡した。彼が何を言わんとしていたかは明白だろう。生き残り、強くあるためには、十三の植民地が一つにまとまらなければならない。一つになって初めて、新しい国家は折れることのない存在になれる。国璽のハクトウワシが同じ十三本の矢の束を鉤爪に握っているのは、カナサテゴ族長の箴言《しんげん》への永遠の敬意を表すためだ――ややぼかした形ではあるがね」

ハイズマンの話を聞きながら、グレイは絵をじっと観察していた。何かを見落としているという気がしてならなかったからだ。このスケッチはまだ最終的な完成形ではなく、絵の横や下には解読不能な文字が記されている。さらに絵を凝視し続けていたグレイは、この国璽のスケッチに関して覚えた違和感の原因に気づいた。

「この絵には十四本の矢が描かれている」

ハイズマンが身を乗り出した。「何だって？」

グレイは指差した。「数えてみてください。ワシが握っている矢の数は十四本です。十三本ではありません」

全員が立ち上がり、グレイの後ろに集まった。

「本当だわ」シャリンがつぶやいた。

「これはただの下書きに違いない」ハイズマンは応じた。「大ざっぱに描いてみただけのものだろう」

セイチャンが両腕を組んだ。「そうとは言えないんじゃない。フランクリンの手紙の中には、十四番目の植民地に関する記述がなかった？　何て書いてあった？」

ハクトウワシの絵を見つめるうちに、グレイの頭の中にある考えが形成されていた。「書簡には、トーマス・ジェファーソンとイロコイ連邦の代表者との間で秘密の会合の予定があったことをうかがわせる記述もあった」グレイはハイズマンの方を見た。「ジェファーソンとフランクリンが新たな植民地を、十四番目の、先住民だけから成る植民地を作ろうと模索していたという可能性は考えられませんか？」

「デビルコロニーのことか」モンクはフランクリンの書簡に記されていた名前を口にした。「『レッド』を付けたらスポーツチームのニックネームみたいだな」

グレイはうなずいた。「この下書きに描かれた十四本目の矢は、実現に至らなかったその植民地を表しているのでは？」

その可能性を考慮するハイズマンの視線はうつろだった。「そうだとすれば、これは歴史的な文書としては数十年ぶりの大発見になるぞ。しかし、どうしてそれを裏付ける証拠が存在しないのだろう？」

グレイはフランクリンとジェファーソンの立場になって答えた。「なぜなら、計画は失敗に終わったからです。何かを大いに恐れた彼らは、この件に関する記録をすべて抹消したため、わずかな手がかりだけが残ったのでしょう」

「しかし、君の言う通りだとして、彼らはいったい何を隠しているのだ?」

グレイは首を横に振った。「その答えは――あるいは、真実への手がかりは、フランクリンとフォルテスキューとの間で交わされた別の書簡の中に眠っている可能性があります。調査を開始して――」

携帯電話の呼び出し音に、グレイの言葉は遮られた。静かな室内で音が大きく響く。グレイはコートのポケットから携帯電話を取り出し、発信者を確認した。軽いため息が漏れる。

「ちょっと失礼します」グレイは立ち上がり、テーブルに背を向けた。

電話に出た途端、取り乱した様子の母の声が聞こえてきた。恐怖で声が震えている。「グレイ、あなたの……早く助けにきてちょうだい!」電話の向こうで何かの割れる音が響いた。それに続いて、荒々しいわめき声。

その直後、電話は切れた。

10

五月三十日午後十時一分
ユタ州ハイ・ユインタス・ウィルダネス

アシュリー・ライアン少佐は地獄への入口を警護していた。

彼が配置に就いている場所から五十メートルほど離れた地点では、日中の爆発箇所から今も低い音が鳴り響いていて、高温の水柱を噴き上げたり、泡立つ泥を押し出したりしている。硫黄の臭気が漂う渓谷は、蒸気のせいで火傷をしそうなほど高温のサウナと化していた。わずか半日の間に、爆発地点の穴は二倍に広がり、今も周囲の山腹をゆっくりと削り取り続けている。日没時には、岩壁から巨大な岩の塊が崩落した。氷河から氷山が産み落とされたかのような光景だった。大きな岩は広がりつつある穴へとのみ込まれてしまった。夜の帳《とばり》が下りるとともに、雲が出て月や星を覆い隠したために、谷底は洞窟内部のような闇に包まれている。

穴の中心部から赤みを帯びた鈍い光が見えるだけで、それがいっそう不安をかき立てる。地下で何が起きているのかはわからないが、それはまだ終わっていない。

現場が危険で不安定な状態にあるため、州兵は峡谷一帯から関係者以外を退避させ、周囲五キロに非常線を張って人員を配置しているほか、空からも二機の軍用ヘリコプターで監視を続けている。ライアンは数人の部下を谷底で警戒に当たらせていた。部下たちはいずれも消火活動の経験があり、ノーメックスの黄色い耐熱服とヘルメットのほか、ここの空気の状態がさらに悪化した場合に備えて酸素マスクも装備している。

同じような装備に身を包みながら、ライアンは来訪者に向き合った。「ここで起きていることの原因を教えてもらえるんでしょうね？」

無愛想な口調でロナルド・チンと自己紹介した地質学者は、ヘルメットを小脇に抱えて背筋を伸ばした。「それを調べるために来たんです」

ライアンは科学者をうさんくさいものでも見るかのような目つきで眺めた。ワシントンから空路でやってきたというこの男は、十五分前にヘリコプターで到着したばかりだ。余計なことにまで何かと首を突っ込みたがる政府関係者を、ライアンは日頃から快く思っていないが、この地質学者は単なる研究者ではないと直感した。どことなく堅苦しい物腰とスキンヘッドから推測するに、おそらく軍隊経験があるのだろう。峡谷の底に下ってくると、政府が派遣したこの科学者は周囲の状況を鋭い視線で一瞥した後、ライアンが指示を出すより先に耐熱服を着用した。

「一人で大丈夫ですから」チンはそう告げると、地面の上に置いた金属製のブリーフケースを手に取った。

「だめですよ。ここであなたの身に何かあったら、私の責任になります」地質学者に対して全面的に協力するように指令を受けていたが、ここを統括しているのは自分だ。ライアンは部下の一人を手招きした。「ベラミー二等兵と私が、現場まで同行させてもらいます」

チンは反論せずにうなずいた。その態度に、ライアンは好感を抱いた。

「それならば、早いところ調査を終わらせましょう」肩に取り付けたＬＥＤの懐中電灯のスイッチを入れ、ライアンが先頭に立った。二人がその後ろに続く。人跡未踏の洞窟を調査する探検隊のようだ。

暗い森に入ると、足を一歩踏み出すたびに空気が熱くなり、硫黄の臭気が強くなる。三人は急いでヘルメットと酸素マスクを装着した。それでも、熱気がまるで実体を伴った壁のように三人の行く手に立ちはだかる。ヘルメットのフェイスシールドに水蒸気が凝結し、視界が遮られる。酸素マスクを通して吸入する空気は、金属の味がする。それとも、それは単に怯えているせいだろうか？　森を外れた地点で、ライアンはほかの二人に止まるよう指示した。爆発現場の状況が予想以上に悪化していたからだ。

前方の谷底には直径約三十メートルの円形の浅い窪みができており、その一部は左手の岩壁へと深く食い込んでいる。近くに目を向けると、窪みと接する部分の岩肌が今もなお砂利や細かい砂粒へと分解し続けており、窪みは少しずつ拡大していた。境目の先はきめの細かい粒から成る緩やかな斜面が形成されているが、中心付近では傾斜が急になって深い穴ができており、そこから蒸気が噴出していた。

その暗い入口の奥では、熱湯が地下の炎に照らされて輝いている。足もとの大地が震動すると同時に、大きな音を鳴り響かせながら、高温に熱せられた水と水蒸気から成る間欠泉が夜空に噴き上がる。三人は思わず後ずさりした。

間欠泉の噴出が治まると、チンは大地に開いたクレーターの縁から一メートルほどの距離にまで接近した。「爆発の影響がこの地下にある地熱層にまで達したのは間違いなさそうです」酸素マスクを通したチンの声はこもって聞こえる。「この地域一帯は活発な火山活動の真上に位置しているんですよ」

ライアンもベラミーとともに、窪みの縁へと近づいた。「足もとに注意してくださいよ。崩れるかもしれないですから」

チンはうなずき、慎重に縁から後ずさりした。地面に片膝を突き、手に持っていたケースを開く。ケースの内部には、ロックハンマー、容器、ブラシ、つるはしのほか、調査用の器具や薬品が整然と並べられている。

地質学者は採取用の器具を用意しながら説明した。「岩屑《がんせつ》とシルトのサンプルが必要です。窪みの縁から始めて、中心へと採取を進めていきましょう」チンはハンマーとのみを差し出した。「お二人のどちらかに縁の手前の花崗岩を削り取っていただけると、時間の節約になります」

ライアンはベラミーに向かって作業を手伝うように指示を出した。「どうしてただの岩の塊が必要なんです?」

「このあたりの岩盤の組成の指標として使用するためです。爆発地点からのサンプルと比較するための材料がないと」

器具とサンプル採取用の小さな袋を受け取ると、ベラミーは数メートル離れた地点で作業に取りかかった。まだ若いアフリカ系アメリカ人の男性だ。ユタ州立大学のフットボールチーム、アギーズでラインバッカーとして鳴らしていたが、膝の怪我のために競技を続けることができなくなった。妻がいて、娘も生まれる予定だったため、彼は大学を中退して州兵に入隊した。優秀な部下で、作業を手際よく、てきぱきと行なう術を心得ている。

チンは伸縮可能なアルミニウム製の棒の先端に、ガラス製の小さな容器を取り付けた。前かがみになって棒を差し出し、窪みの縁の少し先にある目の粗い砂をすくい上げる。

地質学者が作業を続ける中、ライアンはそのさらに先へと視線を向けた。縁から離れるにつれて砂粒はさらに細かくなり、中心近くでは粉末状の細かい塵と化していた。砂時計の中の砂のように、下へと渦を巻きながら、蒸気を噴き上げる穴の中へと消えていく。

こもった叫び声を耳にして、ライアンはチンへと注意を戻した。地質学者は窪みの縁からさらに先へと棒を伸ばしていた。高温の砂をガラス容器へと採取することには成功していたが、よく見ると容器の表面に無数のひび割れが生じている。

〈熱のせいで割れたのだろうか?〉

ライアンの見ている目の前で、容器の底が砕け、採取したばかりのサンプルが窪みの中へとこぼれ落ちていく。ガラスの破片が窪みの表面に落下すると、粉末状になって融けてしまう。いや、融けたのではない。ほんの数秒のうちに、ガラスは分解して消滅してしまった。

かがんでいたチンが立ち上がった。割れたガラス容器の残骸が先端に付いた棒を手に握ったままだ。チンとライアンが呆然と見つめる中、棒に残った容器も細かいガラス状の粉末となり、ふるいにかけられた細かい砂のように窪みの中へと落下した。そればかりか、アルミニウム製の棒の先端部分も分解が始まり、徐々に柄の部分へと広がっていく。柄の部分への侵食が十センチも進まないうちに、チンは棒を窪みの中へと投げ込んだ。槍投げ競技の槍のように、棒が細かい砂の表面に突き刺さる――だが、まるで流砂にのみ込まれるかのように、棒はそのまま沈んでいった。

いや、沈んでいるのではない。

「変性している」チンの声からにじみ出る驚愕《きょうがく》の色が、ライアンの恐怖をさらに募らせる。

「ここで起きている何かは、物質を崩壊させている。おそらく、原子レベルで分解しているのだろう」

「いったい何が原因でそんなことが?」

「見当もつかない」

「だったら、どうやってそれを食い止めたらいいんです?」

その問いかけに対して、チンは首を左右に振るばかりだった。ライアンはこの現象が山間部一帯に癌《がん》のように広がりながら、それと同時に地下深くへと侵食していく様を思い浮かべた。さっき聞いたばかりの地質学者の言葉が頭によみがえる。この地下に存在するものを説明した言葉だ。

〈この地域一帯は活発な火山活動の真上に位置しているんですよ〉

それを証明するかのように、大地が再び激しく震動した。さっきよりもかなり大きな揺れだ。再び間欠泉が噴出し、木々の梢に達する高さにまで噴き上げられた熱水が、滝のように降り注ぐ。

チンは手をかざして顔面を保護しながら、ほかの二人に退避するよう指示した。「ここは極めて不安定な状態になっています。この峡谷から撤退してください。少なくとも、一キロ半は離れないと」

異議を唱えるつもりなど毛頭ない。ライアンはベラミーに大声で叫んだ。部下はハンマーのみを手に持ち、数メートル離れた地点に立ったままだ。「そいつはもういい。全員をここから退避させる準備に移れ!　装備をすべて持っていくぞ!」

ベラミーがその指示に従おうとした時、彼の背後の断崖から大きな岩が崩落し、窪みへと落下した。湿り気のある粉末が飛び散り、ベラミーのはいていたズボンの右膝から足首にかけての数カ所に、黒いしみが付着する。

「早くそこから離れろ！」ライアンは指示した。

それ以上促されるまでもなく、ベラミーが小走りに近づいてくる。しかし、二人のもとにまで達する頃には、その顔は苦悶で歪んでいた。右脚を引きずっている。

「どうした？」ライアンは訊ねた。

「脚が焼けるように熱いのです」

ライアンはベラミーの脚に目をやった。耐熱服を着用しているので、たとえ高熱の液体がかかったとしても、肌を火傷から守ってくれるはずだ。

「彼を地面に寝かせろ」チンが大声をあげた。「早く！」

地質学者の命令口調の強さに、ライアンは思わず身震いした。ベラミーの肩へと手を伸ばす。だが、二等兵は突然悲鳴をあげた。右脚が体重を支えられなくなり、体が傾く。脛《すね》の中央部で骨が砕け、横に飛び出している。

ライアンはかろうじてベラミーの体を抱き止め、地面に寝かせた。

「くそぉぉっ！」二等兵は苦痛で体をよじりながら叫んだ。

ライアンは汚い言葉遣いを注意しなかった。自分も同じ言葉を叫びたい気分だったからだ。

いったい何が起きているんだ？

チンはベラミーの足もとにひざまずいた。片手にナイフを握っている。ケーバーの軍用ナイフだ。二等兵のズボンの膝下から足首までを一気に切り裂く。脛はひどい複雑骨折の状態だ。ふくらはぎからは脛骨《けいこつ》の破片が飛び出している。黒い肌のせいで骨の白さがいっそう際立つ。血も流れていたが、傷の状態から予想されるほどの出血ではない。

「彼は汚染されてしまった」チンは宣告した。

ライアンは地質学者の言葉の意味がすぐには理解できなかった――ところが、唖然として見つめる目の前で、折れた骨のとがった先端が、細かい粉末へと変わり始めた。傷口沿いの皮膚も、ゆっくりと消滅していく。ライアンは飛び散った粉末がベラミーの右脚にかかった場面を思い返した。ついさっき、地質学者の口にした言葉がよみがえる。

〈変性している〉

粉末はベラミーの耐熱服を食い破り、脚を蝕み始めたのだ。

「ど、どうしたらいいんだ？」ライアンは言葉に詰まった。

「斧を持ってこい！」チンは指示した。

ライアンが即座に従ったのは、今度は強い命令口調のせいではない。地質学者の声から強い恐怖を感じ取ったからだ。チンは手で触れないように注意しながら、耐熱服のズボンの粉末が付着した部分を切り取り、窪みの中へと投げ捨てた。彼は本気でそんなことをしようと考えているのだろうか？　その疑問も、地質学者が自分のベルトを外し、止血帯として使おうとしたことで氷解する。

ベラミーもその意図に気づき、低いうめき声をあげた。「やめてくれ……」

「これしか方法がないんだ」チンは二等兵に説明した。「脚から上へと広がらないようにしないといけない」

チンの言う通りだ。野営地へと向かって走りながら、ライアンは自分が口にした質問と、拡大しつつあるクレーターを思い出していた。〈どうやってそれを食い止めたらいいんです?〉

今ならその答えがわかる。

〈大きな代償を払わなければならない〉

今できるのは、被害を最小限に食い止めることだけだ。

一分もたたないうちに、ライアンは野営地の消防装備の中にあった斧をつかみ、二人の部下を引き連れて戻ってきた。すでにチンはベラミーの太腿にベルトをきつく結び終えていた。二等兵は仰向けの姿勢で横たわり、チンに両肩を押さえつけられている。酸素マスクの奥のベラミーの顔は、恐怖と苦痛で歪んでいた。

二人の部下が息をのむ。

無理もない。ベラミーの右脚はサメにふくらはぎを半分食いちぎられたかのような状態になっていた。脛から下は肉と皮膚でかろうじてつながっているだけだ。それ以外は、彼を汚染した何かによって食い荒らされてしまっている。

新たな二人の兵士がベラミーの体を押さえると同時に、チンはライアンと目を合わせた。地質学者は斧を見てから、ベラミーの脚に視線を移した。「私がやりましょうか?」ライアンは首を横に振った。〈彼は私の部下だ。私が責任を持つ〉ライアンは斧を頭上にかざした。一つだけ、地質学者に確認する必要がある。「膝の上か、下か?」チンの顔に浮かんだ険しい表情を見れば、答えを聞くまでもなかった。少しでも危険が少ない方を選択しなければならない。

両腕に力を込めると、ライアンは斧を振り下ろした。

11

五月三十日午後十時二十分
ユタ州プロヴォ

ペインター・クロウは必死に握り締めていた座席の肘掛けから、どうにか指を引き離すことができた。ソルトレイクシティから大学のあるプロヴォの街までのレースは、ちょっとやそっとのことでは動じないペインターでさえも生きた心地がしなかった。気を紛らすために恋人のリサに電話をかけ、無事に到着したことを知らせようとしたのだが、スピードの遅い車を追い抜き、時には対向車線にまで大きくはみ出しながら幹線道路を高速で飛ばすので、無事の連絡を入れるのはもう少し待った方がいいと感じたほどだ。

コワルスキはようやくシボレー・タホのエンジンを切り、腕時計を確認した。「二十八分だ。約束の葉巻を忘れないでくださいよ」

「グレイの忠告を守るべきだったよ」扉を押し開けたペインターは、倒れ込みそうになりながら外に出た。「車輪の付いているものに君を近づけてはいけないと」

コワルスキは肩をすくめながら車外に出た。「グレイが何をわかっているって言うんです?あいつはDC市内を自転車で走り回っているようなやつでしょう。男は自転車に乗るべしと神様が考えていたのなら、あんなところにタマを付けたりしませんよ」

ペインターはコワルスキをまじまじと見つめた。呆気にとられて返す言葉もない。ペインターは首を横に振ると、コワルスキを従えて駐車場を横切った。巨漢のコワルスキが着ているのは足首丈の黒のダスターコートで、その下には脚に装着したモスバーグのポンプアクション式ショットガンが隠れている。市街地で携帯するには殺傷力が強すぎるので、散弾の代わりにXREPのテーザー弾が装填《そうてん》されている。電源を内蔵したワイヤレスの銃弾が当たると、相手は電気ショックで体の動きが麻痺《まひ》する。

武器を携帯している人物のことを考えると、賢明な措置と言えるだろう。

すでに遅い時間なので、ブリガムヤング大学のキャンパス内は閑散としていた。街の周囲を取り囲む雪を頂いた山々から、冷たい風が吹き下ろしているので、歩道を足早に歩く学生たちは厚着をしている。恋人同士と思われる学生がペインターたちを不思議そうな顔で見たが、そのまま歩き去った。

前方に目を移すと、木々の間を抜ける遊歩道を街灯の光がやわらかく照らしていて、そのさらに先には高い鐘楼《しょうろう》が見える。四方に広がる大学の建物はほとんど電気が消えているが、夜間授業の行なわれている教室だけは煌々《こうこう》と明かりがともっていた。

ペインターは携帯電話の画面で大学構内の地図を確認した。カノシュ教授とは地学の研究棟内にある研究所で落ち合う予定になっている。建物の位置を確認すると、ペインターは再び歩き始めた。

アイリング科学センターはウエストキャンパス通りから脇に入った並木道沿いにある。大きなドーム状の観測所が屋上に設置されているので迷うことはない。幅の広い階段の先には、巨大なガラス製のファサードがそびえている。

建物の内部に入ると、コワルスキは大聖堂のような趣のあるロビーを見回しながら顔をしかめた。すぐに目に飛び込んでくるのが、天井から吊るされた巨大なフーコーの振り子で、先端には大きな真鍮《しんちゅう》の重りが付いている。ロビーの脇には小さなカフェがあり、この時間にはすでに閉まっているが、そのすぐ近くでは背の高いシダ植物の陰で実物大のアロサウルスの模型がロビーの様子をうかがっている。

「これからどこへ行けばいいんです？」コワルスキは訊ねた。

「地下の物理学研究室で会う予定だ」

「どうしてわざわざそんなところで？」

もっともな質問だ。普通は歴史学者との面会に使用されるような場所ではないが、カノシュ教授は何か調べたいことがあると口にしていた。事情はともかくとして、静かで人目につきにくい場所であれば都合がいい。ペインターはフロア案内を確認してから、下に通じる階段へと向かった。地下物理学調査研究室は、まさにその名前が意味する通りの施設だ。建物の地下部分だけではなく、研究棟の北側にある芝生の下にまで広がっている。

階段を下りたペインターたちが、人の残っていない施設内で指定された研究室を見つけるまでに、ほとんど時間はかからなかった。廊下の先にある開いた扉の奥から、大きな声が漏れている。

ペインターは小走りに扉へと向かった。すでにカイと教授が何者かに発見されてしまったのではないかと恐れたからだ。研究室へと入りながら、スーツの上着の下のショルダーホルスターに収めた拳銃へと手を伸ばす。別の男の姿を目にしたペインターの体に緊張が走った。しかも、その男は短剣でカノシュ教授を脅しているように見える。しかし、その場の状況を把握すると、ペインターはホルスターから手を戻した。短剣を手にした男は白衣を着ている。それに、短剣はかなりの年代物で、おそらく考古学的な価値のある遺物だろう。カノシュ教授の表情からも恐怖の色は感じられない。むしろ、いらだっている様子だ。どうやらもう一人の男性は教授の同僚で、二人の意見が食い違っているだけらしい。

「これこそが我々の探し求めていた証拠かもしれないんだぞ！」男性は短剣をテーブルの上に置いた。「どうして君はそんなにも頑固なんだ？」

それに対してカノシュ教授が返事をするより早く、二人はペインターがいきなり室内へと飛び込んできたことに気づいた。二人が目を丸くする。続いてコワルスキが巨体を揺らしながら入ってくると、さらに目を大きく見開いた。

カノシュ教授と同僚は、広い研究室の中央に置かれた長いテーブルの前に座っていた。部屋の奥ではいくつもの機器が光を発している。電気工学とデザインを専門としているペインターは、一部の機械に見覚えがあった。質量分析計、各種のソレノイドとレオスタット、抵抗箱、キャパシタンスボックス。中でも一つの機器がペインターの目を引いた。すぐ近くのアルコーブの奥では、電源の入った何台ものモニターの隣で、高さのある数台の電子顕微鏡が機械音を発している。

「クロウおじさん？」

顕微鏡の近くの暗がりから声がする。若い女性がおずおずと姿を現した。両腕を胸の前に回し、肩に力が入っている。長い黒髪の間から、目がペインターを見つめる。

姪のカイだ。

「大丈夫か？」ペインターは訊ねた。この状況を考えると、何とも馬鹿げた質問だ。

カイは肩をすくめ、小声で何かつぶやくと、カノシュ教授のもとへと近づいた。ペインターはその動きを目で追った。〈感動の再会というわけでもないか〉……最後にカイと会ったのは三年前、彼女の父親の葬儀の時だ。その短い間に、カイはひょろっとした少女から若い女性へと成長していた。しかし同時に、その表情には険しさが増している。たった三年間でこれほどまで顔つきが変わってしまうとは、彼女の身にいったい何があったのだろうか？

ペインターにはその理由が想像できた。相手を威嚇しつつも警戒を怠らないその用心深い眼差しは、自分も身に覚えがあるからだ。子供の頃に両親と離れ離れになったペインターは、一人きりで成長するということのつらさを痛いほどわかっている。親戚に引き取られたといっても、本当の家族と同じ扱いを受けることはなく、次から次へとたらい回しにされる日々。

それを知っているからこそ、ペインターは胸が締めつけられるような思いだった。彼女のために何かしてやれる機会がいくらでもあったはずなのに。そうしていれば、このような形で顔を合わせずにすんだはずだ。

「わざわざ来てくれてありがとう」カノシュ教授の言葉でその場の緊張が和らぐ。教授はペインターをテーブルへと手招きした。「君の助けがあれば、このごたごたから抜け出せるかもしれない」

「そうですね」ペインターは教授の同僚に目を向けた。この男性のいる前で、どこまで自由に話をしてもいいものだろうか?

ペインターの様子に気づいたのか、男性は手を差し出した。だが、歓迎の握手というより、握れるものなら握ってみろとでも言いたげだ。男性はカノシュ教授と同年代と思われるが、白いものの交じった髪が頭頂部のあたりにわずかに残っている程度だ。日に焼けたカノシュ教授の肌は革製品のような健康的な色をしているが、同僚の顔の皮膚はたるみ、目の下にはくまができている。この男性はここ数年の間に脳卒中の発作でも起こしたのだろうか?　あるいは、太陽の光や新鮮な空気とは無縁なこの地下の部屋にこもりきりで、ずっと研究生活を送ってきたせいだろうか?

そのような日々が体に及ぼす影響を、ペインターは身をもって経験している。

「ドクター・マット・デントンだ」男性は自己紹介した。「物理学部の学部長を務めている」

全員が握手を交わした。ペインターから「個人秘書」だと紹介されて、コワルスキは目を丸くした。

だが、カノシュ教授はペインターの説明に疑問を挟んだりはしなかった。「私のことはハンクと呼んでくれ」教授はペインターの警戒するような物腰に気づいたのだろう。「我々の置かれた状況に関しては、すでにマットに説明してある。彼は信頼の置ける人間だ。高校時代からの友人で、教会での活動を通じて知り合ったのだ」

ペインターはうなずいた。「それならば、改めて状況を説明してもらえませんか?」

「最初にはっきりさせておくが、カイが爆発に関与していたとは思えない。彼女の落とした爆発物が、あの悲劇の原因ではないということだ」

ペインターは教授が声を詰まらせたことに気づいた。彼が亡くなった人類学者と親しかったとの情報は得ている。カイが教授の腕にそっと手を乗せた。感謝の意を表すと同時に、教授を慰めようとしているのだろう。

コワルスキが小声でつぶやいた。「だからC４の仕業じゃないって言ったじゃないですか……」

「ペインターはコワルスキを無視して、教授の顔を見た。「それなら、何が爆発を引き起こしたとお考えですか？」

教授はペインターの顔を正面から見据えながら答えた。「簡単だよ」それに続けて教授の発した言葉には、確信が込められていた。「インディアンの呪いだ」

午後十時三十五分

ラファエル・サンジェルマンはヘリコプターから降りるために手を貸してもらっていた。回転するローターの巻き起こす風が、着陸地点のきれいに手入れされた芝生をなぎ倒す。ヘリコプターを降りるくらいのことで人に手伝ってもらうのは、普通の男性にとっては恥ずかしいことかもしれないが、彼にはもう慣れっこになっていた。ヘリコプターの機内からヘリパッドまで、ちょっとした高さを飛び降りただけで、骨折の危険がある。

ラファエルは――彼の希望する呼び方に従えばラフは、生まれつき骨形成不全症を患っている。コラーゲンを生成する常染色体の異常のため、骨がもろく、身長も低い。軽度の脊柱側《せきちゅうそく》弯《わん》症で猫背なうえに、茶色の瞳が濁っているせいで、三十四歳の実年齢より十歳以上も上に見られることが多い。

けれども、彼は病弱者ではない。カルシウムとビスホスホネートのサプリメントを摂取し、成長ホルモンの実験薬を投与されながら、健康の維持に努めている。骨がもろい分を筋肉でカバーするために、過剰なまでのトレーニングは一日たりとも欠かしたことがない。

しかし、ラフは自分の最大の強みが骨や筋肉ではないことを知っていた。

ヘリコプターから降ろされながら、ラフは夜空を見上げた。星座の名前も、星座を構成する一つ一つの星の名前も、すべて頭に入っている。彼は驚異的なまでに正確な記憶力の持ち主で、これまでの人生で出会ったありとあらゆる知識を記憶していた。自分のもろい頭蓋骨は、すべての光と知識を吸収することのできる広大なブラックホールを包む薄っぺらな殻にすぎないのではないか、そんなことを思う時もある。

そのため、身体的な障害を抱えているにもかかわらず、家族からは大きな期待をかけられている。ラフはその期待にこたえ、自分の弱みを何かで補う必要があった。障害のせいで、これまでは相手にされなかったり、表立った活動ができずにいたりしたが、今回の大いなる瞬間に彼の力が必要とされた。今こそ、一族に大きな名誉をもたらす絶好の機会だ。

サンジェルマン家の家系はフランス革命以前にまでさかのぼり、一族の財産の多くは武器の売買を通じて築き上げられたと言われる。現代においてもその傾向は当てはまるが、一族が経営する企業は今では様々な分野や事業へと進出している。

並外れて明晰な頭脳を持つラフは、サンジェルマン家の調査・開発プロジェクトを統括していた。研究はローヌ＝アルプ地域圏のグルノーブル近郊にある人里離れた場所で、秘密裏に進められている。このあたりはあらゆる種類の研究が盛んに行なわれている地域で、企業や大学の研究機関のるつぼとでも形容するべき場所だ。サンジェルマン家は各種の研究所や企業が取り組む数百ものプロジェクトに関与しており、中でもマイクロエレクトロニクスとナノテクノロジーに重点を置いている。ラフ一人で三十三もの特許を取得済みだ。

その一方で、彼は自らの立場をわきまえていた。一族の闇の歴史について、「真の血筋」とのつながりについて、教え込まれている。ラフは後頭部に指で触れた。垂らした髪の下には毛を剃ったばかりの場所がある。刺青《いれずみ》を彫ってから間もないので、まだ痛みが残っている。その闇の遺産に対する一族の役割と、彼自身の誓約を示す刺青だ。

ラフは手を下ろし、前方に目を凝らした。指令を遂行する術は心得ている。彼は具体的な指示を受けて、ここを訪れるように言い渡された。この瞬間へと通じる冷徹な歴史の歩みに思いを馳せる。この世界に大きな足跡を残す絶好の機会だ。自らの力を証明すると同時に、一族に莫大な富と名誉をもたらすことができる。

背後でヘリコプターの扉が閉まった時、ラフの目はガラスに映った自分の姿をとらえた。黒い髪をお洒落に伸ばし、短く濃い顎ひげを生やした高貴な容貌は、魅力的に見えるらしい。これまで、女性に不自由した経験はあまりない。

ラフをヘリパッドへと降ろしてくれたのも、女性の腕だ——もっとも、力強い腕を持つラフの世話係を「おしとやかな」女性と考える者はほとんどいない。彼女には「恐ろしい」との形容がふさわしい。ラフは思わず頰が緩んだ。この評価については、後で彼女の意見も聞かないといけない。

「ありがとう《メルシー》、アシャンダ」女性が手を離すと、ラフは声をかけた。

部下の一人が杖を手に歩み寄った。ラフは杖を受け取り、体を預けながら、ほかの部下たちがヘリから荷物を降ろす作業を見守った。

アシャンダは無表情のまま、彼の隣に付き添っている。身長は百八十センチを優に上回り、闇に溶け込むような黒い肌の彼女は、看護師兼ボディーガードとして、サンジェルマン家の血筋を引く誰よりもラフにとって身近な存在だ。ラフの父はチュニジアのとある町中で、まだ子供だったアシャンダと出会った。彼女は口がきけない。舌を切り取られたためだ。暴行され、セックスの相手として売られていたのを、ラフの父に救われた。彼女を買わないかと持ちかけてきた男を、たまたま仕事で通りかかった父はその場で殺した。その後、父は彼女をフランスの要塞都市カルカソンヌにある一族の館へと密かに連れ帰り、車椅子に乗った息子と引き合わせた。それ以来、アシャンダは体の弱いラフのお気に入りとして、よき相談相手として、欠かせない存在になっている。

ラフの耳に悲鳴が聞こえてきた。起伏のある芝生の先の真っ暗な屋敷に目を向ける。ラフたちが着陸したのは、屋敷の持ち主の敷地だ。所有者の名前は知らない。この屋敷が彼の計画にとって都合のいい立地にあっただけの話だ。屋敷はプロヴォの市街地を見下ろすスコーピークの緩やかな山腹に建てられている。この屋敷が彼の目に留まったのは、ブリガムヤング大学にほど近い位置にあるからだった。

こもった銃声とともに、屋敷から聞こえていた悲鳴が途絶えた。

目撃者を残してはならない。

副官に当たるベルンという名のドイツ人傭兵が、ラフの前に立った。かつてはドイツ連邦軍の特殊部隊に所属していた人物で、黒ずくめの服装をしている。背が高く金髪で青い瞳のベルンは、典型的な白色人種で、外見は何から何までラフとは対照的だ。

「作戦を進める準備ができました。ターゲットは大学構内の研究棟にいて、すべての出入口は我々の監視下に置かれています。いつでも攻撃を開始できる状態にあります」

「よろしい」ラフは応じた。英語を使わなければならないのは癪に障るが、今や傭兵の世界での共通語だ。粗野で繊細さに欠ける言語は、そうした用途にお似合いだと言える。「だが、やつらを生け捕りにする必要がある。少なくとも、金の板を確保するまでは生かしておかなければならない。そのことは了解済みだな?」

「承知しています」

ラフは杖の先端で大学の方を示した。馬に乗って逃げる少女と年配男性の姿を思い浮かべる。

彼のチームは巧妙な作戦にまんまとだまされてしまったが、少しばかり余計に時間がかかったにすぎない。追跡の様子を撮影したビデオと顔認識ソフトを利用して、馬に乗っていたインディアンの身元を割り出すことができた。歴史学者が大学の建物内ならば最も安全だろうと判断し、そこに戻ったことを突き止めるまでに、それほどの時間はかからなかった。ラフは相手の単純な考えを嘲笑った。一度は我々の罠から逃れることができたが、今度はそうはさせない。「行動を開始せよ」そう指示を与えると、ラフは杖をつきながら屋敷へと向かった。「彼らを私のもとへと連れてこい。今度は私の期待を裏切るんじゃないぞ」

午後十時四十分

「『インディアンの呪い』だなんて、どういうつもりですか？」ペインターは訊ねた。

カノシュ教授が片手を上げた。「最後まで話を聞いてくれ。君の言わんとすることはわかる。しかし、あの洞窟にまつわる言い伝えを無視することはできない。シャーマンの知識を後世に伝えてきたユート族の長老たちは、あの聖なる埋葬室には何人《なんぴと》たりとも立ち入ってはならない、そうすれば世界に破滅をもたらすことになると、これまで長年にわたって警告していた。どうやらその言い伝えの通りのことが起きてしまったようだ」

コワルスキが喉の奥で小馬鹿にしたような音を鳴らした。

教授は肩をすくめた。「そうした古い物語の中には、何らかの真実が隠されているに違いないと思っている。洞窟の内部から何かを運び出してはならないという警告のようなものだ。あの洞窟の中には、何世紀にもわたって不安定な何かが密かに保管されていた。ところが、我々がそれを外へ持ち出そうとしたために、爆発を引き起こしてしまったのだ」

「でも、それがいったいどんなものだと？」ペインターは訊ねた。

テーブルを挟んで座っていたカイが身じろぎした。その質問に対する答えは、彼女にとっても重要な意味を持つ。

「マギーと私が最初に台座から黄金の頭蓋骨を持ち上げた時、不思議なまでに冷たかった。それに、中で何かが動いたように感じたのだ。たぶん、マギーも同じことを感じたはずだ。あのトーテムの内部には何かが隠されていたのではないかと思う。化石の頭蓋骨の内部に封印するほど価値のある何かが」

コワルスキの口元が不快そうに歪んだ。「何でまた頭蓋骨を使ったりしたんですかね？」

教授は説明した。「多くの先住民の墓地では、死者とともに先史時代の化石が埋められている。崇拝の対象とされていたのは間違いなさそうだ。事実、初期の入植者に化石が大量に埋もれた地層の在り処《か》を教えたのは、先住民だったのだ。そこではマストドンなどの絶滅した動物の化石が見つかり、当時の科学者たちの想像力を大いに刺激した。入植者たちの間ではそのような動物が西部にまだ生息しているのではないかという激しい議論が巻き起こり、かのトーマス・ジェファーソンまでもが論争に参加していたらしい。つまり、もしこの古代の先住民たちが、神聖な――そしておそらく危険でもある何かを収納するための容器を必要としていたならば、先史時代の動物の頭蓋骨というのはそれほど意外な選択肢ではなかったということになる」

「なるほど」ペインターは応じた。「あなたの説が正しいとして、それはいったい何だったのでしょう？　彼らは何を隠していたのですか？」

「見当もつかない。現時点では、洞窟内で発見されたミイラ化した遺体がアメリカ先住民のものなのかどうかすら定かではない」

ペインターの隣に座っていた物理学者が咳払いをした。「ハンク、この人に遺体の放射性炭素年代測定の結果を教えてあげたらいいじゃないか」

ペインターはもう一人の教授へと視線を移した。

ハンクがすぐに答えずにいると、デントン教授が自ら早口で説明を始めた。興奮しているらしく、話をするのが待ち切れなかった様子だ。「考古学科の測定によると、遺体は十二世紀前半のものだとの結果が出たのだ。ヨーロッパ人が新大陸へと足を踏み入れるはるか以前の時代だよ」

ペインターはこの情報の持つ重要性も、デントン教授がここまで気持ちを高ぶらせている理由も理解できなかった。測定結果は遺体が先住民だという事実を裏付けているだけではないか。

デントン教授はテーブルの上に手を伸ばすと、古い短剣をペインターの方へと滑らせた。ペインターが部屋に入った時、物理学者が手に握っていた短剣だ。

「これをよく見てごらん」デントン教授は言った。

ペインターは短剣を手に取り、裏表を確認した。柄の部分は黄ばんだ骨でできているが、刃は鋼鉄製らしく、表面には水のように滑らかな美しい光沢がある。

「短剣は例の洞窟にあったものだ」ハンクが説明した。

ペインターははっとして顔を上げた。

「殺害と自殺を目撃した地元の少年が、その短剣を手に握ったまま洞窟から逃げ出したのだ。その後、我々は少年から短剣を回収した。先住民の埋葬地から遺物を無断で持ち出すことは違法行為に当たるからね。だが、短剣の状態を見て、詳しい調査が必要だと判断したのだよ」

ペインターは理解した。「当時の先住民は鋼鉄の製造技術を持っていなかったからですね」

「その通り」デントン教授は意味ありげにハンクの方を見た。「特に、この種の鋼鉄はね」

「どういう意味ですか?」ペインターは訊ねた。

デントン教授は短剣へと注意を戻した。「これは鋼鉄の中でも珍しい形態で、その表面にあまり目にすることのない波のような模様がある点を特徴としている。ダマスカス鋼《こう》の名で知られているものだ。このような金属は、中世に中東のごく一握りの鋳造《ちゅうぞう》所だけで製造されていた。この鋼《はがね》を用いた伝説の刀剣は、何にも増して珍重された。刀剣の中でも最も鋭い刃を持ち、決して折れることがなかったと言われているほどだ。けれども、その正確な製法は秘密とされていて、十七世紀に失われてしまったのだよ。製法を再現させようとの試みは、すべて失敗に終わった。今日でも、等しい硬度の鋼鉄ならば製造が可能なのだが、ダマスカス鋼を再現することはできずにいる」

「どうしてですか?」

デントン教授はアルコーブの奥で音を発している背の高い電子顕微鏡を指差した。「自分の最初の見立てが正しいことを実証するために、この鋼鉄を分子レベルで検査した。金属内にセメンタイトのナノワイヤーとカーボンナノチューブが存在することを確認できたのだよ。いずれもダマスカス鋼に特有の性質で、そのおかげで高い柔軟性と硬度を兼ね備えている。世界各地の大学がこの鋼のサンプルを研究し、製法を突き止めようとしているところだ」

ペインターはこの新たな情報から意味を引き出そうとした。ナノワイヤーやナノチューブに関してはよく知っている。いずれも現代のナノテクノロジーの副産物だ。カーボンナノチューブは炭素原子を人工的に円筒形の構造へと生成したもので、非常に強度があるため、すでにヘルメットや防弾チョッキなどの製品に採用されている。同様に、原子を一本の鎖状に長くつなげたナノワイヤーも、独自の電気特性を有しており、今後はマイクロエレクトロニクスやコンピューターチップの開発において応用が期待されている。ナノテク産業は今や数十億ドル規模の業界へと成長し、驚異的な速度で拡大を続けている。

　こうした知識から、ペインターの頭にはある疑問が生じた。不思議な短剣を指差す。「この短剣を鋳造した中世の職人は物質を原子レベルで操作することが可能で、何百年も前にナノテクノロジーの仕組みを解明していたとおっしゃるのですか？」

　デントン教授はうなずいた。「可能性はあるね。少なくとも、何者かが何かを知っていたのだよ。これ以外にも古代のナノテクノロジーの痕跡《こんせき》は発見されている。例えば、中世の教会のステンドグラス。古い教会に見られる深紅のガラスの一部は現代の技術でも再現できないのだが、その理由は判明している。ガラスを原子レベルで調べた結果、金のナノスフェアの存在が明らかになった。けれども、その製法は今日の科学をもってしても解明できずにいる。ほかにもそのような例がいくつも発見されているのだよ」

　ペインターはこれまでに得た情報を頭の中でうまくつなぎ合わせることができずにいた。短剣を手に取る。「あなたの話が正しいとすれば、なぜこの短剣がアメリカで、しかも十二世紀のものだと判明した遺体の間から見つかったのですか？」

　ペインターは二人の教授が視線を合わせたことに気づいた。歴史学者が物理学者に向かって、かすかに首を横に振る。デントン教授はまだ話を続けたい様子で、顔を紅潮させながら口をつぐんでいる。やがてデントン教授が目をそらした。ペインターは研究室に入った時に聞こえた激しい言葉を思い出した。〈これこそが我々の探し求めていた証拠かもしれないんだぞ！　ど

うして君はそんなにも頑固なんだ？〉

二人の教授はこの問題に関してもっと深く意見を交わしているものの、現段階では外部の人間にその情報を明かしたくないと考えているようだ。ペインターはその点を追及しなかった。それよりも先に聞かなければならないことがある。

ペインターはカイの顔を見た。「君を追跡した男たちについて教えてくれ。ヘリコプターに乗っていた人間だ。どうして彼らに殺されるかもしれないと思ったんだ？」

質問されて、カイは縮こまってしまった。ハンクへと視線が動く。ハンクは大丈夫だとでも言うかのように優しくうなずいた。それでも、カイの口ぶりにはペインターに挑むかのような調子が込められていた。

「私が盗んだもののせいだと思う」カイは答えた。「あの埋葬室から」

「見せてあげなさい」ハンクが促した。

ジャケットの内側から、カイは二枚の金の板を取り出した。ペーパーバックほどの大きさで、厚さは一センチもない。二枚のうちの一枚は、表面をきれいに磨いたばかりのようだ。もう一枚の表面には黒い汚れが付着していた。板の表面には文字らしきものが刻まれている。

ハンクが説明した。「洞窟にはこれと同じような板がおそらく何百枚とあり、ネズの樹皮にくるまれた石の箱の中に収められていた。カイはそのうちの三枚を持って逃げたのだ」

「でも、ここには二枚しかありませんが」

「そうなんだ。カイは洞窟から出た時、そのうちの一枚を落としてしまった。何台ものカメラの目の前で」

ペインターはその情報を整理した。「誰かがその瞬間を目撃したと考えているのですね。彼女がもっと金を持っているのではないかと思って、後を追っていると」

「それが金ならば、の話だが」デントン教授がつぶやいた。

ペインターは視線を向けた。

「短剣と同じように、その板の一枚も電子顕微鏡を使って調べた。色からは確かに金に見えるが、それにしてはかたすぎる。金よりはるかに硬度があるのだよ。通常、金は比較的やわらかい、塑性《そせい》可能な金属なのだが、この板は宝石の原石のようにかたい。顕微鏡で金属を分析したところ、極めて高密度の原子構造を持つことが明らかになった。金の原子がジグソーパズルのようにぎっしりと詰まった高分子構造になっているのだ。しかも、短剣の中に見つかったのと同じセメンタイトのナノワイヤーで、全体がしっかりと結びついている」デントン教授は首を左右に振った。「あんなものを見たのは初めてだよ。計り知れないほどの価値がある」

「おそらく、人を殺してでも入手したいまでの価値があるのでしょう」ペインターは付け加えた。

その言葉と同時に、電気が消えた。全員が動きを止め、固唾をのむ。バッテリー式の非常灯が廊下で光っているが、研究室の中まではほとんど光が届かない。テーブルの下から犬の低いうなり声が聞こえ、ペインターの腕に寒気が走った。暗闇に目が慣れてくると、ハンクの座っている椅子の下からずんぐりとした塊が這い出て、周囲を警戒していることに気づく。

「静かにせんか、カウッチ」教授は静かな声で警告した。「大丈夫だ」

コワルスキが不機嫌そうに言い返した。「お言葉ですけどね、先生、おたくの犬の直感を信じた方がいいと思いますよ。どう考えても大丈夫なわけないじゃないですか」

カイがそっと椅子から立ち上がると、テーブルを回ってペインターのそばに近寄ってきた。ペインターは手を後ろに伸ばし、カイの手首を握った。階段の方角から何かが壊れる大きな音が聞こえ、廊下に反響すると、ペインターの指先に伝わるカイの脈拍が速くなる。

カウッチが再びうなり声を発した。

ペインターはデントン教授に小声で話しかけた。「ほかの出口はないのですか？　非常口とかは？」

「いいや」返事をする教授の押し殺した声は、恐怖に震えていた。「研究室が地下に設置されているのには理由がある。出口は研究棟の一階へと通じる階段だけだ」

〈つまり、閉じ込められたというわけか〉

12

五月三十一日午前一時十二分
メリーランド州タコマパーク

「次の角を左に」グレイがタクシーの運転手に指示した。

セイチャンの目は、グレイの顔に浮かぶ不安の影をはっきりと読み取ることができた。すっかり取り乱した様子の母からの電話を受けた後、グレイの緊張が緩む気配は見られない。

後部座席から身を乗り出し、腕を伸ばして指示を出しているグレイは、今にも運転手を押しのけて自分でハンドルを握りかねない。もう片方の手は携帯電話を握り締めたままだ。ワシントン市内からメリーランド州の自宅へとタクシーで移動する間に、グレイは何度か両親の家に電話をかけたが、応答はない。そのため、グレイの緊張は募る一方だった。

「シダー通りを入ってくれ」グレイは指示した。「その方が近道だ」

座席でじっとしていられないグレイをよそに、セイチャンは車窓の景色を眺めていた。タクシーはタコマパーク図書館の前を通過し、クイーン・アン様式のこぢんまりとした住宅や、ヴィクトリア朝様式の荘厳な邸宅が並ぶ迷路のような路地へと入っていく。道沿いのナラやカエデが葉の茂った枝を伸ばしているために、トンネルの中を進んでいるような錯覚を受ける。時折通り過ぎる街灯の光も、木陰に隠れてぼんやりと見えるだけだ。

明かりの消えた家並みを眺めながら、セイチャンは住民たちの日々の暮らしを思い浮かべようとした。だが、そのような普通の人生は彼女にとって別世界の話だ。ヴェトナムで過ごした幼い頃の思い出はほとんどない。父のことは何一つ覚えていないし、母に関しては消し去りたい記憶だけが残っている。母の腕の中から引き離される自分。顔から血を流して悲鳴をあげながら、軍服を着た男たちによって扉から引きずり出される母。その後、セイチャンは薄汚れた孤児院を転々としながら子供時代を過ごした。空腹にひたすら耐えるか、虐待を受けるか、どちらかの日々。

幸せな家族が暮らす静かな家庭は、彼女の人生に存在しない。

タクシーはようやくバターナット通りへと曲がった。セイチャンは過去に一度だけ、グレイの両親の家を訪れたことがある。あの時、銃で撃たれたセイチャンは、信頼できる唯一の男のもとへと逃げていた。隣に座るグレイを横目で見る。グレイがこんなにも近い距離にいるのは、ほぼ三カ月ぶりのことだ。グレイの顔は以前よりもいくらかやつれたように見える。深いしわの刻まれた表情からは険しさが感じられるが、ふっくらとした唇だけがその印象を和らげている。一度だけ、その唇に自分の唇を重ねた時の記憶がよみがえる。弱さをさらけ出してしまったあの時。優しさの微塵《みじん》も感じられなかった口づけ。焦燥と渇望《かつぼう》に駆られた行為だった。セイチャンは今も、あの時の温かさを、まばらに生えた顎ひげのざらつきを、自分を抱き締めるグレイの腕の強さを覚えている。けれども、目の前の静かな家々と同じように、そうした関係が彼女の日常の一部になることはない。

しかも、自分の知る限りでは、グレイはイタリア国防省警察に所属する女性中尉と、いまだに付かず離れずの関係にあるはずだ。少なくとも、数カ月前の時点までは。

不意にグレイの目に不安の色がよぎり、目尻のしわが際立つ。セイチャンは前方に視線を移した。通りの両側の家々の明かりは消えているが、広いポーチと大きな切妻屋根のあるクラフツマン風の建物だけは、すべての窓に煌々と明かりがともっていた。あそこには静かな夜が訪れていない。

「あの家です」グレイが運転手に告げた。

タクシーが完全に停止するより早く、グレイは運転手に向かって数枚の紙幣を投げつけ、車の外へと飛び出していった。セイチャンの目はバックミラーをのぞき込む運転手の視線をとらえた。グレイの失礼な振る舞いに対して、一言怒鳴りつけないことには気がすまないといった顔をしている。だが、セイチャンがにらむと、運転手は考え直したようだ。セイチャンは手のひらを差し出した。

「お釣りを」

運転手に少額のチップを渡し、残りをポケットに入れると、セイチャンはタクシーから降りた。

通りを急ぎ足で横切るグレイの後を追う。だが、グレイが向かっているのは正面のポーチではない。建物の脇に細い私道があり、裏手にある車一台分のガレージへと通じている。巻き上げ式のガレージの扉が開いていた。ガレージには明かりがついており、その光に照らされて、二人の痩せた人影が浮かび上がっている。道理で何度も家に電話をかけたにもかかわらず、誰も出なかったわけだ。

グレイは小走りにガレージへと向かっていく。

扉の開いたガレージへと近づくと、セイチャンの耳に電動のこぎりの機械音と、木材を切り裂く金属音とが聞こえてきた。スギのおがくずの香りが漂う。

「ジャック、ご近所の人がみんな目を覚ましてしまうでしょ」女性が必死に言い聞かせている。

「機械を止めて、ベッドに戻ってちょうだい」

「母さん……」グレイは二人の間に割って入ろうとした。

セイチャンは少し離れた場所から様子を見守っていたが、グレイの母は彼女の存在に気づいた。眉間にしわを寄せながら、息子に付き添ってきた見知らぬ女性の顔をうかがう。セイチャンがグレイの両親と最後に顔を合わせたのは、もう二年も前のことだ。グレイの母がセイチャンを思い出すまでに、少しの間があった。その表情に困惑の色が浮かぶ――かすかな恐怖がよぎったのも無理はない。

　その一方で、セイチャンはグレイの両親がすっかり老け込んだことに驚いていた。記憶にある二人の姿は見る影もない。母親は髪の毛がぼさぼさで、部屋着の紐を腰のまわりでしっかりと締め、サンダルをはいている。父親は裸足で、ボクサーパンツにTシャツ姿だ。太腿の下で留めた義足があらわになっている。

「ハリエット！　研磨機をどこにやった？　道具を勝手にいじるなとあれほど言っているじゃないか！」

　作業台の横に立つグレイの父は、怒りで顔を紅潮させ、額に汗をにじませている。木片を万力に固定しようとしているのだが、手こずっている様子だ。その背後ではテーブルに取り付けられた丸のこが回転を続け、床には様々な形に切断されたナラの木片が散乱している。自分だけにしか組み立て方のわからない木のパズルを製作しているかのようだ。

　グレイはガレージへと入り、電動のこぎりのコードを引き抜いてから、父親のもとへと歩み寄った。そっと手を添えて、作業台から引き離そうとする。その瞬間、振り上げた父の肘がグレイの顔面をとらえた。グレイは後ずさりした。

「ジャック！」母親が大声をあげる。

　グレイの父は周囲を見回した。困惑した表情を浮かべている。本人にしかわからない精神状態の中、ようやく状況がのみ込めた様子だ。「その……そんなつもりじゃ……」グレイの父は熱があるかどうかを確かめるかのように額に手のひらを当ててから、グレイに向かって片手を差し出した。「悪かったな、ケニー」

一瞬、グレイの表情が歪む。「僕はグレイだよ、父さん。ケニーはまだカリフォルニアにいる」

セイチャンはグレイが二人兄弟で、弟が一人いることを知っていた。シリコンバレーでインターネット関連の事業に携わっているらしい。裂けた唇から血を流しながら、グレイは慎重に父親へと近づいた。

「父さん、僕だよ」

「グレイソンか？」手をつかまれても、グレイの父は抵抗しなかった。充血して疲れ切った目が、ガレージの内部を落ち着きなくさまよう。一瞬、その表情に恐怖がよぎった。「何が……どこだ……？」

「大丈夫だよ、父さん。家に戻ろう」

グレイの父は肩を落とした。悪い方の脚が少し震えている。「ビールをくれ」

「取ってきてあげるよ」

グレイは父親に手を貸しながら、家の裏口へと向かった。母親は組んだ両腕で胸をしっかりと押さえたまま、その場に立ち尽くしている。そんな様子を少し離れたところから見守りながら、セイチャンはどうしたらいいかわからず、戸惑いを覚えた。

グレイの母は目に涙をためたまま、セイチャンの顔を見た。「どうしてもやめさせることができなくて」彼女は口を開いた。誰かに話をせずにはいられないのだろう。「あわてた様子で目を覚ましてしまったの。テキサスにいて、仕事に遅刻してしまうと思い込んでいたみたい。それからガレージにこもってしまって。自分の手を切ってしまうんじゃないかと、ひやひやしていたのよ」

セイチャンはグレイの母の方へと一歩踏み出した。けれども、すっかり取り乱したこの女性に対してかけるべき慰めの言葉が思いつかない。そのことを察したのか、グレイの母は片手で髪をかき上げてから、気持ちを落ち着かせようと大きく深呼吸をした。少しだけ、冷静さを取り戻したかのように見える。セイチャンはこれまで、グレイが同じような仕草をする姿を何度となく目にしていた。決して折れることのないグレイの粘り強さは、母親譲りなのかもしれない。

「グレイがお父さんを寝かせるのを手伝ってこないと」グレイの母は家へと向かう前にセイチャンに歩み寄り、しっかりと手を握った。「来てくれてありがとう。グレイはいつも一人で何もかも背負い込もうとするの。あなたがいてくれてよかったわ」

グレイの母が裏口へと向かうと、セイチャンは一人、外に取り残された。握られた手には、まだぬくもりが残っている。不意に何かが胸にこみ上げてくるのを感じる。この気持ちは何だろうか？　この程度の触れ合いでも、この程度の家族のつながりでも、心が乱れてしまうなんて。

戸口でグレイの母が振り返った。「あなたも中に入ったら?」

セイチャンは後ずさりした。家の正面の方を指差す。「ポーチで待たせてもらいます」

「そんなに時間はかからないと思うから」申し訳なさそうに悲しげな微笑みを浮かべてから、母親は扉を閉めた。

セイチャンは少しその場にとどまった後、ガレージへと足を向けた。心を落ち着かせるために、何かせずにはいられない。ガレージの明かりを消し、シャッターを下ろしてから、家の正面へと向かう。ポーチに上がると、居間から漏れる明かりに照らされたベンチに腰を下ろした。明るい光を体に浴びながら、セイチャンは誰かに見られているような気がした。だが、周囲には誰もいない。通りは暗く、人っ子一人いない――けれども、そっちに心をひかれる自分がいる。一瞬、セイチャンはこのまま逃げ出したいという誘惑に駆られた。自分にとって「家」と呼べるのは外の世界だけだ。

しばらく待つうちに、家の明かりが一部屋ずつ消え始めた。こもった話し声が聞こえたが、話の内容までは聞き取れない。家族の間の、取りとめもない会話なのだろう。人気《ひとけ》のない通りと温かさに包まれた家庭との狭間で、セイチャンは待ち続けた。

ようやく最後の明かりが消え、ポーチは暗闇に包まれた。足音が聞こえる。すぐ脇の扉が開く。長いため息を漏らしながら、グレイが姿を見せた。

「大丈夫？」セイチャンはそっと訊ねた。

グレイは肩をすくめただけだ。大丈夫なはずはないと思うものの、ほかにかけるべき言葉もない。グレイはセイチャンの隣に立った。「あと三十分ぐらい、様子を見ることにするよ。もう問題はないとはっきりするまで。タクシーを呼ぼうか？」

「一人でどこへ行けというの？」セイチャンは聞き返した。冗談めかした言い方で、場の雰囲気を和らげようとする。

グレイはセイチャンの隣に座ると、ベンチの背もたれに体を預けた。しばらくそのまま黙っていたが、やがて再び口を開いた。「日没症候群というやつらしい」誰かに説明せずにはいられないのだろう。あるいは、自分を苦しめる原因の名前を明かすことで、何とか理解しようと努めているのかもしれない。「アルツハイマーの患者の一部は、夜間に痴呆《ちほう》の症状が悪化する。その原因は明らかになっていない。夜になるとホルモンのバランスが変化するからだとの説がある。あるいは、一日の間に積もり積もったストレスと感覚刺激とが、発散されるせいだとも言われている」

「どのくらいの頻度で起きるの？」

「最近はかなり頻繁になってきている。月に三、四回かな。でも、一度治まると、あとは朝まで静かなんだ。今夜のように感情をぶちまけると、本人もかなり疲れるらしい。だからよく眠れるのさ。朝にはけろっとしているよ」

「そのたびにここへ来るわけ？」

グレイは再び肩をすくめた。「なるべくね」

その後、しばらく二人とも無言だった。グレイの目は遠くを見つめている。おそらく、将来のことに思いを馳せているのだろう。一人でこんな風に対応するやり方を、いつまで続けられるのかと自問しているに違いない。

気を紛らわせてあげた方がいいと思い、セイチャンは別の問題へと会話を切り替えた。「あんたのパートナーからの連絡は？」

グレイは首を横に振った。声に張りが戻ってくる。この話題の方が気持ちも落ち着くのだろう。「まだ連絡はない。アーキビストたちが徹底した調査を行なうには、おそらく朝までかかるはずだ。しかし、あの書簡が――フランクリンがフランス人科学者に宛てた手紙が、最近のギルドの活動の中から浮かび上がった理由なら推測がつく」

セイチャンは身構えた。あの書簡の複写を入手するために、大きな危険を冒し、あわや正体を露呈させてしまうところだったのだ。

「君が教えてくれた話によると」グレイは続けた。「フランクリンの手紙の存在が浮上したのは十二日前のことだった」

「その通りよ」

「ユタ州で洞窟が発見された直後だ」

「その話は前にも聞いたけど、まだ関連性が見えないわ」

「鍵はフランクリンの書簡に記されていた言葉にある。『白いインディアン』だ」

セイチャンはかぶりを振った。手紙のその言葉なら覚えている。翻訳には何度も目を通したので、ほとんど暗記していた。

〈彼らの死とともに、大いなる秘薬と白いインディアンの知識を持つ者は、全員が神のもとへと旅立ってしまった〉

だが、グレイが何を言いたいのか、まだわからない。「それで？」

グレイはベンチに座ったまま体を寄せた。ここが重要なんだと強調しているかのようだ。

「発見の直後、洞窟の内部にあったミイラ化した遺体の調査が開始された。アメリカ先住民のグループが遺体の所有権を主張しているが、その正当性に関しては議論の的になっている。遺体の外見が白色人種に近かったからだ」

「白色人種？」

「つまり、『白い』インディアンだ」グレイは言葉に力を込めた。「もしギルドが――フランクリンの宿敵が、過去に白い肌をしたインディアンに関する一件に関与していたとすれば、ミイラ化した白いインディアンの遺体が大量に眠る洞窟が思いがけず発見され、しかもその遺物まで出てきたのだから、何らかの行動を起こすはずだ。当時、フランクリンとジェファーソンが何かを探していたのは間違いない。新しい国家の存亡を脅かすと考えていた何かだ。どうやら敵もその何かを追っていたと思われる」

「あんたの考えが正しいとすれば、連中は今もそれを追い求めていることになるわね」セイチャンは応じた。「あんたはどう思うの？　ユタ州の爆発はギルドが引き起こしたの？」

「それは違うと思う。いずれにしても、クロウ司令官に報告を入れなければならない。今の推測通りだとすれば、司令官は数世紀にわたって続いている戦いの真っ只中へと踏み込んでしまったことになる」

13

五月三十日午後十一時三十三分
ユタ州プロヴォ

研究室内の暗さに目が慣れてくると、カイはおじの指の間から手首をそっと引き抜いた。廊下の方角からかすかな光が差し込んでくる。ついているのは非常灯の明かりだけだ。

カイは暗い研究室内に目を光らせながら、いつでも走り出せるように身構えた。身を守るための第一の手段は走ることだ。里親の家を転々としながら育ったカイは、危険の兆候をいち早く読み取る術を身に着けた。自分が歓迎されない存在だったり、少しの過ちでも容赦されなかったり、そんな家庭で育つうちに、生きていくためには周囲の雰囲気を読み取り、慎重に行動するべき時と、断固として自分の立場を守るべき時とを見分けることが大切だと学んだのだ。

床に片膝を突いて飼い犬のカウッチをなだめていたカノシュ教授が立ち上がった。「もしかしたらただの停電かもしれない」

カイも同じ期待を抱いていたが、それが淡い期待だということもわかっていた。確認を求めようと、おじの方に目を向ける。

　ペインターは机の上の電話へと向かい、受話器を手に取った。カイの頭の中に、人々がよく思い描くインディアンの姿が浮かんだ。間近に迫る危険の兆候を聞き取るため、地面に耳をつけている姿だ。今のおじの行動はその現代版だろう。

「発信音が聞こえない」そう答えると、ペインターは受話器を置いた。「電話線が切断されている」

　カイは両腕を組んだ。必要以上に力が入る。〈わずかな期待も消えたというわけね〉

　おじは一緒に来た大柄な男性の方を見ると、研究室の入口を指差した。「コワルスキ、廊下を監視してくれ。場合によっては扉にバリケードを築いてもらうことになる」

　巨漢の男性は入口へと移動した。長いコートの裾が揺れると、脚に留めたショットガンが目に入る。父と狩りをした経験があるため、カイは銃に詳しいが、この男性の武器はどこか奇妙だ。中でも銃の台尻に装着された予備の弾は、見慣れない形状をしていた。銃弾の先端から釘のようなものが何本か突き出ている。それでも、ショットガンの存在で、この状況がより現実味を帯びてくる。心臓の鼓動が大きくなり、口から飛び出しそうだ。五感が研ぎ澄まされていく。

「どうするつもりだね？」デントン教授が訊ねた。

「隠れた方がいいわ」カイは体が震えそうになるのをこらえながら提案した。このままだと床に座り込んでしまいそうだ。カイは安全を約束してくれそうな暗がりへと足を踏み出した。

ペインターが肩に手を置いて彼女を制止した。自分の方へと引き寄せる。カイは逆らうことなく、体を預けた。まるで金属の柱にしがみついたかのような感触だ。がっしりとした筋肉と骨の存在と、明確な目的意識が伝わってくる。

「隠れているだけでは何にもならない」ペインターは説明した。「何者かが君たちを監視下に置いているのは明らかだ。ここにいることを突き止め、建物の外へと追い出すための攻撃部隊を送り込んだ。君たちを発見するまで、建物内を徹底的に捜索するだろう。我々の唯一の望みは、研究棟の中を探してからこの地下の施設へと捜索の目を向けるまでに、時間がかかるはずだということだ。それまでの間に、こっちは別の脱出方法を見つけ出さなければならない」

カイは天井を見上げた。頭の中で、地下に埋まった研究施設を思い浮かべる。「上はどう?」カイは訊ねた。どんな小さな可能性にでも賭けるしかない。

肩をつかんだペインターの手が、「いいぞ」と言うかのようにぎゅっと握り締めてくる。そのおかげで、カイは両脚に力が戻ってきたような気がした。

「どうなんです?」ペインターは二人の教授に向かって訊ねた。「通風孔のようなものは？作業用の通路とか?」

「残念だが」デントン教授の声は震えていた。「この建物全体の構造ならよく知っている。だが、そういった類のものはない。少なくとも、人が通れるような大きさのものは存在しない。

我々の頭の上にあるのは、厚さ三十センチの鉄筋コンクリートと、約一メートルの土と石と芝生だけだ」

「でも、その子の考えはいけるんじゃないかな」扉の方から低い声が聞こえる。コワルスキとかいう名前の男性の声だ。「自分たちで出口を作るのはどうです？」

彼は熟したモモくらいの大きさの物体をおじに向かって放り投げた。カイは片手で物体を受け止めたおじが体をこわばらせ、何やら毒づいたことに気づいた。

午後十一時三十五分

ペインターは自分の手の中にある物体をまじまじと見つめた。暗闇にいくらか目が慣れてきたとはいえ、その正体を見た目だけで判断することは難しい――だが、化学薬品のにおいと粘土のようなぬるっとした感触から、それが何かは容易に推測がつく。

ペインターは唖然としながらも疑問を口に出した。「コワルスキ、どうしてＣ４なんか持っているんだ？」

コワルスキは大きく肩をすくめた。「さっきからずっと持っていただけですよ」

〈さっきから？〉

ペインターは顔をしかめながら記憶をたどった。あの時か？　司令部のオフィスで、コワルスキがストレスボールを握るかのように、プラスチック爆薬の塊をこねていた姿が頭に浮かぶ。実際、ボールを握っているくらいのつもりだったのかもしれない。片時も離さずに持っていたのだから。

ペインターは爆薬をつかんだ腕を下ろしながら、信じられない思いで首を左右に振った。

〈ポケットにC４を入れたまま平然としていられるなんて、コワルスキくらいのものだろう〉

同時に、別の疑問が浮かぶ。

「ひょっとして、雷管も持っていたりはしないか？」

コワルスキはあっさりと背を向けると、廊下へと注意を戻した。「勘弁してくださいよ、ボス。そこまで用意周到とはいきませんって」

ペインターは研究室内を見回しながら、起爆装置の代わりに使えそうなものがないか探した。C４の安定性には定評がある。燃やしても、電気ショックを与えても、銃弾を撃ち込んでも、爆発しない。爆発させるためには、雷管の爆発時に発生するような強烈な衝撃波が必要になる。

デントン教授が歩み寄ると、一つの可能性を提供してくれた。「応用物理学研究室なら、君の必要としているものがあるかもしれない。あそこはこの地域の鉱山事業と共同で研究を行なっている。雷管を常備しているはずだ」

「どこにあるんです？」

「階段のすぐ隣だ」

ペインターは心の中でため息をついた。喜んで行きたい方向ではない。危険なのはもちろん、敵に姿をさらしてしまうおそれもある。だが、ほかに適当な選択肢があるとも思えない。ペインターはデントン教授の様子を観察した。民間人を危険に巻き込みたくはないが、地下の施設は迷路のような構造になっているし、その研究室までどうにかたどり着けたところで雷管がどこに保管されているのかわからない。

「デントン教授、一緒に来ていただけますか？　場所を教えてもらいたいのです」

教授はうなずいたが、しぶしぶなのは言うまでもない。

ペインターはコワルスキのもとへと歩み寄り、ボール状に丸めたプラスチック爆薬の塊を返した。「これを設置する場所を探してくれ。天井の梁《はり》とか、とにかく地上へと穴を貫通させられる可能性がいちばん高そうなところだ。なるべくなら、この施設のできるだけ奥深くがありがたい。科学センターからなるべく離れた地点だ」

建物のすべての出口は監視下に置かれているはずだ。この計画を成功させるためには、建物の周囲に張り巡らされた罠の外側で地上へと脱出しなければならない。

デントン教授が指摘した。「いちばん奥にあるのは粒子加速器の部屋だ」

「その場所ならわかっている」ハンクが応じた。「廊下を真っ直ぐ反対側に進んだ先だ。迷いっこない。私が案内するよ」

「わかりました。カイとあなたの犬もお願いします。私たちが合流するまで、そこに隠れていてください」

ペインターは時間の猶予があまりないことを痛感していた。この作戦を成功させるために何をしなければいけないか、頭の中で素早く計算する。まず、デントン教授に手伝ってもらいながら、必要な道具を集めた。次に、コワルスキのもとへと戻り、肩のホルスターからシグ・ザウエルを取り出すと、テーザー弾を装塡したコワルスキのショットガンと交換する。

「ほかのみんなを頼む。ためらわずに撃て」

コワルスキは顔をしかめた。「撃つのをためらったことなんてないですよ」

カイは大きなコワルスキの体の陰に身を隠したが、その目はじっとペインターのことを見つめている。「クロウおじさん、気をつけてね……」

「もちろん、そのつもりだ」そう答えながらも、ペインターは不安を完全にぬぐい去ることができずにいた。それでも、扉を指差す。「さあ、行動開始だ」

午後十一時三十六分

屋敷の書斎で革張りのデスクチェアに座りながら、ラフはラップトップ・コンピューターの画面を眺めていた。画面上に表示されているのは、部下の傭兵たちの黒いヘルメットに装着された複数のカメラから送信されてくる、作戦現場の生の映像だ。映像が小刻みに揺れているために凝視していると気分が悪くなってくるが、ラフは目をそらすことができずにいた。

最初の攻撃で電源が落ち、電話線が切断され、すべての出口が厳重な監視下に置かれたのはすでに確認済みだ。真っ暗になった建物の数カ所の扉から、何が起きたのかわからない様子の四人の学生が外に出てきたが、彼らは素早く始末され、死体は物陰へと隠された。攻撃部隊は建物内へと侵入し、現在はフロアごとにターゲットを捜索中だ。

電気が消えたのに驚いて外に出てきたのは数人の学生だけで、ターゲットは姿を現さなかった。だが、ラフはそのことを意外だとは思わなかった。山間部での一件の後なので、獲物はかなり用心しているに違いない。だが、作戦を遂行している部下たちは、周到さと残酷さを基準にしてベルンが選抜した精鋭たちだ。発見は時間の問題だろう。

ラップトップ・コンピューターの画面の端で、ベルンがカメラを自分の顔に向けた。現場から何か報告があるようだ。デジタル信号で送られてくる音声は、途切れて聞き取りにくい部分がある。「建物の地上階には見当たりません。残るは地下だけです。これから下へと向かいます」

「よろしい」ラフは何一つ見逃すまいと画面に顔を近づけた。

〈連中は地下へと逃げ込んだのか。怯えたネズミと同じだな。まあ、同じことだ。金で雇える

最高の駆除業者が捜索しているのだから〉

小さな泣き声を耳にして、ラフは暖炉のそばの安楽椅子へと注意を移した。炎の動きに合わせて影が揺らめく――だが、アシャンダの肌よりも黒い影はない。椅子に腰かけた彼女は、小さな男の子を抱いていた。まだ四歳になったかならないかくらいだ。男の子の顔は、涙と鼻水でぐしゃぐしゃになっていた。目はショックと恐怖で大きく見開いたままだ。母親の死体をこの部屋の外に移しておいてやるべきだったかもしれないが、そんな配慮をしている時間の余裕はなかった。母親の死体はペルシャ絨毯《じゅうたん》の上に横たわったままで、血液と脳の断片が絨毯の精緻な模様を台なしにしている。

アシャンダは炎を見つめながら、男の子の髪の毛を優しくなでていた。ベルンの部下の一人が、ナイフを使って男の子がこれ以上悲しまなくてもすむようにしようとしたのだが、男の子を守ろうとしたアシャンダが手の甲で軽く払っただけで、筋肉質の体をしたその傭兵はまるでぬいぐるみの人形のようにはじき飛ばされてしまった。

アシャンダは人の世話をするのが大好きなのだ。

ラフはため息をついた。いずれあの子供は始末しなければならない。アシャンダの目の届かないところで。

それまでの間……

ラフは画面に向き直った。全神経を集中させる。

〈ショーを楽しませてもらうとするか〉

午後十一時三十八分

デントン教授がペンライトで照らす中、ペインターは応用物理学研究室内の小さなベンチの上で手際よく作業を進めていた。地上の建物へと通じる階段のすぐ脇にあるこの研究室までは、教授の案内で無事にたどり着くことができた。

民間人を巻き込んでしまったことに対して良心の呵責《かしゃく》を覚える一方で、ペインターは教授が同行してくれたことを感謝していた。研究室は廊下から少し奥まった場所にあり、一人だったら気づかずに通り過ぎていたかもしれない。細長い室内には道具や機材が所狭しと並んでいるが、中でも目立つのはステンレス鋼でできたアンビルを備えた大型のキュービックプレスで、人工ダイヤモンドの生成などの高圧研究で使用される機器だ。

しかし、ペインターにとってここでの探し物は、どんなダイヤモンドよりも価値のあるものだった。

デントン教授は鍵のかかったキャビネットへと案内してくれた。正しい鍵を見つけるのに少し手間取ったものの、デントン教授はキャビネットの扉を開け、絶縁型電気雷管の入った箱を手渡した。「これで大丈夫かな？」教授は祈るような声で訊ねた。

大丈夫にしなければならない……だが、そのためにはちょっとした工夫が必要だ。

ペインターは作業に神経を集中させた。ピンセットとラジオペンチを使って、外科手術さながらの細かい作業を進めていく。このタイプの雷管を爆発させるためには、携帯電話のバッテリーのようなものからの電気刺激が必要になる。また、当然のことながら、雷管がC４を爆発させる際に、その近くにいることは避けたい。そのため、離れた場所から操作して雷管に電気ショックを与えるための方法を考え出さなければならない。だが、ここには携帯電話の電波が届かない。そうなると、残された可能性は一つしかない。

十分すぎるほどの注意を払いながら、ペインターは雷管のヒューズ線を、分解したＸＲＥＰテーザー弾のバッテリーコードとつないだ。この銃弾は通常の十二ゲージの弾と同じ大きさだが、薬莢《やっきょう》は透明で、その中には散弾ではなく電子機器が詰まっている。電気工学とマイクロデザインを専門とするペインターも、固唾をのみながら作業を行なった。ほんのちょっとしたミスで、指が数本吹き飛んでしまう。

最後の線の接続を終え、トランスとマイクロプロセッサーの働きが妨げられていないことを確認している時、ペインターは入口の扉の方からかすかな物音を耳にした。さらに、階段を駆け下りる靴音がはっきりとこだまする。手短に指示を与えるこもった声も聞こえる。軍隊経験のある者たちだ。地下へと向かっている捜索部隊は、自信に満ちていて、警戒している様子はほとんどうかがえない。どうせターゲットは武器を持たない怯え切った民間人だとたかをくくっているのだろう。

ペインターは改造した銃弾を素早くつかみ、ポケットにしまうと、ベンチに立てかけておいたモスバーグのショットガンをつかんだ。デントン教授の方を向き、声を落として身振りで指示を与える。「合図したら、ほかのみんなのもとへと向かってください。私が時間を稼ぎます」

教授はうなずき、震える手でペンライトのスイッチを切った。

ペインターが先に立って研究室の扉を抜け、そのさらに数歩先にある廊下へと向かった。教授の存在を背後に感じながら、廊下の様子をうかがう。非常灯の弱い明かりに照らされて、階段の下に集まった黒い戦闘服姿の男たちの一団が見える。手で互いに合図を送りながら、二手に分かれようとしている。半分は科学センターの建物の真下のフロアを捜索し、残りの半分は建物の北側の敷地の地下に広がる施設へと展開する。

もはや一刻の猶予もない。唇に指を当てながら、ペインターはデントン教授に対して、廊下を進んで階段の下に集まった男たちから離れるように合図した。教授の姿が長時間さらされるおそれはない。五メートルほど先で、暗い廊下は左に折れている。あの角を曲がりさえすれば、あとは仲間の待つ部屋まで真っ直ぐ走るだけだ。

教授もそのことを自覚しているようだ。壁を背にしながら、安全な場所を目指して歩いていく。ペインターはモスバーグのゴーストリングサイトで攻撃部隊の監視を続けた。連中がデントン教授に気づいて行動を起こそうとしたら、テーザー弾を撃ち込んで強烈なショックを与えてやるまでだ。武器による予想外の抵抗を受けたら、ハンターたちはひとまず物陰に隠れるだろう。その隙にペインターもデントン教授の後を追って廊下を曲がり、仲間と合流すればいい。

攻撃部隊から目をそらさずに、ペインターは次第に遠ざかっていくデントン教授のかすかな足音に耳を傾けた。曲がり角に到達したと思った頃、その方角から軽く咳をしたような音が二回、聞こえてきた。ペインターは振り返った。デントン教授の体が吹き飛ばされ、壁に叩きつけられる。力なく床に崩れ落ちる教授の顔は、半分が失われていた。

ペインターはすぐさま反応したい気持ちをこらえ、身動き一つせずに募る怒りを抑えた。

角を曲がって大きな人影が姿を現した。手に握った拳銃にはサイレンサーが装着され、銃口から煙があがっている。ほかの男たちのように黒の戦闘服姿で、ヘルメットには暗視スコープ機能を備えたゴーグルが付いている。だが、仲間とは違い、気を緩めた様子は微塵も感じられない。自信に満ちた身のこなしを見れば、この男がリーダーだとわかる。ペインターたちのいた応用物理学研究室の前を音も立てずに通り過ぎ、自ら地下の構造を確認していたところだったのだろう。慎重な動きから推測するに、逃げる教授と出くわしたことは想定外だったに違いない。だが、ペインターの方へと近づいてくる兵士は、同じような事態を警戒して抜かりなく目を配っている。

こうなったらすでに発見されたかどうかは関係ない。唯一の望みは、攻勢に転じることだ。

ペインターは低い姿勢で廊下へと飛び出した。自分の方へと向けられた銃口から乾いた音が漏れる――相手の反応は速い。しかし、不意を突かれたためか、狙いが高く外れた。

ペインターは肩を下にして廊下を滑りながら引き金を引いた。ショットガンの銃声が狭い廊下に響き渡る。相手の太腿上部に突き刺さったテーザー弾から、青白い火花が散った。男はうめき声をあげ、激しく手足を震わせた。体が硬直している。男がばったりと床に倒れ込むと同時に、ペインターは仰向けの姿勢になり、片手でモスバーグのフォアエンドをスライドさせて薬莢を排出し、次の弾を装塡した。

ペインターは素早く立ち上がり、階段の方角に向かって引き金を引いてから、踵を返した。背後から驚きの悲鳴があがる。誰かに命中したのだろう。小さな勝利の喜びに浸りながら、廊下を突っ走る。角に達すると、小刻みに痙攣している兵士の体を飛び越えた。

角を曲がる時、床に横たわるデントン教授の姿が目に入った。すでにこと切れている。その瞬間、ペインターは激しい罪悪感に包まれた。教授を守るのは自分の役目だった。こんな危険な目に遭わせるべきではなかったのだ――しかし、なぜそうまでしなければならなかったのか、その理由はわかっている。

ペインターはカイの顔を思い浮かべた。心の底から怯え、目を大きく見開いたその表情は、十八歳の年齢よりも幼く見える。いつもなら冒さないようなリスクに賭けざるをえなかったのだ――そんな無謀な計画のせいで、別の人間の命が失われてしまった。

しかし、今は後悔の念に苛まれている場合ではない。

背後からいっせいに銃声が鳴り響く。ペインターは首をすくめながら廊下の角を曲がった。これでしばらくは攻撃部隊から直接狙われる心配はない——だが、一息ついていられるのは一瞬だけだ。

午後十一時三十九分

「立て！」ラフは画面に向かって大声で叫んだ。

カメラから送信される映像で、ラフは白衣を着用した男の顔面をベルンが撃ち抜いた瞬間を目撃した。相手の顔が驚きで凍りついたかと思うと、砕けた骨と血しぶきへと分解する様を、心ゆくまで堪能することができた。しかし、その喜びもつかの間だった。直後、ラフの副官は仰向けに倒れていた。カメラからの映像には細かく揺れる天井しか映っていない——その時、手にライフルかショットガンを握った人影が、ベルンの体の上を飛び越えたのだった。

ラフはコンピューターの画面に鼻先がくっつかんばかりに顔を近づけた。ボタンを押してベルンの無線に指令を送る。「立て！」ラフは繰り返した。

ベルンが相手の身柄を確保するかどうかは二の次だった。向こうで起きていることを、自分の目で見たいだけだ。椅子の背もたれに寄りかかると、ラフの顔にこわばった笑みが浮かんだ。こんなに興奮したのは久し振りだ。

午後十一時四十分

ペインターは廊下を疾走していた。施設のいちばん奥にある研究室まで、廊下は一直線に通じている。前方に見える両開きの扉がほんの少しだけ開いていた。廊下に向かって拳銃を突き出しながら、中から様子をうかがっているコワルスキの姿が確認できる。向こうにも銃声が聞こえたに違いない。

ペインターは叫んだ。「みんなを部屋の奥に！　物陰に隠れろ！」

指示に従ってコワルスキは奥へと姿を消したが、その前に扉を思い切り蹴飛ばした。扉が大きく開き、ペインターの行く手が開ける。

一秒たりとも無駄にできない。

ペインターは走りながらショットガンのフォアエンドを後ろにスライドさせ、使用済みの薬莢を排出した。モスバーグを小脇に抱えると、ポケットの中から改造した銃弾を取り出し、空の薬室に押し込む。さらにフォアエンドを前にスライドさせ、撃針を固定した。

チャンスは一度だけだ。

扉の手前まで達した時、背後からこもった銃声が聞こえた。銃弾がかすめた上腕部に焼けつくような痛みが走る。振り返ると、さっき倒したはずの兵士が、手足を痙攣させながらも廊下の角で体を起こしていた。震える指で再び引き金を引くが、弾は外れた。

顔をしかめながらも、ペインターは認めざるをえなかった。〈あいつは相当タフなやつだ〉

ペインターは研究室へと飛び込みながら、扉を手で引っ張って閉めた。その数秒後、自動小銃の銃弾が鋼鉄製の扉に降り注いで激しい音を立てる。残りの攻撃部隊が角を曲がってこちら側へと侵入してきたに違いない。銃声は途切れることなく続いている。

残された時間は少ない。

さらに厄介なことに、ペインターには何も見えていなかった。扉を閉めてしまったために、研究室内は完全な暗闇に包まれている。片手を前に突き出して何かにぶつからないように注意しながら、ペインターは足早に部屋の奥へと進んだ。

「どこだ？」ペインターは攻撃の音に負けじと大声で怒鳴った。

前方で懐中電灯のスイッチが入り、室内にまばゆい光の筋が走る。ほかの三人は大きなヴァンデグラフ加速器の陰に身を潜めていた。この広大な研究室のさらに奥へと通じている巨大な設備の一つだ。

ペインターは三人のもとへと急ぎながら、Ｃ４を探して天井に目を走らせた。

「後ろですよ！」コワルスキが装置の陰から叫んだ。「扉の上！」

ペインターは振り返って視線を上に向けた。懐中電灯の光が、黄色がかった灰色をした爆薬の塊を照らしている。Ｃ４は扉の上の隙間に押し込まれていた。経年劣化による亀裂を修繕したばかりの箇所のようだ。コワルスキは格好の場所を見つけてくれた。

ペインターはショットガンの銃口を上に向けた――それと同時に、目の前の両開きの扉が引き開けられた。銃弾が室内に降り注ぐ。ペインターは後ずさりし、床の上に寝転がった。味方の援護を受けながら、二人の兵士が室内に突入してくる。コワルスキが加速器の陰から応戦する。

ペインターはテーザー弾を命中させた兵士の姿を廊下の先に確認した。片腕を突き出し、大声で命令を与えている。やはり、こいつがリーダーだ。

だが、これ以上相手のことを観察している余裕はない。

床に仰向けになった姿勢のまま、ペインターはショットガンを構え、狙いをＣ４の塊の中心に合わせ、引き金を引いた。ショットガンの銃声とともにＸＲＥＰ弾が飛び出し、命中と同時に天井に沿って放電が走る――だが、それ以外には特に何も起こらない。

コワルスキが舌打ちをした。これで激しい銃撃戦が必至になったと身構えているのだろう。

〈いったい何が――〉

耳をつんざくような轟音に全身を揺さぶられ、ペインターの体は後方にある加速器へと吹き飛ばされた。宙を舞う中、ペインターは室内に突入した二人の兵士の体が衝撃波で床に叩きつけられ、上から降り注ぐセメントや鉄筋や土に埋もれるのを目の当《ま》たりにした。

煙と塵が室内の視界を遮り、渦を巻きながら施設の奥へと広がっていく。

意識が朦朧《もうろう》としたペインターは、体が誰かに抱きかかえられるのを感じた。コワルスキが片手でペインターの体を支え、もう片方の腕でカイを引っ張っている。耳ががんがんと鳴っているものの、ペインターは何とか自分の足で体を支えることができた。前方に目を向けると、大量の瓦礫《がれき》が入口をふさぎ、追っ手の動きを阻んでいる。ペインターは天井を見上げた。煙にかすんだ暗がりの先で、天井から光が差し込んでいる。

これほどまぶしく感じる月明かりは初めてだ。

作戦は成功した。

午後十一時四十二分

ラフはラップトップ・コンピューターの置かれた机を前にして立っていた。両手を組んで頭の上に乗せた姿勢で、廃墟と化した廊下を部下たちが撤退していく様子をじっと見つめる。ラフは息を殺したまま画面を凝視していたが、ようやく大きく息を吐き出した。

両腕を下ろし、拳を握り締める。

ラフはアシャンダに目を向けた。無言のまま、画面上で展開した出来事を見たのか彼女に問いかける。アシャンダはまだ男の子を抱いたまま座っていた。子供はショックのせいでほとんど反応が見られない。

ラフも同じようなショックを覚えていた。

心臓の鼓動が速まり、体中の血がたぎる。だが、怒りを覚える一方で、感嘆を禁じえない自分もいる。

〈獲物は味方を見つけたというわけか……それも、かなり有能なボディーガードを〉

爆発で天井が崩落する直前に、ベルンはヘルメットに装着したカメラで機転の利く相手の姿をしっかりと撮影していた。解像度の低い写真だが、カメラは男の顔を正面からとらえている。ユーロポールに技術提供をしているサンジェルマン家の同族会社が開発した画質向上ソフトと顔認識プログラムを使用すれば、男の身元はすぐに割れるはずだ。

無線からベルンの声が聞こえてきた。デジタル信号が途切れがちなので聞き取りにくい。

「……歩いて脱出しました。地元の警察と緊急対応チームがすでに現場に到着しています。そちら……指示を……？」

ラフはため息をついた。高まった興奮が冷めていく。残念なことだ。身体的な障害を抱えているため、今回のようなアドレナリンの流出に酔いしれることのできる機会は多くない。ラフはスロートマイクで指示を出した。「撤退せよ。ターゲットがその付近にとどまる可能性はない。改めて居場所を突き止めればいい」

どうやらベルンは納得できない様子だ。仲間を失ったことで、激しい怒りに駆られているのだろう。アーリア人の血が復讐心に火をつけたに違いない。だが、ベルンは忍耐というものを学ぶ必要がある。サンジェルマン一族の富と権力の真の源をあげるとすれば、あることに関する知識と、あることを楽しむ余裕と、あることに対応する能力を有しているという点だろう。その「あること」とは、長期に及ぶ戦い。

並外れた頭脳を持つラフは、長期戦にかけては誰にもひけをとらない。ほかの人間がそんなことを口にすれば自慢めいて聞こえるが、彼は何度も身をもってそのことを証明してきた。だからこそ、今この場にいる。一族の指示を受け、千年の歴史がある宝を追っている。

これ以上に長い戦いなど存在するだろうか？

ベルンとの無線での会話を終えた後、ラフはラップトップ・コンピューターの前へと戻り、突如として戦いに割り込んできた謎の人物の画像を呼び出した。多くの原始的な文化において、名前は非常に重視された。相手の名前を知ることで、その相手に勝る特別な力が宿ると信じられていたからだ。ラフもまた、そのことを心の底から強く信じていた。

両手の拳を机に置いて体を支えながら、ラフは敵の顔をじっと見つめた。

「ヴ・ゼット・キ？」ラフは男に向かって訊ねた。

何としてでも、その答えを知りたい。

「おまえは誰だ？」

五月三十一日午前零時二十二分

SUVの助手席から、ペインターはプロヴィの街並みの明かりがバックミラーのはるか後方へと消えるのを見守っていた。これでようやく警戒を緩めることができる。

ほんの少しだけだが。

目的地にたどり着くためには四輪駆動車が必要なため、白いトヨタのランドクルーザーをレンタルした。不本意ながら、今回も運転はコワルスキに任せざるをえない。ペインター自身は長時間ハンドルを握れるような状態ではなかった。銃弾がかすめた上腕部の鈍い痛みは治まらないし、爆発の衝撃を浴びたせいで頭痛がする。

〈そろそろ年かもしれないな……〉

ペインターは自宅のソファーを思い浮かべた。黒髪の中に一カ所だけかたまって生えている白髪に触れながら、ほかにも白いものが見え始めたとささやくリサの声が聞こえる。俺は現場に出ていったい何をやっているんだろう？　これはもっと若い人間の仕事だ。

その思いを裏付けるかのように、コワルスキは夜通しの運転に備えてコーヒーを入れたマグボトルをさすりながら、平然とハンドルを握っている。後部座席に目を移すと、カイはハンクにもたれかかっていた。片手は教授の飼い犬に乗せている。二人とも眠っているようだ。だが、犬は目を開けており、茶色と青の瞳が用心深く警戒しながらペインターのことを見つめている。

ペインターは犬に向かってうなずいた。〈彼女のことを頼んだぞ〉

犬は一度だけ、かすかにしっぽを振ってこたえた。

ペインターは前に向き直った。心にかかった雲はまだ晴れない。大学のキャンパスを横切って脱出した後、ペインターはデントン教授が殺されたことを伝えなければならなかった。その知らせを聞いたハンクは大きなショックを受け、一瞬のうちに老け込んでしまったかのように見えた。一日のうちに親友を二人も失ったのだから無理もない。追っ手から距離を置かなければいけないという思いだけが、悲しみに沈むハンクを支えていた。その後、ＣＶＳファーマシーに寄って傷の手当てに必要なものを購入した後、彼らは街を後にした。

目的地はハンクの友人でもある先住民の集落で、かなり辺鄙な場所に位置している。ペインターとしては、カイを安全な場所に連れていくことが先決だった。同時に、ここでいったい何が起きているのかという疑問に対する答えも必要だ。

ポケットの中で携帯電話が振動した。顔をしかめながら電話を取り出し、発信者を確認してから耳に当てる。「ピアース隊長か?」ペインターはこんな時間に連絡が入ったことを驚いた。

しかも、グレイのいる東海岸は時差があるから二時間早い。ほかの人たちの邪魔にならないように、ペインターは小声で会話を続けた。

「クロウ司令官」グレイの返事が聞こえる。「ご無事で何よりです。襲撃事件についてはキャットから聞きました。実は、彼女から司令官に連絡を入れるように言われたもので」

「何の件だ?」

ペインターはすでにシグマの司令部と連絡を取っていた。キャスリン・ブライアントにはユタ州での出来事について手短に報告済みだ。キャットは大学での爆発事件の後始末を行ないながら、連邦政府の捜査機関や各情報機関とのコネを使って物理学研究室を襲撃した一味の正体を突き止めようとしている。

グレイは説明を始めた。「襲撃に関してヒントがつかめたかもしれません」

その言葉に、ペインターの集中力が研ぎ澄まされる。確かグレイはギルドに関する手がかりを調査していたはずだ。ペインターは嫌な予感がした。

「どんなヒントだ?」ペインターは訊ねた。

「まだ仮説の段階です。表面を探っているにすぎないのですが、どうやらセイチャンが入手した情報は、ユタ州での一連の事件と関連があるようなのです」

ペインターは、ベンジャミン・フランクリン、フランス人科学者、さらにはフランクリンの言葉を借りれば「白いインディアン」と関係した何らかの脅威の捜索に関して、グレイが説明する言葉に耳を傾けた。過去の歴史が明らかになり、特に建国の父たちにとっての闇の敵が現在のギルドと同じ記号を使用していたというくだりになると、ペインターは思わず身を乗り出していた。

「例の洞窟での発見が、ギルドの関心に火をつけることになったのだと思います」グレイの説明は続いている。「はるか昔に、重要な何かが失われたか、あるいはギルドの目の届かない場所に隠されたようなのです」

「それが今になって再び姿を現したということだな」ペインターは付け加えた。

十分にうなずける説だ。しかも、今夜の整然とした、それでいて残虐な襲撃は、いかにもギルドらしいやり口だ。

「こちらではその角度からの調査を続けます」グレイは告げた。「何かが見つかるかもしれません」

「そっちは任せた」

「ところで、キャットが司令官に電話をするように言ったのには、もう一つ理由があるのです」

「何だ?」

「世界各国の科学者に動揺を与えている、ある異常な現象に関してお知らせするためです。日本の物理学者のチームから、ニュートリノの活動に原因不明の活発化が見られるとの報告が入ったようなのです。私が理解する限りでは、通常なら考えられない規模とのことです」

「ニュートリノ？　亜原子粒子のことか？」

「そうです。これほどまでの規模のニュートリノの放出を引き起こすためには、相当に激しい力が必要らしいのです――太陽の核融合、核爆発、黒点フレアのような。そのため、今回の異常な活発化に、世界中の物理学者が大騒ぎしています」

「なるほど。しかし、そのことが我々とどのように関係するんだ？」

「これから説明するところです。日本の物理学者たちは、ニュートリノの発生源を特定することができました。大量放出の起きた場所が判明したんです」

ペインターにはその答えが推測できた。そうでなければ、わざわざグレイが電話をかけてくるはずがない。「山間部の爆発現場からだな」

「その通りです」

ペインターは新たな衝撃的事実をただ受け止めることしかできなかった。〈この新しい情報は何を意味するのだろうか？〉……ペインターはグレイに質問したものの、話は同じところを行ったり来たりするばかりで、それ以上は先に進まない。ペインターはあきらめて電話を切り、座席に深く体を預けた。

「いったい何事ですか？」コワルスキが訊ねた。

ペインターは首を左右に振った。そのせいで側頭部の鈍痛が強まる。じっくりと考えるための時間が必要だ。

グレイからの電話の前に、ペインターは爆発現場で監視を続けているロナルド・チンと話をしていた。チンからは原因不明の激しい活動に関して連絡を受けている。爆発地点の活動は終息に向かうどころか、外側へと、そして地下へと、拡大しているというのだ。その過程で接触したものはすべて分解される。チンの説明では、原子レベルで物質が変性しているということらしい。

ペインターは爆発の源へと考えを戻した。

ハンクは黄金の頭蓋骨の内部に隠されていた何かが、洞窟から外に移しただけで爆発してしまうほど不安定な何かが、原因ではないかと考えていた。また、教授が発見した証拠によれば、ミイラ化したインディアン――本当にインディアンなのかどうかは定かではないが、彼らの所有していた遺物が、ナノテクノロジーに関する進んだ技術の存在を示していることになる。ナノテクノロジーとまでは言えないにしても、物質を原子レベルで操作することが可能な製造技術が、その当時存在していたことになる。

そして今度は、ニュートリノの大量放出があったという報告――ニュートリノは原子レベルでの大きな異変によって生成される素粒子だ。

すべてはナノテクノロジーへと、宇宙最小の粒子に秘められた謎へとつながっているように思われる。しかし、それが結局は何を意味するのだろうか？　スネアドラムを鳴らしているかのような頭痛さえなければ、答えを導き出すことができるかもしれないのに。

今のところ、ペインターが断言できることは一つしかない。頭痛に合わせて警告が鳴り響く。本当の危険が訪れるのはこれからだ。

第二部　火災旋風

14

五月三十一日午後三時三十分
日本　岐阜県

「この件を誰かに連絡するべきだ」吉田純は主張した。

だが、それに対する田中陸の反応は、いつもの憎たらしいまでに落ち着き払った態度で、首を右から左へとかしげただけだった。魚を捕まえようと水面をうかがうサギのような仕草だ。まだ若い物理学者は、モニターの画面上を流れる大量のデータを凝視し続けている。

「まだ早いんじゃないかなあ」小柄な若者は誰に対してともなくつぶやいた。自分だけの世界に浸っているかのような反応だ。

神岡宇宙素粒子研究施設の所長である吉田は、朝からずっと池の山の地下深くにある巨大なニュートリノ検出装置、スーパーカミオカンデを注視していた。スタンフォード大学から派遣された同僚のドクター・ジャニス・クーパーも一緒だ。三人は今朝未明の大量放出以降、ニュートリノの活動の監視を続けている。発生源はユタ州山間部の峡谷と特定された。現地では爆発事件が起きたと聞いている。しかし、その詳細については今なお不明のままだ。〈核に関連した事故なのだろうか？　アメリカ政府は事実を隠蔽しようとしているのか？〉

アメリカのことだからその可能性はある。それを考慮したうえで、吉田はすでに世界各国に対して異常放出の件を伝えていた。このような情報を隠すことなど許せない。秘密の実験が失敗したのであれば、世界にはそのことを知る権利がある。吉田はドクター・クーパーをにらみつけた。彼女を責めても仕方がないことはわかっているが、いつも陽気なこの女性を見ているだけでかえっていらだちが募る。

「陸の言う通りだと思います」彼女は直属の上司の考えを尊重しているようだ。「まだ新たな発生源の位置を特定しようと努めている段階です。それに、今回の放出パターンはユタ州のものと同じには見えません。もっと多くの情報が得られるまで、正式な発表は控えた方がよろしいのではないでしょうか」

吉田は画面を見つめた。グラフがスクロール表示されている。デジタル版の地震計を見ているかのようだ。ただし、このグラフが示しているのはニュートリノの活動であって、地震の揺れではない――もっとも、これまでの発見を考えると、世界を揺るがす事態であることに変わりはない。八十分前から、彼らは新たなニュートリノの放出の急増をとらえていた。今朝と同じように、今度も地球上で発生した地球ニュートリノと思われる。

ただし、ドクター・クーパーの言うように、今回の放出パターンは今朝のものと明らかに異

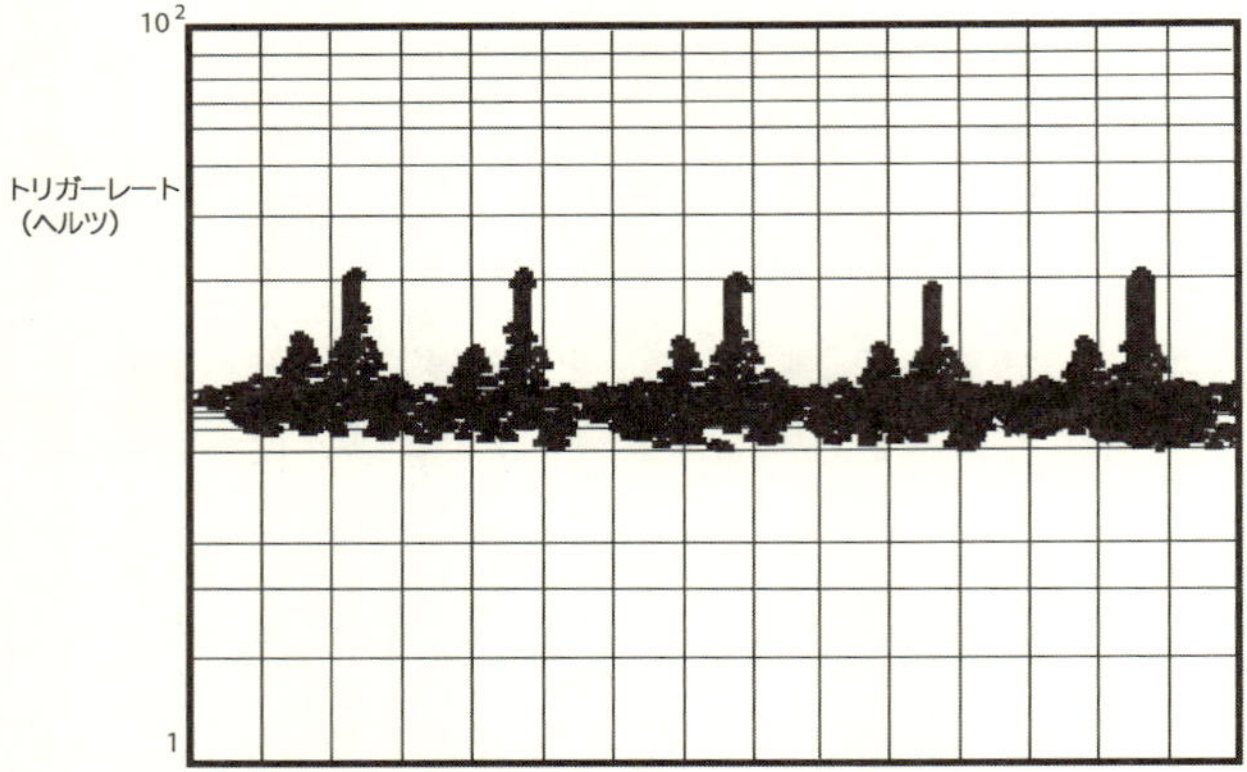

なる。ユタ州の爆発では、一度に大量のニュートリノが放出された。しかし、その後はガスコンロにかけたティーポットの湯がことことと沸騰しているかのような、少量の放出にとどまっていた。ところが、この新しいニュートリノの活動は、激しさは見られないものの、一定のサイクルを繰返している。少量の放出の後にやや多量の放出があり、しばらく治まった後、同じパターンが続く。心電図に似た動きだ。

それがすでに一時間以上も継続している。

「これは今朝の出来事と関連があるに違いない」吉田は食い下がった。「これほどまでの規模のニュートリノの異常な放出が、一日の間に二回も出現するなど、統計学的に見てありえない」

「最初のやつが二回目のやつを引き起こしたんじゃないんですかね」田中が応じた。

吉田は椅子の背もたれに寄りかかり、眼鏡を外した。両目の間を指でこする。最初は今の意見をすぐさま否定したいという衝動に駆られた――発言した人物を考えればなおさらだ。だが、吉田は無言のまま、考えを巡らせた。悪い仮説ではないことは認めざるをえない。

「つまり、君は最初の大量放出が何かほかのものに火をつけたと言いたいのだな」吉田は答えた。「もしかすると、不安定なウランの鉱脈かもしれないな」

吉田は頭の中で、最初の爆発地点から放出されたニュートリノが放射状に拡散する様子を思い浮かべた。粒子が四方に飛散し、幽霊の群れのように地球の内部を通り抜けていく――しかし、ニュートリノが通過した後に点々と連なる炎は、新たな導火線に引火するおそれがある。

「でも、ニュートリノは物質と反応しません」ドクター・クーパーが吉田の考えをあっさり打ち消した。「あらゆる物質を、地球の核でさえも通り抜けてしまうじゃないですか。それなのに何かに引火することなど、ありうるのでしょうか?」

「わからん」吉田は答えた。

実際のところ、今回の件はわからないことだらけだ。

だが、田中は負けを認めずに仮説をさらに推し進めた。「何らかの謎の爆発が、ユタ州で起きた今朝の大量放出の引き金になったことはわかっている。その原因が何であったにせよ、極めて珍しいものだったはずだ。今までにこんなグラフは見たことがない」

ドクター・クーパーは納得していない様子だったが、吉田は田中の考えの筋道が正しいのではないかと感じていた。かつてニュートリノは、質量も電荷も持たないとされていた。しかし、最近の実験でそうではないことが証明されている。ニュートリノに関してはいまだに多くのことが謎のままだ。ニュートリノを大量に浴びると反応する未知の物質が存在するのかもしれない。あるいは、ユタ州からの大量のニュートリノの放出が、別の鉱床《こうしょう》を目覚めさせたおそれもある。そんな可能性は考えただけでもぞっとする。吉田は爆発の連鎖が次々に広がり、やがて世界中へと拡散する様を想像した。

連鎖反応はどこで止まるのだろうか？　止まらなかったとしたら？

「今は何を言っても憶測の域を出ない」吉田は声に出して認めた。「この新たな放出の源を突き止めない限り、本当の答えを得ることはできない」

反論の言葉は返ってこない。新たな決意とともに、三人は作業に取りかかった。それでも、世界各地のニュートリノ観測所から情報を収集し、断続的な放出の続く新たな発生源を特定するのに三十分という時間を要した。

データの照合が終わると、三人はモニターの前に集まった。画面いっぱいに世界地図が表示される。地図上に光る円は、北半球の大部分を覆っている。

「これではあまり役に立たないな」吉田はつぶやいた。

「まだ早いですよ」田中は抑揚のない声でたしなめた。

十分が経過するうちに、円は徐々に狭まり、新たなニュートリノの発生源を示す座標へと絞られていった。どう見てもユタ州の近辺ではない。

「どうやら今度はアメリカのせいではないみたいですね」縮小する円が北アメリカ大陸から外れるのを見て、ドクター・クーパーは安堵のため息を漏らした。

吉田が息をのんで見つめる中、ようやく発生源が特定され、二本の線が一点で交わる。

三人は顔を見合わせた。

「今度こそ、誰かに連絡する方がいいんじゃないのか？」吉田は訊ねた。

田中はゆっくりとうなずいた。「あなたのおっしゃる通りでした、吉田先生」彼にしては珍しく、敬称を付けて呼びかける。「これ以上待っていると大変なことになります」

吉田は田中の予想外の反応に驚いた――だが、それも田中が隣にあるコンピューターの画面を指差していることに気づくまでの話だった。現在のニュートリノの活動を示すデジタル式のグラフが表示されている画面だ。吉田の口から思わず小さな悲鳴が漏れた。ニュートリノの放出頻度が高くなっている。アドレナリンで心拍数の上がった心臓の鼓動のようだ。

吉田の心臓の鼓動もそれに合わせて速まる。

吉田は電話へと手を伸ばし、秘密の番号のボタンを押した。しかし、視線は画面上の地図を見据えたままだ。二本の線は大西洋の北部で交わっている。

手遅れになる前に、誰かがあの場所へ行かないと。

15

五月三十一日午前二時四十五分
ワシントンＤＣ

「アイスランドだって？」グレイは驚いて聞き返した。携帯電話を耳に押し当て、キャット・ブライアントと話をしているところだ。「一時間以内にレイキャヴィクへ向かえと言うのか？」

グレイとセイチャンは黒のリンカーン・タウンカーの後部座席に座っていた。クロウ司令官が襲撃されたとの連絡を受けたキャットが、用心のためにグレイの両親の家まで迎えにやった車だ。二人は国立公文書記録管理局へと戻る途中だった。モンクと二人の研究者は大いに興味をひかれる何かを発見したらしいが、電話で伝えるのはばかられるほどの重要な発見らしい。

「その通り」キャットは答えた。「クロウ司令官の命令よ。モンクも連れていくようにとのことだわ。空港に向かう途中で拾っていってやって」

「すでに向かっているところだよ。モンクからメールで連絡があって、何やら重要な発見をしたらしい」

「だったら、どんな発見だったか聞いておいて。でも、四十五分後には空港に到着しているように。あと、厚着をしておいた方がいいわよ」

「ご忠告ありがとう。でも、どうしてそんな話になったんだ？」

「ユタ州の爆発現場から亜原子粒子が大量に放出されたという話はしたわよね？　ついさっき、日本の神岡宇宙素粒子研究施設の所長と電話で話をしたの。新たな放出が確認されたのよ。彼はそれを大いに憂慮しているわ。アイスランドの沖合にある小さな島が発生源とのこと。その所長の話だと、二件のニュートリノの放出には関連があって、ユタ州での爆発による最初の大規模な放出が、アイスランドでの新たな活動の引き金になったということだわ。文字通り、導火線に火をつけてしまったというわけ。クロウ司令官も調査を行なうべきだとの考えよ」

　グレイは同意した。「モンクを拾ってから空港に向かう」

「気をつけてね」キャットは応じた。その短い言葉の裏に隠された意味を、グレイは感じ取った。〈夫のことをお願い〉……言われるまでもないことだ。

「キャット、この任務はセイチャンと俺だけでもこなせるように思う。モンクには研究者たちと一緒に歴史的な角度から謎を追ってもらう方がいいんじゃないのか？」

　すぐに応答が返ってこない。グレイは今の提案を考慮しているキャットの姿を思い浮かべた。しばらくすると、ため息が聞こえた。「あなたが何を言いたいのかはよくわかるわ、グレイ。でも、研究者の人もモンクがそばでうろうろしていたら作業がやりにくいでしょ。それに、モンクも少しは体を動かさないと。もうすぐ二人目が生まれるし、ペネロペもそろそろ何かと手のかかる二歳になるから、私たち夫婦は当分の間、家の中に閉じ込められた生活を送ることになるわ。だから、彼を一緒に連れていってあげて」

「わかった。だけど一言いいかな。君と一緒に家の中に閉じ込められることを、モンクはそんなに嫌がりはしないと思うよ」

「あなたに何がわかるっていうの？」

キャットはいらだっている様子だが、その声からは温かさが感じられる。二人ですべてを分かち合い、子供がいて、毎晩必ず隣には大切な人が寝ているという、ただそれだけで幸せを感じる日々。グレイはそんな生活を想像することすらできなかった。

「彼を無事に家まで連れて帰るよ」グレイは約束した。

「お願いね」

いくつか細かい点を確認してから、グレイは電話を切った。

向かい側の座席では、セイチャンが両腕を組んで扉にもたれかかっている。両目を閉じ、うたた寝をしているように見えるが、グレイは彼女が会話を一言も聞き漏らすまいと耳を傾けていたに違いないと思った。その予想を裏付けるかのように、セイチャンは目を閉じたままつぶやいた。「遠くにお出かけ？」

「そうなりそうだな」

「日焼け止めを持ってきておいてよかったわ」

間もなくタウンカーは国立公文書記録管理局の建物の前で停止した。モンクは建物の中で二人を待っていた。満面の笑みを浮かべ、目を輝かせながら、待ちかねた様子で手招きしている。興奮しているのは明らかだ。

「アイスランドだって？」グレイたちとともに研究室へと戻りながら、モンクは口を開いた。「信じられないね」

現地での調査に参加できることがうれしくてたまらないといった様子だ。しかし、その目には何かを言いたくてうずうずしているような輝きが見える。グレイがそのことを問いただそうとした時に、三人は目的の部屋へと到着した。

グレイたちが外に出ている間に、研究室はすっかり様相が変わっていた。書籍、写本、地図のほか、何段も積み重ねられたファイルボックスが、会議用テーブルの上を覆い尽くしている。壁際に置かれた三台のマイクロフィッシュリーダーには、昔の新聞記事や黄色く変色した文書の写真などが表示されていた。

雑然とした室内で、ドクター・エリック・ハイズマンとシャリン・デュプレは、一つのファイルボックスをのぞき込みながら何かを探していた。ハイズマンはセーターを脱ぎ、シャツの袖をまくり上げている。彼はページの端が折れた薄い小冊子のようなものを取り出すと、テーブルの上の書類の山に乗せた。

「噴火に関するフランクリンの論文がここにも……」

モンクが戻ってきたことに気づき、二人は顔を上げた。

「彼にはもう話を伝えたのかね?」ハイズマンは訊ねた。

「その役目はあなた方にお任せした方がいいかと思ったもので。調べ物をしていたのはお二人ですからね。こっちがした仕事は、ピザを注文したことくらいだし」

「話というのは?」グレイは訊ねた。

ハイズマンはシャリンの方を見た。彼女はまだ黒のペンシルドレスを着たままだが、その上に丈の長い白衣を羽織り、古くなった文書を扱うのに備えて薄いコットンの手袋をはめている。

「シャリン、君から話してくれないか? 君の素晴らしいアイデアのおかげで、調査が一気にはかどったのだから。もっとも、コンピューターの扱いに関しては、君のような若い人たちの方が慣れているのだろうけれど」

ハイズマンの評価に照れたような笑みを浮かべると、シャリンは感謝を示して軽く頭を下げてから、グレイとセイチャンの方に顔を向けた。「時間をかければいずれは発見できたと思いますが、ここの文書の大半はデジタル化されているので、検索条件を広げればもっと効率的に記録を洗うことができるのではないかと思ったんです」

グレイは焦りを表に出すまいとした。どうやって発見したのかはどうでもいい。何を発見したのかが問題なのだ。それでも、グレイはモンクがにやにやしながら目を輝かせていることに気づいた。何かを隠しているのは間違いない。

「フォルテスキューとフランクリンの両方の名前を含む記録をグローバル検索しました」シャリンは説明を続けた。「けれども、ヒットしませんでした」

「あたかもすべての記録が抹消されたかのようだった」ハイズマンが口を挟んだ。「痕跡を消そうとした者がいたらしいことは間違いない」

「そのため、検索条件を変更して、フォルテスキューの綴りを入れ替えたパターンをいくつも試してみました。それでも、まったくヒットしません。そこで今度は、アルシャール・フォルテスキューのイニシャル、ＡＦで検索をかけたのです」

シャリンが顔を向けると、ハイズマンは誇らしげに大きくうなずいた。「見事にヒットしたのだよ」ハイズマンは黄ばんだ紙の束を手に取った。「トーマス・ジェファーソンが個人秘書のメリウェザー・ルイスに宛てた書簡が」

「ルイスですか？　ルイスとクラークで有名な？　アメリカ大陸を横断して太平洋へとたどり着いた二人の探検家の？」

ハイズマンはうなずいた。「同一人物だよ。ルイスへのこの手紙は一八〇三年六月八日付けで、二人が探検へと出発する約一年前に書かれたものだ。火山の噴火に関する考察が記されている」

グレイは話の流れを読むことができずにいた。「いったい火山が何と関係しているのですないか？」

「最初に断わっておくが」ハイズマンは説明を始めた。「そうした考察は珍しいものではない――そのため、この手紙が特に目に留まることなく、抹消されずにすんだのではないかと思う。ルイスとジェファーソンの二人は親交のあった時期を通じて、しばしば科学に関する意見を交換していた。ルイスは元軍人だったが、科学の教育を受けており、自然界の事物に大きな関心を抱いていた」

グレイはハイズマンによるルイスの説明が、シグマの隊員にも当てはまることに気づいた。ハイズマンの話は続いている。「二人は非常に親しい友人だった。そもそも、二人の生家は十五キロと離れていない距離にあったそうだ。ジェファーソンはルイスに対して誰よりも大きな信頼を置いていた」

モンクがグレイを肘でつついた。「つまりだな、もしジェファーソンが秘密を抱えていたとしたら、それを明かしたに違いない人物が一人だけいるというわけさ」

ハイズマンはうなずいた。「この書簡の中で、ある名前が繰り返し登場する。単にＡＦとだけ記されている人物だ」

「アルシャール・フォルテスキューだ……」グレイはつぶやいた。

「彼の名前をはっきりと書き記すことに対して、ジェファーソンが不安を抱いていたことは間違いないだろう。もともと彼はそういう性格だったようだ。ジェファーソンは暗号というものに強い興味を持っていて、自ら秘密の暗号を作成したほどだ。事実、ジェファーソンの作成した暗号の一つがようやく解読されたのは、ごく最近のことなのだよ」

「そこまでいくと被害妄想の域だな」モンクはつぶやいた。

ハイズマンはモンクの方を見ながら反論した。「大いなる敵が新しい国家を密かに包囲しつつあるとしたフランクリンの書簡の内容が事実だとすれば、無理もないと思うがね。この被害妄想が、大統領の任期中にジェファーソンを軍の粛清《しゅくせい》へと駆り立てたのかもしれないな」

「どういうことですか？」グレイは次第に話に引き込まれていた。

「激しい選挙戦を経て大統領に就任した直後、ジェファーソンが最初に行なったのは常備軍の削減だった。有能な将校とそうでない将校を決めるうえで、ジェファーソンはルイスに協力を要請した。ルイスは調査結果を暗号化された記号でジェファーソンに報告していたのだ。歴史家の中には、この粛清は有能かどうかではなく、アメリカ合衆国に忠誠を誓っているかどうかが判断基準になっていたのではないかという説を唱える者もいる」

モンクは意味ありげな視線をグレイへと向けた。「裏切り者を、それも軍の中で主導的な立場にある裏切り者を、秘密裏に排除したいと考えた場合、これ以上の方法はないいんじゃないか？」

潜入したギルドのスパイや工作員を排除するためにシグマがどれほど苦労してきたか、グレイには痛いほどわかっていた。建国の父たちも同じことをしようとしていたのだろうか？　グレイはこの任務に関わったルイスのことを想像した。元軍人で、科学者で、今度はスパイ。まさにシグマの隊員と同じような立場じゃないか。

セイチャンがテーブルへと近づき、大きな音を立てながら椅子に腰を下ろした。話が退屈で仕方ないといった様子だ。「それはよくわかったけど、そのことが火山とどんな関係があるというわけ？」

ハイズマンは鼻に乗せた眼鏡の位置を直すと、ややこわばった口調で話し始めた。「これからその話に入るところだ。手紙にはその二十年前に起こった噴火のことが記されている。日付が同じだから、ちょうど二十年前のその日に、と言うべきかな。ラキの噴火だよ。歴史上、最悪の被害をもたらした火山噴火だ。噴火の影響により、全世界で六百万人の人々が死亡した。家畜は全滅し、世界各地で穀物が不作となり、大飢饉《ききん》が発生した。空が血のような赤い色に染まったと言われ、地球の気温が低下してミシシッピ川が南はニューオリンズまで凍結したほどだ」

シャリンが説明を引き継いだ。グレイがここへと戻った時、探していた紙を手に取る。「噴火の影響をベンジャミン・フランクリンはこう書き記しています。『一七八三年の夏の数カ月間、**北半球の地を暖める太陽光線の影響が本来ならもっと強いはずのこの時期、ヨーロッパ全土および北アメリカの大部分は絶えず濃い霧に覆われている**』。フランクリンはこの火山に大いなる関心を寄せていたようなのです」

「それにはもっともな理由があるように思う」その言葉に、グレイはハイズマンへと注意を戻した。「この書簡によると、アルシャール・フォルテスキューは噴火の現場に居合わせていた——しかも、まるで噴火の原因が自らにあるかのように、罪の意識を感じていたのだそうだ」

「何だって？」グレイは驚きを隠すことができなかった。

グレイが今の情報を整理しようとしている間に、セイチャンが口を開いた。「地理にはあまり詳しくないんだけれど、その火山はどこにあるの？」

ハイズマンは大きく目を見開いた。今まで伝えていなかったことに初めて気づいた様子だ。

「アイスランドだよ」

グレイはモンクの方を見た。これ以上ないほど大きな笑みを浮かべている。隠していたのはこのことだったのだ。モンクは肩をすくめた。「どうやらそのフランス人の足跡をたどることになりそうだな」

午前三時十三分

テーブルの上に広げられたいくつもの地図を使ってほかの四人が火山の所在地に関する話を

続ける中、セイチャンは少し離れたところに座り、首に下げたペンダントの先端に付いている小さな銀の竜に指を触れていた。落ち着かない時についしてしまう癖だ。母もいつも同じペンダントを身に着けていた。母についての数少ない思い出の一つだ。

子供の頃、セイチャンは母の首元で体をくねらせた小さな竜をいつもじっと見つめていた。夜、開いた窓からジャングルの鳥の鳴き声とともに月明かりが差し込み、小さなベッドで眠る母を照らす。月明かりを反射し、母の息づかいとともに動く竜は、まるで水が揺れているかのように見えた。毎晩のように、セイチャンはじっと見つめていれば竜に魂が宿るかもしれないと想像していた――竜は本当に生きていたのかもしれない。たとえ、夢の中だけだったとしても。

そんな感傷的な思い出に浸る自分にいらだちを覚えながら、セイチャンは銀の竜から指を離した。もうこれ以上は待ち切れない。誰もが気になったはずの疑問を、誰一人として口にしようとしない。それならば、自分で問いただすしかない。

「ドクター、その手紙の話に戻るけど」全員の視線が彼女に集まる。「火山の噴火に対してそのフランス人が罪の意識を感じていたと言っていたのは、いったいどういう意味なの？」

ハイズマンはまだ手紙の束を握っていた。「このジェファーソンの手紙に書かれている」ハイズマンは咳払いをしながら文面を目で追い、該当箇所を読み上げた。「『ようやくＡＦから連絡があった。一七八三年の夏、自身の身に降りかかった出来事について、彼は大いに悩み、ひ

ど く気に病んでいる。私は決して忘れない。彼が敵の待ち伏せに遭って重い怪我を負いながらも、インディアンの墳丘から地図を入手し、その地図に記された道筋をたどったのが、我々の大義を支持するための行動だったことを。けれども、ＡＦはあの年の夏、あの海に自ら生み出してしまった火山のことを嘆き悲しんでいる。噴火の後にフランスを襲った大飢饉が故国での血なまぐさい革命を招いたのだと彼はかたく信じており、罪の意識を感じているのだ』」

ハイズマンは手紙をテーブルへと下ろした。「実際のところ、最後の点に関してはフォルテスキューの考えが正しいと言えるかもしれない。現在では多くの学者たちが、ラキの噴火――およびそれに続いてフランスを襲った貧困と飢饉が、フランス革命を引き起こす大きな要因になったと考えている」

「しかも、手紙の内容からすると」グレイが付け加えた。「フォルテスキューは自分を責めていたようですね。『自ら生み出してしまった火山』……でも、それはいったいどういう意味なんですか？」

誰もその疑問には答えられなかった。

「それじゃあ、これまでにわかったことは何？」セイチャンは話を先に進めた。「最初の手紙から、フランクリンがフォルテスキューに声をかけて、インディアンの墳丘に埋められている地図を探すように依頼したことがわかった。次に、この手紙の中身からすると、フォルテスキューは成功したみたいね」

グレイはうなずいた。「地図はアイスランドを指し示していた。だがら、フォルテスキューはその場所へと向かった。そこで彼は何かを発見したに違いない。その何かがあまりにも恐ろしかったために、あるいはあまりにも強い力を持っていたために、彼はその何かが火山の噴火を引き起こしてしまったと信じたんだ。けれども、いったい何が?」

「最初の手紙にヒントのようなものがあったわ」セイチャンは指摘した。「インディアンは何らかの力あるいは知識を有していて、その知識を分け与えてもかまわないと考えていた。おそらく、例の謎めいた十四番目の植民地の設立と引き換えに」

「けれども、その取引はおじゃんになった」モンクが応じた。

ハイズマンの助手は山と積まれた紙の中から何かを探していた。「これがその内容です」彼女は読み上げた。「『イロコイ連邦の代表者のシャーマンたちは、ジェファーソン知事との会合に向かう途上、極めて残虐な形で殺害された。彼らの死とともに、大いなる秘薬と白いインディアンの知識を持つ者は、全員が神のもとへと旅立ってしまった』」

グレイはうなずいた。「けれども、シャーマンの一人が瀕死の状態になりながらも、息絶える前に地図の在り処を明かしたことはわかっている。それがおそらく、その知識の源を示した地図なのだろう。フォルテスキューはその源を見つけるために派遣されたんだ」

「そして任務に成功したんだろうな」モンクは付け加えた。「それが手紙に記された『大いなる秘薬』なのか、あるいは別のものなのかもしれないが、フォルテスキューはあまりにも強い力を持つその何かが、火山噴火の引き金になったと信じていた。だから罪悪感に苛まれたのさ」

「ところが二十年後、ジェファーソンは再び彼に声をかけた」ハイズマンが言った。

セイチャンはアーキビストの方に顔を向けた。無意識のうちに再び銀の竜を指でいじっていたことに気づき、あわてて腕を下ろす。「どういうこと？」

ハイズマンは眼鏡の位置を直すと、再び手紙の内容を引用した。「『あのような悲劇の後で、AFを再び調査に引き込むのは気が進まないが、この大陸に暮らす先住の部族たちに対する彼の温かい眼差しと大いなる敬意の念は、長い旅路においてきっと我々の役に立つはずだ。彼はセントチャールズで君たちと合流する手筈になっている。それまでに彼は、君たちの西部への探検に加わるために必要なものを手配できるだろう』」

グレイは身を乗り出した。「ちょっと待ってください。つまりあなたは、フォルテスキューがルイスとクラークの探検に同行したと言うのですか？」

「私が言っているわけではないよ」そう言いながら、ハイズマンは手に持った紙を振った。「トーマス・ジェファーソンが言っているのだ」

「でも、ほかにそんな記録は残って――」

「それらも抹消されたのかもしれないな」ハイズマンは可能性を示した。「この科学者に関するほかの一切の記録のように。我々が見つけ出すことができたのは、この書簡だけだ。フォルテスキューがこの探検へと出発して以降、彼の名前は二度と出てこない。少なくとも、我々が調査した範囲では」

「でも、なぜジェファーソンはフォルテスキューをルイスとクラークとともに送り出したのですか？」グレイは訊ねた。

その答えの察しがついたセイチャンは、椅子に座り直してから答えた。「インディアンの地図に記されていたのはアイスランドだけではなかったんじゃないの？　ほかの場所も記されていた。はるか西部のどこかよ。アイスランドの方が距離的に近かったから、最初にそっちを調べたんだわ」

グレイが指先で右の目尻のあたりをさすり始めた。頭の中でジグソーパズルのピースをつなぎ合わせようとしている時に彼が見せる仕草だ。「ほかの場所があるのなら、どうしてそこを探すのに二十年も待つ必要があったんだ？」

「最初の捜索の後で起こったことを考えてみろよ」モンクが反応した。「慎重になったとしても不思議じゃないだろう？　フォルテスキューの考えた通りだとすれば、彼らのせいで六百万もの人が命を失い、フランス革命まで引き起こしてしまったんだぜ。二度目を躊躇するのは当然だよ」

ハイズマンも話に加わった。「ルイスとクラークの任務が純粋な探検だけではなかったことを裏付ける歴史的な記録も存在する。第一に、ジェファーソン自らがそのことを認めているのだよ」

「どういう意味ですか？」グレイは訊ねた。

「探検の前に、ジェファーソンは議会の議員だけに宛てて秘密の書簡を送った。その中に探検の真の理由が記されている。西部に暮らすインディアンを密かに観察し、彼らに関する情報をできるだけ集めることだ。第二に、ジェファーソンはルイスとの間で私的な暗号を考案し、二人の間のやり取りがジェファーソン自身もしくは彼に忠誠を誓った人物にだけしか読めないようにに取り計らっていた。一年間の自然観察の探検のためだけに、そこまでのことをすると思うかね？　ジェファーソンが西部で何かを探そうとしていたことはまず間違いない」

「でも、彼はそれを見つけたの？」セイチャンは訊ねた。

「そのことに関する公の記録は一切残っていない。もっとも、アルシャール・フォルテスキューに関する記録はすべて抹消されてしまっているからな。今となっては誰にもわからない。だが、何らかの隠蔽工作が行なわれたことをうかがわせる興味深い事実が一つだけある」

モンクが身を乗り出した。「それは何です？」

「一八〇九年十月十一日、西部への探検から戻った三年後、メリウェザー・ルイスはテネシー州のある宿屋の一室で殺されているのを発見された。頭部を一発、胸を一発、撃たれていた。ところが、どういうわけか死因は自殺だと見なされ、遺体はすぐにその近くに埋葬されてしまった。この隠蔽工作が明らかになるまでに、二百年という時間を要したのだよ。今ではルイスは暗殺者によって殺害されたという説が有力になっている」ハイズマンは全員の顔を見回した。「ルイスはトーマス・ジェファーソンと会うためにワシントンへと向かう途中だった。殺された時、ルイスは貴重な情報を持っていたと言う者もいれば、国家の安全保障に重大な影響を及ぼす何かを所持していたとの説を唱える者もいる。しかし、それ以上のことは何一つわかっていない」

室内を沈黙が支配した。セイチャンはグレイがまだ右目の端をこすっていることに気づいた。グレイの頭の中で回転するギアの音が聞こえてくるように感じる。

ハイズマンが腕時計を確認した。「さて、このあたりで今日のところはおしまいにさせてもらえないかな。君たちも飛行機の時間があるのだろう？」

モンクが立ち上がったのを合図に、五人は帰り支度を始めた。ハイズマンとシャリンは朝になったら作業を再開すると約束したが、これ以上の発見は期待できなさそうな口ぶりだった。

セイチャンはグレイとモンクの後から通りへと出た。グレイの自宅から乗ってきたタウンカーが、まだ三人を待っている。

モンクはグレイの顔をじろじろと眺めた。「おいおい、額に何かを案じるようなしわが寄っているぞ。どうかしたのか？　アイスランド行きが心配なのか？」

冷たい風が通りを吹き抜ける中、グレイはゆっくりと首を横に振った。「そうじゃない。ユタ州の方が心配なんだ。アイスランドについての話を聞いて——しかも、奇妙なニュートリノの放出がどちらの場所にも見られることを考え合わせると、昨日の爆発は単なる序章にすぎないのではないかという気がしてならないんだ」

モンクは車の扉を開けた。「そうだとしても、現地で目を光らせている人間がいるじゃないか」

グレイは車に乗り込んだ。「その人のことがいちばん心配なんだ」

16

五月三十一日午前四時五十五分
ユタ州ハイ・ユインタス・ウィルダネス

アシュリー・ライアン少佐は地質学者のロナルド・チンとともに監視を続けていた。二人は峡谷の縁に立っている。夜明けまでそれほど時間はないはずだが、ライアンは太陽の光が待ち遠しくてならなかった。

長い悲惨な夜が明けつつある。彼と部下たちは蒸気を噴き上げる峡谷から負傷した仲間を運び出した。ヘリコプターで近くの病院へと搬送されたベラミーは、右脚のほとんどを失い、切断面を覆った圧迫包帯から血をにじませながら、モルヒネで意識が朦朧とした状態だった。

その後、ライアンは仮眠を取ろうとしたものの、目を閉じるたびに部下の太腿へと深く食い込む斧の映像がよみがえってきた。チンが切断された右脚を拾い上げ、煙を噴き上げる穴に向かってまるでたき火に木切れを足すかのように無造作に放り投げる姿も、目に焼きついている。

だが、ライアンは地質学者の行動を理解していた。汚染が拡大するリスクを残すわけにはいかなかったからだ。

今夜は眠れそうにないとあきらめると、ライアンはテントから外に出て、地質学者と並んで峡谷の監視を行なった。夜の間に、地質学者は様々な機材を設置していた。ビデオカメラ、赤外線スキャナー、地震計、それに磁場の強さと向きを測定する磁気計とかいう装置。部下からも無線や携帯電話の電波への干渉が強くなっているとの報告が入っている。この一時間のうちに、方位磁針はすべて峡谷の方を指し示すようになった。しかし、何よりも不気味なのは、地震が山を揺らし続けていて、しかもその頻度が高まり、揺れも大きくなりつつあることだった。

「全員の退避が完了した」そう告げると、ライアンは近くに停めたオープンカーのジープへと視線を向けた。「山を三キロ半ほど下ったキャンプまで撤退した。それだけ離れれば大丈夫か？」

「たぶんな」チンはそれよりも気になることがある様子だ。「ちょっとこれを見てくれ」

地質学者はビデオモニターの横に座り込んでいた。穴の近くに設置したリモートカメラからの映像が表示されている。チンは最初の爆発地点の中央から広がる地獄のような赤い輝きを指差した。灰の混じった煙が黒い柱となって空中へと噴き上がる様を照らしている。

「この四十分間ほど、間欠泉の噴出が止まっている」地質学者は説明した。「温泉の水が沸騰して、すべて噴き出してしまったと思われる」

「それなら、今は何が出ているんだ？」

「気体だよ。水素、一酸化炭素、二酸化硫黄。ここで発生している何らかの現象が、温泉の底をぶち抜き、この山岳地帯の基盤となっている火山層へと貫通したに違いない」

ライアンが見つめる目の前で、黒い煙の中を真っ赤な炎がよぎり、すぐに姿を消した。「今のは何だ?」

チンは身動き一つしない。顔面が蒼白になっている。

「ドクター?」ライアンは答えを促した。

「たぶん……溶岩弾だと思う……」

「何だって?」驚きのあまり、声が裏返ってしまう。「溶岩? こいつの噴火が始まりつつあると言うのか?」

二人が見守るモニター上では、さらに二つの赤い閃光が煙の中を走り、穴の底に落下した。真っ赤に燃えた岩の塊が、地表面を転がっていく。これから何が起ころうとしているのか、もはや疑いの余地はない。

「ここを引き払うぞ」そう言いながら、チンは立ち上がった。機材には目もくれず、データを収めたフラッシュドライブだけを急いで回収している。

ライアンはチンの前に立ちはだかった。ベラミー二等兵の身に降りかかった悲劇の後、彼は地質学者に対してこの可能性を問いただしていたのだ。「こんなことは起こらないと言っていたじゃないか。たとえ火山にまで貫通したとしても、噴火することはないと」

「普通は起こらないと言ったんだ」チンは作業を続けながら早口で答えた。「地下深部への掘削作業の際、ボーリングの穴が超高温のマグマだまりに突き当たると、爆発を引き起こしてしまう事例がないわけではない。掘削液が一気に蒸発して、溶岩を流出させてしまうんだ。実際に数年前にはインドネシアで、掘削の際のちょっとした不手際から巨大な泥《でい》火山を誕生させてしまった。そこでは今なお噴火が継続している。確かに、普通ならこのようなことは起こらない——だが、ここで発生している事態は、どこからどう見ても普通じゃないんだよ」

ライアンは深呼吸をしながら、ベラミーの脚のことを思い返した。地質学者の言う通りだ。この場所で進行中の何かは、科学の常識で理解できる範疇《はんちゅう》から大きく外れた事態だ。部下たちをもっと離れた地点にまで退避させなければならない。

ライアンは無線を手に取ったが、耳障りな雑音しか入ってこない。その場に立ったまま体を一回転させると、一瞬だが言葉が聞こえた。ライアンは無線を口元に当てた。「ライアン少佐だ！　全員退避！　今すぐに退避しろ！　この山から離れるんだ！」

応答が返ってきたが、雑音でほとんどかき消されている。了解の返事なのか、それとも聞き取れずに混乱しているのか、それすらもわからない。〈あいつらに指示は届いたのか？〉

チンが体を起こし、金属製のスーツケースのふたを閉じた。「少佐、我々もここを脱出しないと。今すぐにだ！」

その言葉が合図になったかのように、地面が激しく震動する。ライアンはバランスを失い、地面に片膝を突いて体を支えた。二人はビデオモニターの方を振り返った。峡谷の底に設置されたリモートカメラは横倒しになっていたが、まだ穴の映像をとらえている。

再び間欠泉が噴き上げていた——だが、今度は水蒸気と水ではない。穴の中央付近から泡立ちながら噴き出しているのは、濃い煙と火山灰に遮られてはっきりと確認はできないものの、沸騰した泥と赤く燃えた溶岩の柱だ。

大地の揺れは続いている。ライアンのブーツの裏側から、ひっきりなしに震動が伝わってくる。

「逃げろ！」チンが怒鳴った。

二人はジープへと走った。ライアンが運転席へと飛び乗る。チンも助手席に頭から突っ込んだ。キーはイグニッションに挿したままだったので、ライアンはすぐにエンジンをかけ、ギアをバックに入れ、アクセルを踏み込んだ。ハンドルを回してジープを反転させると、チンの体が扉に叩きつけられる。

「大丈夫か?」ライアンは訊ねた。

「気にするな！」

夜の間にライアンの部隊は、山腹を下る曲がりくねった道から障害物を除去していた。とはいえ、走行にはもっと頑丈な四輪駆動車が適しているし、安全のためにはゆっくりと慎重に道を下る必要がある。

だが、今はそんな悠長なことを言っている場合ではない。

ライアンはスピードを緩めなかった。後方で派手な爆発が起こっているのだから当然だ。バックミラーに目をやると、峡谷の縁よりも高く噴水のように舞い上がったまばゆい色の溶岩が見える。赤い輝きを伴った真っ黒な煙も空高く噴き上げている。大量の噴煙は狭い谷の縁からあふれ、ジープを目がけて雪崩のように迫ってきた。

しかも、危険はそれだけではない。

小型車ほどの大きさのある真っ赤に燃えた岩が、周囲の森や斜面へと次々に落下した。高温の岩が転がり落ちると、その付近の木々や灌木《かんぼく》が炎上する。まるで迫撃砲が着弾したかのような激しさだ。「溶岩弾」という名前の理由も、今ならわざわざ教えられなくても理解できる。

そんな溶岩弾の一つが頭上を通過する。同時に、高熱の灰が車内に降り注いだ。頬やむき出しの両腕の皮膚に熱い痛みが走る。屋根の付いていないジープをこれほど恨めしいと思ったことはない。

ライアンは痛みを無視して前方の道に神経を集中させた。ジープは傾斜の急な岩がちの道を、大きく揺れながら下っていく。道路脇の岩に当たって左側のフェンダーがつぶれ、そのはずみで左のヘッドライトが破裂する。ジープの車体が浮き上がった。ほんの一瞬だが、ライアンは重量五百キロのジープが、片足でバランスを保つバレリーナのようにタイヤ一つだけで走行していることに気づいた。次の瞬間、四つのタイヤが再び路面をとらえた。

「しっかりつかまってろ！」

「ほかに何ができるって言うんだよ？」チンは片手でヘルメットを押さえながら、後方の様子をうかがっていた。「山腹を下る火砕流《かさい》はかなりの高速だ。絶対に振り切れないぞ！」

「これ以上はスピードが出せない。この地形では無理だ！」

「だったら方向転換をしろ！」

「何だって？」ライアンは危険を承知で道路から目を離し、チンをにらみつけた。「気でも違ったのか？」

チンは山道を垂直に横切る小川を指差した。「あれを曲がるんだ。上流に向かえ」

ライアンはその声からまたしても、有無を言わせぬ命令口調を感じた。この地質学者には軍隊経験があるのではという予感が確信へと変わる。ライアンはその指示に従った。

「くそったれ！」ライアンは叫んだ。選択の余地がないことに激しい怒りを覚える――それでも、ライアンはハンドルを切った。

生き延びたいという本能に逆らいながら、ライアンは右折して小川へと突っ込み、アクセルをいっぱいに踏み込んだ。車体の後方に水しぶきをまき散らしながら、速度を上げて上流へと向かう。

「いいか、チン。おまえにも言ってやる。このくそったれが！　いったいこれはどういうことなんだ？」

地質学者は右側にある山頂の方を指差した。山頂の先にあるのは、炎熱地獄と化した峡谷だ。
「噴煙の先端を回り込んでもっと高い地点に行かなければならない。火砕流というのは、岩石のかけら、溶岩、ガスから成る液状化した雲のことだ。空気よりもはるかに重い。山腹にへばりつきながら、標高の低い地点へと流れていく」

心臓が早鐘を打つ中、ライアンは理解した。「つまり、そいつよりも上に行く必要があるわけか」

しかし、それでも危険なことには変わりない。周囲の木々は赤々と燃え上がっているし、空からなおも降り注ぐ岩石が枝をもぎ取り、新たな火災を発生させる。何よりも問題なのは、ジープの右側に見上げるような高さの灼熱の煙がそびえていることだった。灰と岩石でできた魔女の大釜のようだ。行く手にあるものすべてをのみ込みながら、火砕流は目の前を横切ろうとする彼らのもとへと迫ってくる。

唯一の慰めは、川幅が広いうえに水深が浅く、川底に砂利や砂が敷き詰められていることだ。ライアンはアクセルをいっぱいに踏み込み続けた。ジープはさらに速度を上げ、火砕流から逃れながら、ライアンの巧みなハンドルさばきで大きな岩をよけていく。しかし、上流へと進むにつれて、川幅が次第に狭くなってきた。ジープが走行できなくなるのも時間の問題だ。

五十メートルほど前方に、大きな岩がロケット弾のような勢いで落下した。川の水が瞬時に水蒸気と化し、吹き飛ばされた砂利が降り注ぐ。

これで行き止まりだ。

「こっちだ！」チンが叫びながら川の右岸の先を指差した。

数本の木の先に、傾斜の急な草地が標高の高い地点へと広がっているのが見える。ただし、そこにも火砕流の先端が急速に近づきつつある。

ライアンはハンドルを思い切り右に回した。ジープは川岸を飛び越え、宙に浮き、草地に着地した。溝の深いタイヤが草に覆われた地面をしっかりととらえる。標高があるため、草地のところどころに雪が残っている。

「もう間に合わない」チンが見つめる右側からは、この世の終わりが近づいてくる。

〈今さら何を言いやがる！〉

ジープをのみ込もうと火砕流が迫る中、ライアンは草地を疾走した。迫りくる雲の発する高熱が、竜の吐息のように襲いかかる。周囲に残っていた雪が融け始めた。

草地が途切れると、大理石の岩肌がむき出しになった急斜面へと変わる。ライアンは速度を落とさずに突き進み、斜面をよじ登り始めた。高く登るにつれてジープの角度が次第に垂直へと近づき、体が座席の背もたれに押しつけられる。バックミラーをのぞくと、下を通過する火砕流の流れが見える。すべてがのみ込まれ、世界は黒く渦巻く海と化している。

高熱が斜面を伝ってジープにまで到達する。肺が焼けるように熱い。それでも、ライアンはほっとして大声をあげた。「やったぞ！」

その瞬間、四つのタイヤすべてが滑りやすい花崗岩の表面をとらえきれなくなった。ジープの車体が揺れ、横に傾きながら斜面を滑り落ちていく。ライアンは車体を立て直そうとしたが、重力に勝つことはできず、車は燃え上がる海に向かって引き込まれる。

「早く、少佐！」

手が軍服の襟元をつかんだかと思うと、ライアンの体が座席から離れた。フロントガラスを乗り越えたチンが、ライアンを引っ張り上げようとしている。ライアンはその意図を理解し、チンとともにジープのフードへとよじ登った。二人がそのまま前方へと転がると、ジープがゆっくり後方へと滑り落ちていく。

ライアンは花崗岩の斜面にしがみつき、ジープの後を追って落下するまいともがいた。指が手首をしっかりとつかみ、岩が少し突き出した部分へと引き上げてくれる。とりあえず、何とか足がかりになってくれそうだ。あえいだり咳き込んだりしながらも、火傷を負った二人は二羽の小鳥のように岩の出っ張りの上に立つことができた。

ライアンはチンの視線の先へと目を向けた。灼熱の雲は真っ黒な斜面を下り続けている。峡谷の底の方をのぞき込むと、炎と帯状の溶岩が噴き出している。

「部下たちが……」ライアンは呆然とつぶやいた。〈彼らはどうなったのだろうか？〉

チンの手が伸び、ライアンを慰めるかのように肘を強く握り締めた。「君の指示が聞こえたことを祈ろう」

17

五月三十一日午前六時五分
ユタ州サン・ラファエル・スウェル

ハンク・カノシュはひざまずいた姿勢で夜明けを迎えた。だが、祈りを捧げていたわけではない。疲労困憊《こんぱい》していたせいだ。日の出の直前に、数軒の小屋がある場所から傾斜の急な小道を登ってきた。曲がりくねった道は、迷路のように延びる幅の狭い峡谷を抜け、干上がった川床を横切りながら続いていた。隣に座るカウッチも、舌を出して激しく息をしている。太陽が地平線から顔をのぞかせたばかりなので、朝の空気はまだ冷たかったものの、もう若くはない一人と一匹にとってはかなりきつい道のりだった。

だが、脚が重く感じ、登りが体にこたえているのは、年齢のせいではないとハンクにはわかっていた。つらいのは心のせいだ。湧き上がる罪悪感が、今も胸を締めつける。生きていることへの罪悪感、必要とされている時に何もしてやれなかったことへの後悔の念。それでも、逃げ続けている間は、友人たちの死という心の痛みを少しだけでも忘れることができた。

だが、今は違う。

ハンクは眼下に広がる荒涼とした風景を眺めた。十年近く前、マギーと一緒にこの同じ道を登ったことがある。二人の関係が新たな方向へと発展するかどうかを見極めようとしていた頃だ。まさにこの場所で、マギーと交わしたキスの感触を、今でも覚えている。マギーの髪はセージの香りがした。唇の味は少ししょっぱかったが、それでも甘いキスだった。

「リトルグランドキャニオン」の異名をとる深い峡谷の上に突き出した平らな岩の上にひざまずいたまま、ハンクは思い出に浸っていた。峡谷はサン・ラファエル・スウェルの中心部にある。サン・ラファエル・スウェルというのは、今から五千万年以上前、地質活動によって隆起した幅百キロに及ぶ堆積岩のことだ。その後、長い年月をかけて雨や風に削られたことにより、急峻な斜面、点在する深い峡谷、ごつごつとしたかつての川床から成る複雑な地形が誕生した。はるか下に目を向けると、ゆっくりと蛇行しながらやがてコロラド川へと合流するサン・ラファエル川の流れが、今もなお侵食活動を続けている。

赤茶けた岩が露出したこの地域にはほとんど人が住んでおらず、野生のロバや馬のほか、アメリカで有数の規模のオオツノヒツジの群れが生息している。ここを訪れる二本足の生き物は命知らずのハイカーくらいで、住む人もまばらなこの一帯へと通じる数少ない道路も、四輪駆動車でなければ走行できない。深い峡谷が迷路のように延びるこのあたりは、かつては近づく人もほとんどなく、多くの無法者たちの隠れ場所や逃走経路として使われていた。ブッチ・

キャシディとその一味も、ここに潜んでいたことがある。

まさか自分たちがここを利用することになろうとは。

ハンクたちはコッパーグローブロードから岩肌を伝う脇道へと入り、今朝の未明にここへと到着した。目的地は退職したかつての同僚、アルヴィンとアイリスのフメテワ夫妻の一族が住む家だ。事前の連絡もなく突然押しかけたハンクたちを、夫妻は以前と変わらぬ人のよさで温かく迎えてくれた。

泥と石でできた五軒のプエブロから成る小さな村は、ホピ族の子供たちにとって成長の場であると同時に教育の場でもあり、フメテワ家の三世代の人々から昔ながらのしきたりを教わっている。一族を率いるのがアイリス・フメテワで、心優しき女族長としてこの村を取り仕切っている。

今、まわりに子供たちはいない。

村の子供たちは、という意味だが。

「こっちへ来たらどうだい」ハンクは呼びかけた。

かつて水路だったところにある大きな岩の陰から軽くいらだったようなため息がすると同時に、カイ・クォチーツの華奢《きゃしゃ》な体が姿を現した。小屋を出てからずっと、彼女が後をつけていたのは知っている。

「日の出を見たいのなら」ハンクは促した。「ここまで来ないといけないよ」

不機嫌そうに肩を落としたまま、カイは岩のところまで登ってきた。カウッチは新しい仲間を歓迎するかのように、平らな砂岩をしっぽで何度かぺたぺたと叩いた。

「ここは安全なの？」突き出した岩の先端のさらに先をうかがいながら、カイは訊ねた。

「この岩は何千年もの間、ここにあるんだよ。少なくとも、あと数分くらいは大丈夫なはずだ」

カイはその判断に疑わしそうな顔を浮かべたものの、岩の上に足を乗せた。「クロウおじさんと相棒の人は、衛星用のパラボラアンテナみたいなものを組み立てているところ。ラップトップ・コンピューターと電話が接続されていたわ」

「人目につかないようにしたいのではなかったのかな」

フメテワ一族の家にはテレビも電話もない。迷路のように入り組んだ峡谷の中では、携帯電話の電波も届かない。

カイは肩をすくめた。「たぶん、大丈夫なんだと思うわ。暗号ソフトがどうのこうのという話を聞いたの。スクランブルをかけるとか、そういうことみたい」

ハンクはうなずくと、岩を軽く手のひらで叩いた。「そのことを教えてくれるために、わざわざここまで来たのかい？」

カイは石の上にあぐらをかいて座った。「違うの……」長い沈黙が続いた。これだけ長いためらいの後の言葉が、本当の答えのはずはない。「ちょっと体を動かしたかったから」

彼女のごまかしに気づいたハンクには、その理由も想像できた。カイがおじから距離を置いていることには気づいていた。ぶたれるのではないかとびくびくしつつも、その場を離れずに警戒している犬のように、必要以上には近づこうとしない。それでも、少女からは臆している様子はうかがえない。今にも嚙みつかんばかりに神経をとがらせている。そうした落ち着かない気持ちのせいで家にいることを気詰まりに感じ、ここまで後を追ってきたのだろう。

ハンクは太陽の方に向き直った。地平線の上に浮かんだ太陽からの光が、眼下の赤茶けた地形を燃えるような赤い色に染めている。「ナーイイースの儀式のことは知っているかい？」

「何のこと？」

ハンクは悲しげに首を左右に振った。アメリカ先住民の最も熱心な活動家が、自分たちの部族の遺産について何一つ知らないという事例が珍しくないのはなぜなのだろうか？

「日の出の儀式のことだ」ハンクは一日の始まりを示すまばゆい光を指差しながら説明した。「少女が成人女性となる通過儀礼だよ。四日間にわたって昼夜を通して踊りと神聖な祝福が続き、成人を迎えた少女に白塗りの女神が持つ魂と癒しの力を吹き込むのさ」

カイが片方の眉を吊り上げながら首をかしげているのを見て、ハンクはこの女神にまつわるアパッチ族とナバホ族の伝説を話して聞かせた。「白塗りの女神」は、季節の移り変わりに合わせて外見を変えることができたため、「変転する女神」とも呼ばれていた。説明を聞くうちに少女の瞳から退屈の色が消え、話に夢中になっている。ハンクはそんな変化を楽しんでいた。

この子がそうした知識に飢えている証拠だ。

ハンクの説明が終わると、カイは日の出の太陽の方角を向いた。「今もその儀式を行なっている部族があるの？」

「一部の部族を除いて、今ではほとんど見られない。二十世紀の初めに、アメリカ政府が先住民の精神的な儀礼やしきたりを禁止したため、日の出の儀式も違法になってしまったのだ。時がたつにつれて儀式はすたれていき、今では昔と比べて簡単な形のものが行なわれているだけだ」

カイの表情が曇った。「彼らは私たちから多くのものを奪って……」

「過去のことを蒸し返しても仕方がない。我々の文化を維持していくのは、今を生きる我々の役目だ。我々が育んでいかなければ、失われてしまうだけなんだよ」

だが、カイはまったく納得していない様子だ。口調が険しくなる。「何をしろって言うの？　あなたがしているようなこと？　自らの信念を捨て、白人の宗教に走ること？　私たちを迫害し、大量虐殺を煽《あお》った宗教に？」

ハンクはため息をついた。これまで何度となく耳にした言葉だ。そう思いつつも、彼は何も知らない少女に説明を試みた。「過ちとは愚かな人たちが犯すものだ。人類の歴史を通じて、宗教は暴力の口実として繰り返し使われてきた。それは我々アメリカ先住民の部族においても例外ではない。けれども、文化という視点から見ると、宗教というのは何本もの糸で編まれた絨毯の中にある一本の糸にすぎない。私の父はモルモン教徒として育った。母も同じだ。その事実は、先住民の血が流れていることとともに、これまでの私にとっては大切なことだった。どちらかの存在がもう片方の存在を否定するという関係にあるのではない。モルモン書の中に心の安らぎを多く見出すことができたし、そのおかげで神へと——それを何と呼ぶかは人それぞれだが、我々全員の中に存在する永遠の精神性へと近づくこともできた。結局のところ、私の信仰は我々の部族の過去への新たな視点を提供してくれたとすら言えるかもしれない。だから私はアメリカ先住民の歴史家になり、博物学者になったのだよ。我々とはいったい何者なのか、その答えを探すためにね」

「それってどういう意味なの？　モルモン教がどうやって私たちの部族のことを説明をするわけ？」

新世界におけるキリストの足跡を記した書であるモルモン書の中に埋もれた歴史について、今この場で説明するのがふさわしいのかどうか、ハンクは決めかねた。その代わりに、アメリカ先住民の部族の最初期の歴史に関する今なお残る謎について、カイに語って聞かせることにした。

ハンクは立ち上がった。「一緒に来たまえ」

神経痛の痛みに軽く足を引きずりながら、ハンクはすぐ近くにある内部をくり抜かれたドーム状の砂岩へと向かった。縦溝が彫られた岩の縁には石のブロックが線状にはめ込まれており、ここが先住民の住居の遺跡であることを示している。頭をかがめながらハンクは入口をくぐり、奥の壁へと向かった。

「自らの部族に関して我々がまだ知らないことは数多く存在する」そう言いながら、後ろを振り返る。「君は中西部のあちこちで発見された先史時代の先住民の墳丘について聞いたことがあるかね？　五大湖の周辺からルイジアナの湿地帯まで、至るところに存在している」

カイは肩をすくめた。

「そうした墳丘の一部は、六千年前のものと推定されている。ヨーロッパ人たちが到達した時にその地域に居住していた先住民たちですら、そのような古代の墳丘を造った部族のことは何一つ知らなかった。それは我々の歴史の中に存在する、一つの大きな謎なのだ」

ハンクは奥の壁の前に立った。黄色い砂岩の表面には、細い線で背の高い三人の人間の姿が描かれている。古代の芸術家が深紅の顔料を使って描いたものだ。ハンクははるか昔の芸術作品に手をかざした。

「この地域一帯のあちこちでこうした岩絵が見られる。この近辺の岩絵のうちで最古の作品が描かれたのは、八千年前だと推定する考古学者もいる。だが、チャイナレイクの岩塩層の上で発見されたコソの岩絵に比べれば、それでも新しいと言えるかな。コソの岩絵が描かれたのは一万六千年前。最後の氷河期が終わった頃で、アメリカ大陸にはマンモスやマストドン、更新《こうしん》世《せい》の巨大なバイソンが闊歩《かっぽ》していた時代だ」ハンクはカイの方へと向き直った。「我々の部族にはそれほどまでに長い歴史があるというのに、ほとんど何も知られていないのだよ」

少女が頭の中で歴史の重みについて思いを巡らせるのを待ってから、ハンクは説明を続けた。

「そもそもこの大陸で生活していた先住民の人口でさえ、これまではかなり少なく見積もられていた。石筍《せきじゅん》の化学組成や、北アメリカ大陸各地にある木炭の堆積層の深さや広さに基づいた最新の研究によると、先住民の人口は一億人を優に超えていたと考えられている。クリストファー・コロンブスがこの新世界に足を踏み入れた当時のヨーロッパの人口を上回る数だ」

薄暗い砂岩のドームの内部で、カイの瞳が明るく輝いた。「だったら、その人たちはどうなったの？」

ハンクはドームの外に出ると、遺跡全体を手で指し示した。「ヨーロッパ人がやってきた後、入植者たちよりも先に天然痘などの伝染病が大陸全体へと広まった。そのせいで、アメリカの荒野に住む人間の数は少ないとのイメージが伝わったのだろう。しかし、それは偽りの歴史だ。ほかにも同じような例はいくつもある」

突き出した岩の上へと戻ったハンクの横に、カイとカウッチも並んだ。犬は鼻を斜め上に向けている。物思いにふけっているような表情を受かべながら、少女ははるか彼方を見つめていた。朝焼けの赤みを帯びた色が薄れ、濃い青空が広がりつつある。

「あなたの言いたいことはわかったわ」カイは口を開いた。「自分たちの歴史を知らないうちは、自分たちについて本当に知っているとは言えないということね」

ハンクはカイの方を見ると、改めてこの少女を観察した。どうやら見た目の印象よりもかなり賢い子のようだ――その思いは、カイが次に発した言葉で裏付けられた。「でも、モルモン書が私たちの歴史の何を教えてくれたのか、それについての話はどうなったの？」

ハンクがその問いかけに答えようとした時、カウッチが警告を与えるかのような低いうなり声を発した。鼻を斜め上に向けたまま、盛んににおいを嗅いでいる。二人はカウッチが鼻を向けている北東の方角に視線を移した。明るさを増した空と地平線との境目に、黒い色をした塊がうごめいている。干上がった川床に再び流れをもたらす積乱雲が成長しているかのようにも見える。

「煙だ」ハンクはつぶやいた。

それも、大量の煙。

「山火事なの？」カイは訊ねた。

「そうではなさそうだ」不安の高まりとともに、心臓の鼓動が大きくなる。「下に戻った方がよさそうだな」

午前六時三十八分
ユタ州プロヴォ

屋敷の広い豪奢《ごうしゃ》なキッチンで見つけた小さな陶器製のカップをすすりながら、ラファエル・サンジェルマンはエスプレッソを味わっていた。部屋の馬鹿馬鹿しいまでの装飾には、思わず笑ってしまう。アメリカ人にとっては高級感の頂点を極めたつもりかもしれないが、安っぽい現代風の造りの家に似非《えせ》ヨーロッパ風の装飾を施すなどは、彼の目には愚の骨頂としか映らない。カルカソンヌにある彼の一族の館が建てられたのは十六世紀のことだ。敷地を取り囲む城壁の上では、西洋文明の歴史の流れを変える戦いが幾度となく繰り返されてきた。

貴族の真の証《あかし》はそのようなところに存在する。

ラフはキッチンの窓から外に広がる芝生を眺めた。乗組員たちがヘリコプターの離陸準備を行なっているところだ。テーブルの上には人物情報を記した何枚もの紙が置かれていた。朝食を取りながらすでに目を通したので、もう一度読み返す必要などない。内容をすらすらと暗唱できるほど頭に入っている。

いちばん上に置かれているのは一枚の顔写真。昨夜、大学で彼の計画を妨げた男だ。その顔から名前を割り出すまでには、わずかな時間しかかからなかった。ラフの所属する組織内では有名な人物だったからだ。写真の画素がここまで粗くなければ、あるいは表情が影になっていなければ、顔認識ソフトを使用するまでもなくこの男の正体を見抜いていたはずだ。

ラフは敵の名前を小声でつぶやいた。「ペインター・クロウ」……シグマの司令官。ラファエルはかぶりを振った。困惑していると同時に、心が弾んでいる。写真の顔に目を凝らす。「DCの穴蔵から表に出て、君はいったい何をしているんだ？」

当地で発生した件にシグマがこれほどまで迅速に対応するとは、ラフにとって予想外だった。敵を甘く見てはいけないという戒めにしなければならない。だが、このような計算違いは、一概に彼の責任だとは言い切れなかった。断片をつなぎ合わせる作業に時間がかかったからだ。ターゲットである手癖の悪い細身の少女が、クロウと同じ部族の出身で、親戚関係にあったとは。少女は家族のつてを頼り、彼の助けを求めたのだろう。

これはなかなか興味深い展開だった。この事実が判明した後、ラフは仮眠を取ろうと思いながらも、新たな変数を自らの計算式の中へと組み込み、様々な順列や組み合わせを頭の中で想定した。〈これを利用する最善の方法は何だろう？　どうやったら自分に有利な形へと仕向けることができるだろう？〉

結局、その答えを導き出すのに朝までかかった。

廊下から響いてきた足音が、配膳室を通過し、彼のもとへと近づいてくる。「出発の準備ができました」

「ありがとう《メルシー》、ベルン」ラフはパテック・フィリップの腕時計を軽く指先で叩いた。この時計はトゥールビヨン・ムーブメント機能を備えている。「トゥールビヨン」はフランス語の単語で、「つむじ風」を意味する。今朝は自分たちがつむじ風にならないといけない。「予定より遅れているな」

「申し訳ありません。飛行中に遅れを取り戻します」

「よろしい」

ラフはエスプレッソの最後の一口をすすった。その味に思わず唇をすぼめる。ぬるくなったせいで、強い苦みが出てしまっている。これではせっかくの味が台なしだ。この屋敷にはパナマから輸入された高級なコーヒー豆があり、思いがけない発見に喜んでいたのに。悪趣味極まりないこの屋敷の所有者だが、豆粒程度の趣味のよさを持ち合わせていたことだけは評価してやるとしよう。

そんな皮肉を笑いながら、ラフは立ち上がった。

「アシャンダはまだあの男の子と一緒なのか？」ベルンに訊ねる。

「蔵書室にいます」

その答えに、ラフの顔から笑顔が消えた。口のきけないアシャンダが、子供に本の読み聞かせをしてやっているはずはない。

「あなたが出発した後、男の子はどうしたらいいですか？」ベルンは軽く身構えながら訊ねた。返ってくる答えを予期しているのだろう。

ラフはつまらないことを聞くなとでも言うかのように手を振った。「ここに捨て置け。危害を加えるんじゃないぞ」

ベルンがかすかに左右の眉を吊り上げた。めったなことでは感情を表に出さないこの男にしてみれば、驚いて息をのんだに等しい仕草だ。

ラフはベルンに背を向けた。時には相手の予想を裏切るような行動を取るのも悪くない。その方が部下の緊張感も保たれるというものだ。ラフは杖をつきながら屋敷内を移動し、アシャンダを迎えにいった。蔵書室は一階と二階があり、決して読まれることのなかったはずの革装の本が無数に並んでいる。この屋敷の中に存在するありとあらゆるものの例に漏れず、これらの蔵書も見栄と外聞のために配置されているだけなのだ。

アシャンダは肘掛けのある豪華な安楽椅子に腰かけていた。男の子は彼女の腕に抱かれて眠っている。アシャンダは人並み外れた力を持つその長い指で、男の子のブロンドの巻き毛をそっとさすっていた。彼女が口ずさむ鼻歌は、声ではなく胸の奥深くから鳴り響いている音だ。ラフにとって、その音には母親の声と同じように懐かしい響きがある。ラフは笑みを浮かべながら、過去へと思いを馳せた。幸せだった夏の日の夜、星空を眺めながらバルコニーで眠り、すぐ隣で毛布にくるまるアシャンダの存在に安心感を覚えたものだ。あの頃も、アシャンダは今と同じように鼻歌を口ずさんでいた。もろい骨が折れたために養生中の自分をそっと抱きながら。あの音の響きには、どんな痛みも和らげてくれる効果があった。男の子の悲しみも癒しているのだろう。

そんな彼女の邪魔をしたくはなかったものの、予定の時間は過ぎている。「愛しのアシャンダ、出発の時間だよ」
アシャンダはこくりとうなずき、指示が聞こえたことを伝えた。流れるような身のこなしで立ち上がり、背を向けると、男の子をぬくもりの残るクッションの上にそっと寝かせる。その時になって初めて、ラフは男の子の細い喉元にあざがあることに気づいた。首もありえない角度でねじれている。男の子は眠っていたわけではなかったのだ。

アシャンダはラフのもとへと歩み寄り、腕を差し出した。ラフはその腕を取り、愛情を込めて前腕部をぎゅっと握り締めた。アシャンダは何をしなければならないか理解していた。いつもならどのような指示が与えられるか、わかっていたのだ。彼女はラフのために、同時に男の子のためを思って、それを実行に移した。時間をかけずに、できるだけ苦痛の少ない最期を迎えさせてやったのだ。そこまでする必要はなかったと、今さらアシャンダに伝えることはできない——少なくとも、今回だけは。

ラフは心苦しさを覚えた。

〈私の行動はそれほどまで同じパターンなのか?〉

そのことは肝に銘じておく必要があるだろう。特に今日という日は。山間部で火山が噴火したという情報はすでに入っている。ラフは腕時計を確認した。トゥールビヨンが回転している。ここからは迅速な行動が要求される。長年にわたる予想がこれで裏付けられたわけだ。ここから
〈つむじ風のように〉ラフは自分に言い聞かせた。

一秒たりとも無駄にはできない。昨夜、包囲網から逃げ出した小鳥どもを隠れ場所から追い出し、再び追跡しなければならない。そのための方法を導き出すには一晩かかった。自然界で毎日のように行なわれていることを真似すればいい。

怯えた小鳥を捕まえるには、タカを使うのがいちばんだ。

午前七時二分
サン・ラファエル・スウェル

「死者の数は？」ペインターは耳に衛星電話を押しつけたまま訊ねた。

最も大きなプエブロの中央にある部屋の中を、さっきから行ったり来たりしている。黒くすすけた料理用の暖炉の中では炭の燃えさしが赤く輝き、焦げたコーヒーの強い香りも漂ってくる。コワルスキはマツ材のソファーに座り、バールウッドのテーブルに両足を乗せた姿勢で、頭を深く垂れて居眠りをしていた。長時間の運転の後なので疲れが抜けないのだろう。

電話から聞こえるロナルド・チンの声には雑音が混じっている。磁気揺動《ようどう》と火山から噴出する粒子状物質のせいで、デジタル信号が干渉を受けているせいだ。「五名の州兵が死亡しました。それだけの人数ですんだのは、ライアン少佐が退避を命じる緊急の連絡を発信したおかげです。この周辺にいたハイカーや登山者の状況はいまだにつかめていません。付近一帯はすでに非常線が張られて立入禁止になっていますから、被害がこれ以上拡大することはないはずです」

ペインターは梁のある天井を見上げた。このプエブロは細い角材、草葺《ぶ》きの屋根、石のかけらを泥で固めた漆喰《しっくい》を使用した、伝統的な手法で建てられている。新たな火山の誕生について、このような昔ながらの住居で話をするのは不思議な気がする。

チンの説明は続いている。「いい知らせは、噴火がすでに沈静化しつつあると思われることです。夜明け前に上空からヘリコプターで周辺を調査しました。溶岩の流出は止まっています。これまでのところ、溶岩は峡谷の内部にとどまっていて、すでに固まり始めています。現時点での最大の脅威は、山火事ではないでしょうか。防火帯の設置を急いでいるところで、ヘリコプターからの消火作業も続けられています。ほぼ半分程度は延焼を食い止めることができたと言えるでしょう」

「新たな噴火が起きなければな」ペインターは応じた。

チンからはすでに噴火原因に関する推測を聞かされていた。彼によれば、爆発によって発生した何らかの現象が物質を原子レベルに分解し、あの地域一帯の地熱の発生源となる浅いマグマだまりにまで貫通した結果、噴火を誘発したのではないかということだ。

「その心配もないかもしれません」チンは答えた。

「なぜそうだと言えるんだ？」

「現地の溶岩原の監視を続けていますが、峡谷を埋め尽くすように厚みを増しています。今のところ、新たな分解作用の発生は見られません。噴火による高熱で、物質を分解していた何かも燃え尽きてしまったのではないでしょうか。噴火がそいつを殺してくれたんですよ」

〈殺してくれた？〉

チンはその何かの正体について、ある程度つかんでいるようだ。

「私の考えが正しければ」チンは説明を続けた。「火山の噴火は我々にとって幸運でしたね」

ペインターにとって、五人の州兵の死は幸運な出来事ではない。しかし、地質学者の言いたいことは理解できる。あの現象が治まることなく続いていたら、大地を食い荒らしながらロッキー山脈を越え、通過した後には細かい塵しか残らないという事態に陥っていた可能性もある。

確かに、チンの言う通りなのかもしれない。幸運だったのかもしれない――だが、ペインターは運や偶然で物事を片付けることができない性分だった。

ペインターはあれほどの破壊力を持つ遺物とともに洞窟に埋葬されていたミイラ化した遺体を思い浮かべた。「もしかすると、あの死んだ先住民が――まだそうだとは確認されていないが、彼らが危険な物質の保管場所として地熱活動の盛んなあの峡谷を選んだのは、それが理由なのかもしれないな。安全装置の意味であの場所に隠しておいたのかもしれない。たとえ爆発したとしても、地下にある高温の地熱層にまで分解作用が及べば、さらに拡大して世界を食い尽くしてしまう前に高熱がそいつを始末してくれるというわけだ」

「これ以上はない安全装置ですね」そう応じながら、チンはさらに考えを巡らせているようだ。「司令官のおっしゃる通りだとすると、あの物質が爆発しないようにするためには、常に一定の暖かさを保つ必要があったと考えられます。暖かい洞窟の内部から運び出して山の冷気に触れた時に頭蓋骨が爆発したのは、それが理由なのかもしれません」

なかなか興味深い意見だ。

チンはさらに考察を深めた。「今の話は、私がずっと考えていたことの裏付けにもなります」

「どういうことだ？」

「洞窟で回収された短剣がダマスカス鋼でできているという話でしたよね。物質をナノレベルで操作することによって得られる強度と柔軟性を備えた鋼鉄が使用されていると」

「物理学者のドクター・デントンが殺される前に教えてくれた話によれば、そういうことだ。古代版のナノテクノロジーを使用した一例だということだった」

「それでふと思ったのですが……峡谷で発生した分解現象をこの目で見ていた時、化学反応によるものというよりは、何かが物質を激しく攻撃して粉砕しているという形容の方がふさわしいとの印象を受けたのです」

「何が言いたいんだ？」

「現代のナノテクノロジーの最終目標の一つとして、ナノマシンの製造があります。物質を原子レベルで操作することが可能な、分子程度の大きさしかない機械のことです。もしこの謎の人々が古代のナノテクノロジーだけでなく、古代のナノマシン製造技術にも長《た》けていたとしたら？　あの爆発によってそれまで眠っていた何兆個ものナノマシンにスイッチが入り、物質を食い尽くしながらあらゆる方向へと拡散するナノマシンの群れ、すなわちナノネストが誕生していたとしたら？」

　にわかには信じがたい話だ。ペインターは顕微鏡でしか見えない大きさの無数のロボットが、分子を原子単位で切り裂いていく様を想像した。

「司令官、荒唐《こうとう》無《む》稽《けい》な話だと思われるかもしれませんが、実際に世界各地の研究所では、ナノマシンの製造と組み立てにおいてすでに大きな成果をあげています。シリコンを材料とした自己増殖する『ナナイト』の開発に取り組んでいる研究所もあります。分解した物質を原料として自らのコピーを作ることが可能なナノマシンのことです」

　ペインターはチンから聞いた峡谷での分解現象を思い浮かべた。「チン、君の話はかなり飛躍があるんじゃないのか？」

「それは認めます。けれども、すでに自然界には無数のナノマシンが存在するのも事実です。細胞内の酵素は働き者の小さなロボットのような機能を果たします。自己増殖するウイルスの中でも最小のものは、ナノのスケールで活動します。ということは、はるか昔に誰かが同じようなナノマシンを偶然に作り出してしまった可能性はあります。ダマスカス鋼の製造過程での副産物だったのかもしれません。何とも言えませんね。しかし、さっき話の出た熱の問題があるのです」

「どういうことだ?」

「ナノテクノロジーにおける――特にナノマシンの機能性における難問の一つが、熱の放出なのです。ナノマシンを機能させるためには、動作中に発生する熱を除去しなければなりませんが、これはナノレベルでは困難な工程です」

ペインターは頭の中で情報を整理した。「つまり、ナノマシンを眠らせておく簡単な方法は、高温の場所に保管することだというわけか。例えば、地熱現象によって内部が高温になっている洞窟だ。そのような場所では、千年単位とまではいかないにしても、数百年単位で温度が比較的一定の状態に保たれる」

「仮に何らかの事故があったとしても、ナノネストはあらゆる方向へと拡散しますから、やがては地熱活動の中心部へと達し、自らを破壊してしまうというわけです」

額面通りに受け取ることはとてもできないが、現実的には十分に可能性のある考え方だ。しかも、極めて危険でもある。そのようなナノマシンは格好の武器となりうる。それよりも貴重なのは、その製造の背後にある技術だ。もしそれを発見できれば、計り知れない価値がある。

ナノテクノロジーは二十一世紀の一大産業として花開こうとしている。あらゆる分野で重要な技術となる可能性を秘めており、その範囲は科学、医学、電子工学、製造業……名前をあげていったらきりがない。この技術を完全に掌握できれば、世界を原子のレベルから支配することも可能だ。

しかし、これまでの話から一つの大きな疑問が生じる。

「我々の推測が正しいとして、あの洞窟のミイラ化した死体はいったい何者なんでしょう?」チンがその疑問を口にした。

ペインターは腕時計を確認した。その謎の答えを知っているかもしれない人物が、一、二時間のうちにここへと到着するはずだ。いくつかの細かい問題に関して電話で詰めた後、ペインターはチンに対して現場にとどまり、峡谷の監視を続けるように指示した。

電話を切ると、ソファーからコワルスキが話しかけた。顔を上げようともしない。「火山の噴火を引き起こすなんて……」

ペインターは声の方を向いた。

「あの物質にそんな力があるのなら」コワルスキは片目を開け、ペインターの顔を見た。「グレイに教えてやった方がいいんじゃないですか。アイスランドへ行く時は、耐火性の下着を忘れるなって」

18

五月三十一日午後一時十分
アイスランド　ヴェストマン諸島

グレイはトロール漁船の船尾甲板を横切っていた。空は晴れ渡っているものの、強風のため海は荒れており、大きな三角波に揺られて甲板は激しく上下している。セイチャンとモンクは船の手すりにつかまっていた。海水の混じった冷たい風から身を守るために、防水性のコートを着込んでいる。真昼の太陽の光が海面に反射してまぶしくきらめいているが、空気は一向に温かくならない。

「船長に話を聞いてきた」グレイは声をかけた。「エトリザエイ島まであと約二十分だそうだ」

セイチャンは手で光を遮りながら東の方角に目をやった。「本当にその島で間違いないの？」

「今の時点ではそこが最も有力な島だ」

三人は一時間前にレイキャヴィク空港に着陸した後、小型機に乗り換えてアイスランドの南の沖合約十数キロの地点に連なる諸島へと向かった。ヴェストマン諸島はエメラルド色の帽子をかぶった歩哨《ほしょう》が、荒波にもまれながら海の中に整列しているような形をしている。この地域は歴史の上でも荒波を経験していた。諸島の名前の由来は「ヴェストマン」と呼ばれていたアイルランドの奴隷たちだ。西暦八四〇年に主人を殺害し、この島々へと逃げてきた奴隷たちだったが、間もなく追っ手に見つかって処刑され、その名前だけが残ることとなった。現在、人が住んでいるのは諸島の中で最大のヘイマエイ島だけで、住民はわずかな陸地を海鳥たち、中でも世界最大のコロニーを形成するヒメツノメドリと分け合いながら生活している。

グレイは後方へと遠ざかる美しいヘイマエイの港を振り返った。明るい色に塗られた家屋や店舗が、緑に覆われた斜面と不気味な二つの噴石丘《ふんせききゅう》を背景に連なっている。ヘイマエイ島の小さな空港に着陸後、グレイたちはすぐに船をチャーターし、今は日本の物理学者から提供された座標へと向かっているところだ。ただし、キャットの言葉を借りれば座標の数字が「大ざっぱ」なのは、やむをえないと言えるだろう。しかも、このあたりには小さな島が多い。ヴェストマン諸島は十五以上の無人島から成り、そのほかにも自然が形成した石柱や、波と風の侵食でできた海食アーチが無数に存在する。

この諸島は地質学的に見ると年代が若く、海底に沿って走る亀裂から起きた二万年前以降の火山活動によって誕生した。その亀裂の活動は現在も継続しており、一九六〇年半ばには海底火山の噴火によりヴェストマン諸島最南端の島スルツェイが出現している。一九七〇年代には、ヘイマエイ島の二つの噴石丘の一つエルトフェットルが噴火し、色鮮やかな港町の半分が溶岩に埋もれた。島の空港へと向かって降下中に、グレイは上空からかつての噴火の痕跡を目にすることができた。溶岩原からは街路標識が何本も突き出している。溶岩原の端に埋まった建物の発掘作業も行なわれており、町は「北のポンペイ」の名で知られるようになったという。

「たぶんあそこだと思う」モンクは前方を指差した。

指先の示す方へとグレイが視線を向けると、海面から高く突き出した黒い岩の塊が見える。砂浜と波の穏やかな港がある島のイメージとはかけ離れた姿だ。エトリザエイ島は周囲を黒い断崖絶壁に囲まれていて、上半分の吹き飛んだ火山の一部が海面から頭をのぞかせているかのように見える。島の上部はスプーンですくい取られたような形をしていて、エメラルドグリーンの植生に覆われている。苔《こけ》や地衣《ちい》類、海辺に生える植物が茂った草地は、陽光を浴びて不自然なまでに鮮やかな輝きを放っていた。

「どうやってあの上まで行くんだ？」見上げるような高さの断崖が近づく中、モンクは訊ねた。

「自分の力で登らなくちゃな」

船の操舵室の方から答えが聞こえる。ラグナル・フルド船長がブーツの靴音を響かせながら甲板へと出てきた。黄色のレインコートの前を留めていないため、その下に着込んだ厚手のウールのセーターが見える。白いものが交じった赤毛の顎ひげを蓄え、長年の海の生活で焼けた肌をしたその風貌は、毛皮とレザーに着替えたら海沿いの町を襲撃しにやってきたヴァイキングにしか見えない。緑色の瞳に浮かぶ愉快そうな微笑みが、そんな外見から受ける印象を和らげている。

「残念だが島の上にまで登る唯一の方法は、ロープを使うことだ」船長は説明した。「だが、君たちは三人とも体を鍛えているみたいだし、問題はないだろう。うちのエッグが船を島の東側に回してくれるよ。そこなら崖がいちばん低いからな」

フルドが親指を向けた操舵室では、彼の息子のエッゲルトが舵を取っていた。二十代の若者だが、スキンヘッドで、両腕には長袖のシャツを着ているかのようにびっしりと刺青が彫られている。

「心配はいらない」フルドは言った。「猟師とか、時には自然を専門に撮影する写真家とかを、しょっちゅうここに連れてきている。君たちのような地質学者は初めてだけどな。でも、死者は一人も出していないよ」

フルドはセイチャンに向かってそっとウインクをして見せた。だが、セイチャンは腕を組んだまま、表情一つ変えない。グレイたちは火山島の調査を行なうコーネル大学の研究者という設定で行動している。重装備の理由やなぜこの島が目的地なのかの説明を省くには、格好の肩書だ。

フルドは間近に迫りつつある島を指差した。「島のてっぺんには狩猟小屋があって、必要があれば部屋を借りることもできる。目を凝らせば、ここからでも確認できるんじゃないかな」

島の上を探したグレイは、すぐに小屋を発見した。丸くえぐられたような地形の草地の間に、青いスレート葺きの屋根をした、かなり大きな建物が見える。

「でも、今日は部屋が空いているかどうかはわからないな」船長は続けた。「昨日の夕方、別のフェリーが旅行者のグループを島に運んでいたから。狩りが目的で、確かベルギー人だと言っていた。それとも、スイス人だったかな。数日間はあそこに滞在するらしい。もっとも、その連中を除けば、あそこには牛が数頭と、ヒメツノメドリがうじゃうじゃいるだけだ」

〈その方がありがたい〉グレイは思った。ニュートリノの発生源に関する自分たちの調査は、できるだけ秘密裏に行なう必要がある。

不意にセイチャンが船の手すりから体を離した。グレイにぶつかりながら、バランスを崩しそうになる。グレイはセイチャンの体をつかんだ。

「どうしたんだ？」

無言のまま、セイチャンは海の方を指差した。高さのある黒い背びれが一つ、船べり近くの波間から見え隠れしている。グレイの見ている目の前で、新たな背びれが海中から突き出し、さらに三つ、四つ、五つと増えていく。

「こっちにもいるぞ」モンクがトロール船の甲板の反対側から声をあげた。「シャチだな。群れを成しているんだ」

フルドは自慢げに胸を張りながら、腕を大きく振った。「珍しいことではないよ。この付近はアイスランドの中で最もシャチやイルカの生息数が多い。やつらは好奇心が旺盛だから、船首が立てる波に乗って遊んだりする。それとも、餌をもらえると思っているのかもしれない。獲物がたくさん取れた時には、おすそ分けをしてやることもあるからな。このあたりでは幸運の印だと言われているよ」

しばらくすると、おこぼれにあずかれそうもないと判断したのか、群れは何かの合図が聞こえたかのようにいっせいに海中へと姿を消した。シャチの姿が見えなくなった後も、グレイはセイチャンが波間を不安そうに眺めていることに気づいた。大型の肉食動物を目撃して怯えているのは傍目にも明らかだ。

〈あの鋼のような心が動揺することもあるんだな〉

トロール船が島の南端を回り込むと、グレイは目的地の様子を観察した。断崖沿いに点在する海食洞の暗い入口へと、白波が叩きつけている。はるか昔、誰かがあの洞窟内のどこかに財宝を隠しておいたとしても、波と風で跡形もなくなっていることだろう。自分たちの探し物を発見するためには、自然の猛威の影響を受けにくい場所を、例えば陸上の溶岩トンネルや洞窟などを捜索する必要がある。

しかし、どこから捜索を始めたらいいのか？

グレイはフルド船長の方を見た。「機材を設置するために、島の地下のできるだけ深くにまで入りたいのですが、いい場所はありますか？」

船長は顎ひげをさすりながら、目の前にそびえる断崖を眺めた。「そうだな。この島には洞窟やトンネルが無数にある。いくらでも選択肢はあるよ。風と波に削られ続けたこの島は、かたくなったスイスチーズの塊みたいなものさ。でも、島の上には有名な洞窟が一つある。島の名前の由来となったエトリザエイ洞窟だ。言い伝えによると、侵略者の暴行と略奪から逃れて若い女性がこの島へとたどり着き、その洞窟に身を隠した。語り手によって、侵略者はトルコ人だったり、バルバリアの海賊だったりするんだが、それはともかく、安全な場所に隠れた彼女は子供を身ごもっていて、男の子を生み、この島で育てた。その子供はこの島々の守護者となり、不思議な能力を持っていたと言われる。このあたりの海域を守るために、炎や溶岩の力を呼び起こすことができたそうだ」フルドは首を左右に振った。「もちろん、ただのおとぎ話のようなものさ。長い冬の間の退屈しのぎに、暖炉の火に当たりながら聞く類の話だ」

グレイとモンクは視線を合わせた。その昔話の中に真実のかけらが含まれている可能性はある。はるか昔、必死になって逃げ場を探していた誰かが、この地に爆弾のような力を持つ何かを隠したことをほのめかしているのかもしれない。

「その洞窟の場所を教えてもらえますか?」グレイは訊ねた。

フルドは大きく肩をすくめた。「そこまではわからないなあ。だが、島の小屋には管理人がいる。オラフル・ブラガソンだ。オリーと呼んでやってくれ。なかなか頑固な男でね。六十年以上もここで暮らしているから、この島の岩と同じように気難しくてとげとげしい性格になってしまっている。だが、島のことなら隅々まで知り尽くしている男だ。質問したいことがあるなら、彼に訊ねるといい」

トロール船は島の南端を通過し、断崖の一部が崩れた地点へとゆっくり接近していく。一本の太いロープが岩の間に固定され、曲がりくねって上へと通じている。あれが島へと登るための道だろう。人間のための道というより、イワヤギの通り道と形容した方がしっくりくる。ロープの先端は器具で固定されていた。ロープに手が届く距離まで近づくために、グレイたちはトロール船からアルミニウム製の小型ボートへと乗り換えなければならなかったが、ありがたいことにその周辺は比較的波が穏やかだった。

そうは言っても、無事にロープまでたどり着けたのは、船長の息子の巧みな操縦のおかげだった。ボートが接岸すると、グレイはセイチャンがボートから滑りやすい岩へとよじ登るのに手を貸した。セイチャンはバックパックを背負い、ロープをしっかりとつかんだ。グレイも上を見ながらバックパックを背負う。かなりきつい道のりになりそうだ。ふと、グレイはモンクの義手をうらやましく思った。最新式の作動装置を備えたモンクの義手は、指でつまんでくるみを割ることもできる。それだけの握力があれば、長い登りもそれほど苦にならないはずだ。

フルド船長も小型ボートに乗り込み、船尾で船外モーターを操作していた。「エッグと私は近くで釣りでもしながら待っているよ。戻る時には無線で連絡を入れてくれれば迎えにくる。でも、もしこの島に一泊することにしたなら、その場合も連絡してくれ。明日の都合のいい時間に本土まで送ってあげるよ」

「ありがとう」

グレイは揺れる小型ボートからかたい岩の上へと移った。火山岩は濡れているが、表面が粗くぎざぎざしているため、ブーツの靴底がしっかりととらえてくれる。上へと通じる道は傾斜が急ではあるものの、足場になるところや岩棚が多い。ロープもあるからそれほど手こずることもないだろう。

グレイは登りながら頭上の風景を眺めた。セイチャンは休むことなくするすると登っていく。太腿にジーンズが張りつき、尻から腰にかけての曲線がさらに強調されている。速いペースで登っているのは、暗い海の上から逃れることができて安心しているからに違いない。

ロープの数メートル下にいるモンクが、グレイの視線の先に何があるか気づいた。「口をあんぐりと開けて見とれているところを、イタリア人のガールフレンドに見られたくないもんだな」

グレイは上からモンクをにらみつけた。強風のおかげでモンクの言葉はセイチャンまで届かなかったようだ。レイチェル・ヴェローナとはこの四カ月ほど会っていない。二人だけで会う機会がすっかりなくなってしまっていた。国防省警察に所属する彼女が昇進したためにイタリアから離れにくくなったうえに、グレイの方も両親の問題のせいで週末を利用してローマまで行くことが不可能になったからだ。電話では連絡を取り続けているものの、それ以上の関係はない。大西洋という地理的な隔たりよりも広い溝が存在する今、二人とも新たな道へと踏み出す必要性を認識している。

最後のひと踏ん張りで断崖を登り終えた一行の目の前に、美しい光景が広がった。草地の間に苔や地衣類に覆われた岩が点在し、様々な色合いの緑が目にまぶしい。えぐられたような地形の火山円錐丘《えんすいきゅう》の内側にはうっすらと霞がかかっていて、プリズムを通して見たような趣を醸し出していた。

モンクが口笛を吹いた。「アイルランド民話の世界に迷い込んだみたいだな」

だが、セイチャンはそんな感傷に浸っていない。「管理人に話を聞かないといけないわ」

セイチャンを先頭に、三人は右手に広がる草地の中央にある二階建ての狩猟小屋へと向かった。左側にはこの島の山頂があり、幾重にも連なった急峻な岩棚と崩落した黒い火山岩とが複雑に絡み合った地形を形成している。管理人から捜索範囲を狭めるヒントがもらえることを期待するしかない。

島内唯一の建物までは、それほど時間はかからなかった。小さな窓がいくつかあるだけの木造の建物は、見た目には狩猟小屋というよりも錆《さび》びついた納屋といった趣だ。緑の斜面の上の方で数頭の牛が哀れっぽく低い鳴き声をあげながら草を食《は》んでいるので、なおさらその印象が強まる。一本の煙突から、細い一筋の煙が昇っている。

柵の間の門を通り抜け、小さな菜園を横切ると、グレイは正面の扉をノックした。答えが返ってこないので、取っ手を握ってみると、鍵はかかっていない。確かに、鍵をかける必要があるようには思えない。

グレイは扉を押し開けて中に入った。

入ってすぐの部屋は薄暗く、冷たい外気に触れていた後では息が詰まるほど温かく感じる。弱い火の燃える暖炉の前には、傷やしみだらけの木製のテーブルが置かれている。おそらく、この部屋は打ち合わせや食事の時に使用されているのだろう。オイルランプの揺れる火に照らされたテーブルの上には、地形図や海図が広げられていた。雑然とした様子からすると、地図をひっくり返しながら作業をしていたと思われる。

グレイはコートのジッパーを下ろし、ホルスターに収めたシグ・ザウエルを取り出せるように身構えた。セイチャンも体をこわばらせた。いつの間にか、指には短剣が握られている。

「どうしたんだ?」モンクが訊ねた。

グレイは室内を見回した。あまりに静かすぎる。散乱した地図類は、レジャーとしての狩りのための準備というより、入念な戦略を立てていたように思われる。その時、奥にある別の部屋の方から低いうめき声が聞こえた。

グレイは拳銃をホルスターから取り出した。壁に背中をつけたまま、銃口を進行方向に向けて足早に部屋を横切る。セイチャンも反対側の壁に沿って進む。モンクは建物の正面に臨む窓の脇に立ち、外の様子をうかがっている。

奥の部屋をのぞき込んだグレイは、痩せた老人が椅子に縛りつけられているのを発見した。

鼻の骨が折れ、裂けた唇からは血が滴り落ちている。この老人がオラフル・ブラガソンに違いない。グレイは室内の様子をうかがった。ほかに人の姿はない。

グレイは老人へと近づいた。足音が聞こえたのか、老人が頭を動かした。一瞬、うつろな目がグレイの姿をとらえたが、老人は再びがくりと頭を垂れた。

「ネイ、ネイ」老人の口から言葉が漏れる。「知っていることはすべて話した」

セイチャンがグレイの顔を見る。「どうやらほかにも誰かがニュートリノの放出を知っていて、私たちよりも先に着いたみたいね」

それが誰なのか、わざわざ名前を言うまでもない。しかし、ギルドはどうやってこの島の情報を得たのか？　セイチャンの方を見つめるグレイの頭の中を、かすかな疑念がよぎる。その思いが表情に出てしまったのか、セイチャンが怒りで体をこわばらせた。だが、同時にグレイは、彼女の目に傷ついたような表情が浮かんだことにも気づいた。セイチャンはグレイに背を向け、扉の方へと戻っていく。彼女の忠誠心はこれまで十分に証明されている。今さら疑いの目を向けることは、そんな彼女に対する侮辱だ。

グレイは部屋の入口へと戻り、セイチャンの腕に触れ、言葉を出さずに謝罪の意を表した。しかし、今は傷ついた彼女のプライドを癒すために、それ以上の時間を割いている場合ではない。グレイはモンクに向かって合図をした。「ほかの部屋の様子を見てくる。管理人の手当てをしてやってくれ。彼をここから連れ出さないといけない。ここにいた何者かは、俺たちが船で近づいてくるのに気づいたはずだからな」

島内に大きな爆発音がとどろき、小屋の窓が激しく振動した。グレイは小走りに部屋を横切った。TNTの爆発音は聞けばわかる。窓から外に目を向けると、島を半分ほど横断した先にある岩の塊の間から昇る黒煙が見える。黒と白の羽毛に覆われたヒメツノメドリの群れがいっせいに飛び立った。煙の間をすり抜けながら、恐怖に怯えてパニックに陥っている。何者かが、島の地下深くへと通じる入口を無理やりこじ開けようとしているのだ。

爆発地点と小屋との間で動きがある。グレイは目を凝らした。八人の男が隊列を組んで岩陰から姿を現した。低い姿勢で草地を横切り、露出した岩陰に身を隠しながら移動している。ライフルで武装しており、太陽の光を反射してスコープが輝く。フルド船長の言っていたハンターはこいつらだろう。

獲物の到着とともに、狩りが始まったというわけだ。

午後十時十四分
日本　岐阜県

吉田純は机に向かったまま居眠りをしていた。扉をノックする音ではっとして目を覚ます。

周囲の状況を把握するより早く、田中陸が室内に駆け込んできた。そのすぐ後ろから、ドクター・ジャニス・クーパーも飛び込んでくる。

「これを見てください」そう言いながら、田中は手に握り締めていた紙を机の上に叩きつけた。

「何だ？　新たなニュートリノの大放出でもあったのか？」吉田は椅子に座ったまま背筋を伸ばした。それと同時に、腰に軽い痛みが走る。吉田は三時間前に地下の研究室を後にして、事務的な書類を片付けるために自分のオフィスに戻っていた。だが、書類は手つかずのまま、机の上に積まれている。

「違います……というか、その……正確にはそうではなくて」田中は口ごもった。明らかに動揺している。田中はいらだちをあらわにしながら吉田の質問に答えた。「小規模の放出は見られます。監視を続けていますが、それは大した問題ではありません」

ドクター・クーパーが田中の説明を遮った。「急いでここにうかがったのはその件ではないのです、ドクター吉田」ジャニスは田中の方を見た。「見せてあげてください」

田中は断りもなく吉田が座っている側へと回り込んできた。机の上にあった書類の山を押しのけ、自分が持ってきた紙を置く。「アイスランドにおける放出の監視を継続していました。結果はグラフに表示してあります。あの島からのニュートリノの放出頻度が時間を追うごとに高くなっているのがわかりますよね」

「その話なら、すでに聞いたぞ」

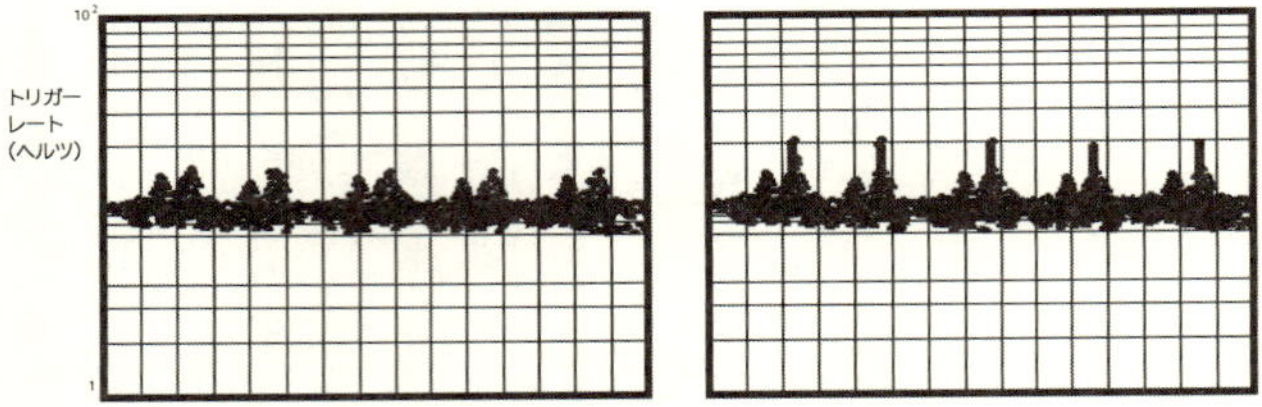

「ええ、そうですよ」田中の顔面が紅潮する。説明を邪魔されたことにかちんときたようだ。

吉田はかすかな満足感を覚えた。「それだったら、どうしていきなり私のオフィスに飛び込んできたのだ？」

田中はグラフを指でたどった。「この一時間ほどで、アイスランドからの放出の二つの山に変化が見られることに気づきました。少ない方の放出量が増えている一歩で、多い方の放出量が減少しているんです」

ドクター・クーパーが説明を補足した。「ゆっくりとした変化だったため、事態を把握するのに時間がかかってしまったのです」

田中は二枚のグラフを横に並べた。「この右のグラフは四時間前のもの、左は三十分前からの値を示したものです」吉田は眼鏡を手に取り、しっかりかけると、グラフに顔を近づけた。どうやら田中の所見は正しいようだ。四時間前のグラフでは、ニュートリノの放出を示す一組の山は明らかに振幅が異なる。しかし、最新のグラフを見ると、高さはほぼ同じになっている。

「しかし、これが何を意味するのかね？」吉田は眼鏡を外し、疲れのたまった目をこすった。

　田中がドクター・クーパーに視線を向けると、彼女は先を促すかのように大きくうなずいた。自分の考えに確信を持てずにいる田中の姿を見ることはめったにない。田中がいかに動揺しているかを示す証拠だ。この男は何かに怯えている。

「私が思うに」田中は口を開いた。「我々が目にしているのは臨界点へ向けての移行です。この二つの振幅が完全に一致すると、この亜原子粒子を放出している層の内部で大規模な連鎖反応を引き起こすことになります」

「原子炉がメルトダウンするようなものだとお考えください」ドクター・クーパーが説明を引き継いだ。「陸も私も、頻度の高まりと振幅の変化がタイマーに似た役割を果たしているとの意見です。アイスランドにある未知の物質が臨界点を迎えるまでのカウントダウンが進行中なんです」

　吉田は息苦しさを覚えた。「つまり、新たな爆発があるということなのか……？」

「ただし、今度は規模が百倍の大きさです」田中は答えた。

「いつだ？」

「これまでのデータに基づいて、一組の放出量が等しくなるのはいつなのか、何度も計算をやり直しました」

「それで、いつなんだ？」吉田は重ねて訊ねた。

ドクター・クーパーが答えた。「一時間以内です」
曖昧な言い方を嫌う田中は、きっぱりと断言した。「正確には、五十二分後です」

午後二時三十二分
エトリザエイ島

セイチャンは窓際で警戒に当たっていた。敵のライフルが望遠スコープを備えているため、直接の視界に入らないように気を配る。相手は傭兵然とした雰囲気を漂わせている。軍事訓練を受けているのは間違いない。八人の男は小屋の正面を取り囲むように配置に就き、露出した岩の陰に身を潜めている。上官が島を訪れた来客の正体を突き止めようとする間、命令が下るまで待機しているのだろう。殺すか、それとも生け捕りにするか、判断が下されようとしている。

自分たちはその判断に意見を差し挟むことなどできない。
セイチャンは拳銃を両手でしっかりと握り締め、両膝の間に構えていた。窓を叩き割り、小屋を守る準備はできている。しかし、現実から目をそむけることはできない。敵の方が人数でも武器の数でも上回っているし、有利な位置を占めている。小屋の正面が敵の監視下にあるとなると、唯一の逃げ道は裏口だけだ。だが、脱出したところでどうなる？　断崖へ向かって走れば、敵の前に姿をさらすことになる。たとえ断崖までたどり着けたとしても、結果は同じだ。身を投げれば、下の岩場に体を打ちつけて即死するのは間違いない。

このままでは袋のネズミだ。

グレイは別の窓の近くにある扉の脇で配置に就いていた。片手に黒のシグ・ザウエルを握り、もう片方の手でつかんだ携帯電話を耳に当てている。シグマの司令部と連絡をつけることはできたものの、北大西洋の孤島へとすぐに救援が到着することは期待できない。それまでの間は、自分たちだけでしのぐしかない。セイチャンは胃の奥の不快感をぬぐい去ることができずにいた。窮地に陥っているせいではない。待ち伏せを受けていたと悟った時、グレイが見せた反応のせいだ。セイチャンはグレイの顔によぎった疑念を見逃さなかった。グレイはその疑念を打ち消し、セイチャンの気持ちをなだめようとしてくれた。けれども、まだ心の傷は消えない。

セイチャンは窓の外を見つめた。グレイに自分の潔白を証明するためには、いったい何をすればいいのだろう？　死ねばわかってくれるかもしれない。いや、それでも足りないかもしれない。

モンクが管理人に小声で何やら話しかけている。彼が気付け薬を嗅がせたおかげで、管理人は何とか自分の足で立てるようになった。ひとたび椅子から離れると、噂通りの偏屈じいさんぶりを発揮し始めた。セイチャンですら頬を赤らめるような悪態をわめき散らしながら、老人は暖炉の上に置かれたショットガンをつかみ、復讐してやるといきり立っている。

シグマの司令部と話をしているグレイの声が一段と険しくなった。「四十分だって？　それまでにこの島から脱出しないといけないのか？」

顔をしかめながら、セイチャンは再び窓の外を見つめた。いったい何があったのだろう？　だが、その答えを聞くのは後回しだ。兵士たちが行動を開始した。岩陰から姿を現しつつある。命令が下ったに違いない。自分たちを待つ運命――捕虜になるか、それとも処刑されるかは、すでに決した。

セイチャンは拳銃を構えた。「やつらのお出ましよ！」

19

五月三十一日午前八時三十四分
ユタ州サン・ラファエル・スウェル

カイはプエブロの奥にある小さな客間にそっと忍び込んだ。ラップトップ・コンピューターの前に、ハンク・カノシュ教授が座っている。だが、画面を眺めているわけではない。手のひらで顔を覆っているその姿からは、悲しみに暮れている様子がひしひしと伝わってくる。カイは見てはいけないものを見てしまったように感じた。引き返そうかとも思ったが、おじからの言葉を伝えなければならない。

「カノシュ教授……」

教授ははっとして体を震わせた。すぐに両手を顔から離す。なぜこんなところにあるのかわからないといった表情で、自分の手のひらを見つめている。

「勝手に入ってごめんなさい」

カノシュ教授はラップトップ・コンピューターの画面を閉じた。ほんの一瞬だったが、カイはメールソフトが開いてあるのを確認することができた。本文には奇妙な文字が記されていた。あの金の板に記されていたのと同じ文字のようだ。教授は気を紛らすために、作業に没頭しようとしていたのだろう。

おじは暗号のかかった衛星信号を通じてインターネットへアクセスすることを許可していた。受信メールをチェックしたり、ニュースを読んだりすることはできるが、こちらから発信することは禁止されている。〈メール送信もだめ、フェイスブックもだめだ〉……もっとも、フェイスブックに関しては、教授よりもカイを念頭に置いての指示なのだろう。

カノシュ教授は体を震わせながら大きく深呼吸をして、ようやく人心地がついた様子だ。

「どうかしたのかね、カイ?」

「クロウおじさんが部屋に来てほしいって。ほかの人たちが到着する前に、話をしたいことがあるみたい」

教授はうなずくと立ち上がった。「君のおじさんは休むことを知らないみたいだな」

カイはかすかに笑みを浮かべた。教授はすれ違いざま、カイの肩をしっかりと握った。カイは思わず体をすくませた。不安な気持ちがつい動きに出てしまう。

「私はここにいるわ」カイは告げた。「クロウおじさんは二人きりで話をしたいみたいだから」

「だったら、待たせちゃいけないいな」

教授が部屋を出ると、カイはそっと扉を閉めた。コンピューターに目を向ける。メールをチェックするのは気が進まない。どんなメールが届いているかと思うと、怖かったからだ。けれども、そのことが逆に好奇心を刺激する。カイはコンピューターへと歩み寄った。自分が引き起こした騒動に、ずっと背を向けているわけにはいかない。いずれはその結果をきちんと受け止める必要がある。でも今は、こんな小さな形で世界と向き合うことが自分にできる精いっぱいのことだ。

まだ教授のぬくもりが残る椅子にそっと腰を下ろしながら、カイはラップトップ・コンピューターを開き、明るい画面を見つめた。チャンスは今しかない。カイは手を伸ばしてブラウザーを立ち上げ、Ｇｍａｉｌのアカウントを呼び出した。

カイは固唾をのんでブラウザーが自分のアカウントに接続するのを待った。両手を太腿の裏で押さえつけていないと、自然に手が伸びてラップトップ・コンピューターを閉じてしまいそうだ。あともう少しだけ、世の中との接触を絶っていたとしても、何の不都合もないじゃない。しかし、その考えを実行に移す前に、画面上に何通もの未読メールが表示された。カイはタイトルを読みながらメールの一覧を目で追った。スパムメールもあれば、爆発よりも前のタイムスタンプのメールもある。だが、一覧の上の方にある一通のメールに目が留まった。

全身に寒気が走り、鳥肌が立つ。無意識のうちにコンピューターへと手が伸び、画面を閉じようとする。メールをチェックしようと思ったことに対する後悔の念でいっぱいになる。メールの差出人のアドレスは jh_wahya@cloudbridge.com。カイはこの個人アドレスの持ち主を知っていた。ＷＡＨＹＡの創設者、ジョン・ホークスだ。メールを開かなくても、内容は容易に察しがつく。メールの件名だけで一目瞭然だ。件名はアルファベット三文字だけ。ＷＴＦ――what the fuck（何てことだ）の略。

目をそむけることはできないと覚悟を決めて、カイはおそるおそるメールをクリックして開いた。本文を読み進めるにつれて、重い石を飲み込んだかのように気持ちが沈んでいく。彼女にとって、ＷＡＨＹＡの友人や同志が生活のすべてだった。成長して里親制度の該当から外れ、一人で生きていかなければならなくなった時、彼らがカイを受け入れてくれた。お金の面からも、精神的な面からも、彼らが支えてくれた。父の死後、カイの人生から消えた家族の絆を、彼らが再び提供してくれた。

メールの文面から感じられる厳しい口調のせいで、読み進めるのがつらい。

差出人　jh_wahya@cloudbridge.com
件名　WTF
宛先　カイ・クォチーツ <willow3tree@gmail.com>

いったい何をしでかしてくれた？　ＷＡＨＹＡは組織をあげて君の名誉ある平和な任務に大いなる期待を寄せていたのに、その計画は破綻し、血と恥辱にまみれてしまった。

「テロリスト」「殺人犯」の文字とともに、君の顔がアメリカ中のマスコミに登場している。君の汚名が我が組織の汚名となるのも時間の問題だ。それなのに、君からはまだ一言も連絡がない。沈黙が続いているだけだ。君はアメリカ政府に買収され、我々を裏切り、罠にはめるように仕向けられたのか？　ここでは君に関してそんな噂がささやかれ始めている。

私はもう少し待つように、性急な判断をしないようにとみんなに言い聞かせているが、何らかの説明がない限り、我々のこれからの目標に対する君の忠誠心の証がない限り、君のことを悪く言う仲間をこれ以上、抑えつけておくことはできない。彼らは復讐を求めている。その前に、私は答えが欲しい。

一時間前、ＷＡＨＹＡの幹部会が開かれた。我々の目の前で君が汚名を晴らさない限り、我々としては君の存在を否定せざるをえない。君の行動は我々とは無関係であり、我々の掲げる善良な目標を破壊した真のテロリストとして、君の正体を公表せざるをえない。我々は正午に記者会見を開く。それまでに連絡を入れるように。

ＪＨ

カイはメールを閉じた。心の奥深くから涙がこみ上げる。カイは友人たちの顔を思い浮かべた。山間部での任務へと向かう彼女を、笑顔で抱き締めてくれた仲間たち。その中でも、チェイトン・ショウの力強い抱擁《ほうよう》が、カイの頭から離れない。彼は若いメンバーの多いWAHYAの中で、最も熱心な活動家の一人だ。「チェイトン」はスー語で「ハヤブサ」を意味する。肩まで垂れた長い黒髪がかすかな風にもそよぐ、そんな彼にはぴったりの名前だ。二日前――今となってははるか昔のことのような気がするが、二人は夜の静寂に包まれた中で、友達以上の関係になりたいという話をした。

カイはチェイトンのことを思った。彼が背を向け、自分を避ける姿が目に浮かぶ。鼻をすりながら、カイは顔を手のひらで覆った。恥ずかしさと涙を隠すために。

〈私はどうしたらいいの?〉

午前八時三十五分

ハンク・カノシュは暖炉に背中を向け、燃えさしの薪の余熱を感じながらテーブルに着いていた。テーブルを挟んだ向かい側には、ペインターが座っている。体の大きな彼の相棒は、ソファーで軽くいびきをかいていた。

ペインターの両目の下にはくまができている。少しは睡眠を取った方がよさそうだが、どうやらそれどころではない問題を抱えているらしい。ハンクはそれが自分たちの今の状況とは別の問題なのではないかという気がしていた。話をしたいと自分から言ってきたのに、なかなか切り出そうとしないし、どこか心ここにあらずといった様子だ。別の何かが進行中なのだ。今朝、彼はずっと電話で話をしていた。奇妙な火山の噴火の件かもしれないし、ほかの件なのかもしれない。ただし、はっきり言えることが一つだけある。この男は何かを気にかけている。

ようやく一つ咳払いをすると、ペインターは両手をテーブルの上で組んだ。「私は知っていることを率直に話しますから、そちらも同じようにお願いします。すでに人命が失われています。我々が何に直面しているのかを十分に理解できなければ、さらに死者が増えることでしょう」

ハンクは軽く頭を下げた。「私も約束しよう」

「爆発現場で火山活動を監視している部下の地質学者と話をしました。あの洞窟に隠されていたものに関して、ある程度のところは理解できたと考えています。ナノのレベルでの物質の操作に関連する何かです。また、その古代の人々が、意図的になのか偶然になのかはともかくとして、不安定な化合物を生成したに違いないとも考えています。爆発力があり、その活動を眠らせるためには高温の状態が必要となる物質です。だから地熱活動が活発な地域にあるあの洞窟に隠されていたのです。何世紀にもわたって、高温かつ安全な環境が保たれる場所です」

ハンクの心に罪悪感がよぎった。「だが、我々がその物質を熱源から運び出してしまった」

「その結果、不安定になったのです。あの爆発の直後、物質は我々の地質学者が『ナノネスト』と呼ぶものを放出しました。大量のナノマシン、すなわちナノのサイズの機械で、物質を分解しながら無限に拡大する力を持っています。けれども、幸運なことに、あるいは古代の人々の計画通り、噴火した火山の高熱でナノネストは死滅し、拡大が止まったのです」

恐怖のあまり、ハンクは思わず目を閉じた。〈マギー……我々は何ということをしでかしてしまったんだ?〉ハンクは静かに口を開いた。「だからあの洞窟に関する昔からの言い伝えで、中に入ってはいけないと警告されていたのだな」

「そんな洞窟はあそこだけではないかもしれないのです」

ハンクは目を開き、眉間にしわを寄せた。「どういうことだね?」

「アイスランドにも同じような場所があるらしいのです」

〈アイスランド?〉

ペインターはユタ州から放出されたニュートリノが、この物質の二つ目の隠し場所の導火線に火をつけたのではないかという仮説を説明した。

「こうして話をしている間にも、アイスランドに保管されている物質は刻一刻と不安定になっています」ペインターは説明を締めくくった。「ほかの隊員に現地を調査させていますが、このパズルにおける一つの重要なピースが欠けているのです」

ハンクはペインターの目をのぞき込みながら続きを待った。

「そうした場所に何が隠されているのかに関しては、ある程度の推測はついています——しかし、誰が隠したのかについては謎のままです。この古代の人々というのは、いったい何者なのですか？　なぜ外見は白色人種なのに、アメリカ先住民の衣装を身に着けているのですか？」

ハンクの口の中はからからに渇いていた。ペインターから視線をそらし、自分の両手を見つめる。

ペインターは食い下がった。「あなたは何かを知っていますね、ハンク。研究室でドクター・デントンと激しく口論しているのを耳にしました。そのような情報は、我々が直面している危機を十分に理解するうえで重要な意味を持っているのですよ」

ハンクはペインターの言う通りだと承知していた。しかし、質問に答えることは、自らの血筋と信仰との間の危険な一線を踏み越えかねない。さらなる証拠が見つかるまで、自分の考えを明かすつもりはなかった。だが、ようやくその証拠を手にすることができたのかもしれない。

「まだ理論の段階にすぎない」ハンクは口を開いた。「マットは物理学者だったが、私と同じように敬虔《けいけん》なモルモン教徒でもあった。我々の議論――マットの結論は、想像の域を出ないものであって、あの時は君に伝えても意味がないと思っていたのだ」

ペインターは首をかしげながら、片目でハンクの視線をとらえた。「今がその時ですよ」

「君の口からアイスランドの名前が出たことで、マットの理論の裏付けが示されたと言える」

「どんな理論なのですか？」

「それに答える前に、モルモン書の中で最も議論を呼んでいる部分について、君に理解してもらわなければならない。我々の聖書によると、アメリカ先住民はイスラエルの失われた支族の子孫で、紀元前約六〇〇年頃、エルサレムの破壊後にこの地にやってきたとされている」

「ちょっと待ってください。あなたはアメリカ先住民の祖先が、ここへと逃れてきたユダヤ人の部族だと本気で思っているのですか？」

「モルモン書の字句を文字通りに解釈すれば、そういうことになる。具体的に言うと、先住民は古代イスラエル王国のマナセ族の子孫だ」

「しかし、それは明らかにおかしいです。紀元前六〇〇年のはるか以前からアメリカ大陸に人間が生活していたという考古学的な証拠は、たくさん見つかっているじゃないですか」

「そのことは私もよく知っている。それに、矛盾しているようだが、モルモン書もそうした人々の、つまり初期のアメリカ先住民の存在を認めている。イスラエルの失われた支族がアメリカ大陸の西部へと到達した時、すでにこの地に居住していた人々についての言及もある」ハンクは片手を上げた。「だが、話を続けさせてもらえないだろうか。文字通りにではなく寓意《ぐうい》をくみ取りながらモルモン書を解釈すれば、そうした矛盾を解明することができると思う」

「わかりました。続けてください」

「モルモン書の記述をそのまま解釈すると、アメリカにやってきたイスラエルの支族は、リーハイを父とする二つの民から成っていた。ニーファイ人とレーマン人だ。面倒な細かい話は省略するが、その約千年後にレーマン人はニーファイ人を滅ぼし、今日のアメリカ先住民になったということだ」

ペインターは納得していない様子だった。「歴史というよりも、人種差別主義者の作り出した物語のように聞こえますね。それにDNA検査でも、アメリカ先住民とヨーロッパ人、あるいは中東の人々との間に遺伝的なつながりはないことが判明しています」

「その通りだ。遺伝子の面からの研究により、アメリカ先住民の起源がアジアにあるという決定的な証拠が見つかっている。おそらく彼らはベーリング海峡を渡り、アメリカ大陸を南下していったのだろう。長年にわたってモルモンの科学者や歴史家たちは、アメリカ先住民とユダヤの血筋とを結びつけようと腐心してきたが、結局は学会の笑いものになるのがおちだった」

「そういうことでしたら、この話の先が見えないのですが」

「今日では、多くのモルモン教徒は我々の聖典のその部分に関しては、より寓意的な解釈を信じている。イスラエルの失われた支族は実際にアメリカ大陸へと到達し、先住の部族と遭遇した。すなわち、アメリカ先住民だ」ハンクは自分とペインターの両方を指差した。「イスラエルの支族は先住民とともにアメリカ大陸に定住した。中には先住民を改宗し、神の教えを伝えようと試みた者もいたかもしれない。しかし、イスラエルの支族は先住民たちとあまり接触することなく、やがては多くのインディアン国家の中の一部族として埋もれてしまった。だから遺伝的な特徴が現在まで残っていないのだよ」

「納得のいく説明というよりも、こじつけのように聞こえますが」

ハンクは軽いいらだちを覚えた。「私の意見を聞きたいと言ったのは君の方だぞ。この先も聞きたいかね？」

ペインターは片手を上げた。「失礼しました。続けてください。けれども、話の行き着く先は想像がつきます。洞窟にあったミイラ化した遺体は、その失われたイスラエルの支族のものだと考えているのでしょう？」

「そうだ。正確には、モルモン書に記されたニーファイ人のものだと思う。モルモン書によると、彼らは肌が白く、神の祝福を受け、特殊な能力を有していた。我々が発見したあの遺体の特徴と合っているのではないかね？」

「それなら、彼らを滅ぼしたという残虐なレーマン人とは何者なのですか？」

「おそらく、改宗した先住民か、新しくやってきた者たちと平和な関係を結んだ先住民のことを指しているのだろう。しかし、何世紀もの年月を経るうちに、状況が変化した。先住民の部族は何かを大いに恐れ、ニーファイ人を抹殺してしまったのだ」

「つまり、モルモン書に記された歴史は、伝説と事実とが入り混じったものだとおっしゃるのですね。その失われたイスラエルの支族――ニーファイ人が、アメリカへと渡り、先住民の部族とともに暮らした。けれども、数百年が経過した後、何かがその先住民の部族――レーマン人を恐怖に駆り立て、『失われた支族』を抹殺させたと」

ハンクはうなずいた。「まともな話に聞こえないということはわかる。だが、ほかにも証拠があるから、最後まで聞いてくれないか」

ペインターは手を振って続けるように促したが、まだ納得しているようには見えない。

「例えば、アメリカ先住民の言語の中にヘブライ語の単語が数多く見られることだ。研究の結果、両者の間には単なる偶然では片付けることのできない類似性が見つかっている。例をあげると、セム語派のヘブライ語で『雷』を意味する単語は baraq だ。アメリカ先住民の語族の一つであるユト＝アステカ語族では、『雷』は berok と言う」ハンクは肩に手を触れた。「ここはヘブライ語では shekem、ユト＝アステカ語族では sikum」次に、袖をまくり上げた二の腕に触れる。「ヘブライ語では geled、ユト＝アステカ語では eled だ。こうしてあげていったらきりがない。偶然の一致とは思えないのだ」

「それはわかりました。でも、このことと洞窟で発見されたミイラ化した遺体との間にどのような関係があるのですか？」

「見せてあげよう」ハンクは立ち上がり、自分のバックパックを置いたところへと向かった。バックパックを開け、中身を取り出すと椅子へと戻る。ハンクはテーブルの上に二枚の金の板を置いた。「モルモン書はジョセフ・スミスによって著された。彼が天使モロナイより授かった何枚もの金の板に記されていた内容に基づいている。金の板には奇妙な文字が書かれていたと言われる――ヒエログリフだと言う者もいれば、古代ヘブライ語だと主張する者もいる。ジョセフ・スミスは金の板の文字を翻訳する能力を授かり、彼が翻訳した文章がモルモン書に

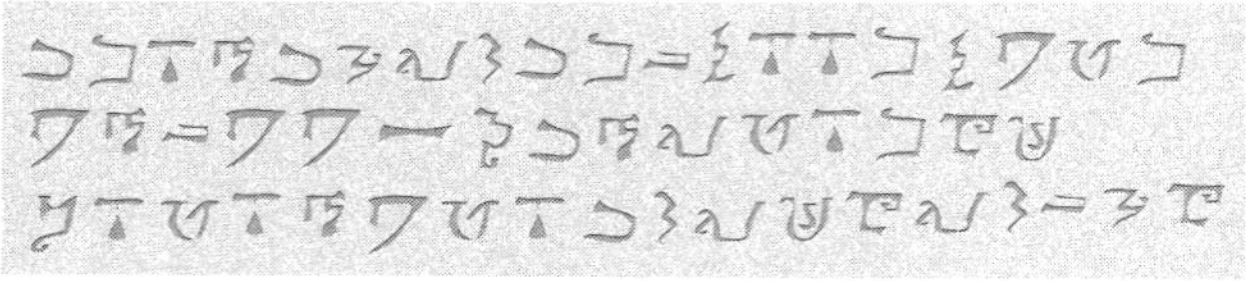

なったと言うのだ」

　ペインターは一枚の板を自分の方へと引き寄せた。「この板に書かれている文字は？」

「昨夜、君が大学に到着する前に、そのうちの何行かを書き写して、同僚の一人に送信しておいた。中東の古代語の専門家だ。今朝、彼から返事があったよ。かなり興味をひかれたみたいで、文字を解読してくれた。ヘブライ祖語の一種だということだ」

　ペインターが椅子から身を乗り出した。おそらく彼も興味をひかれているのだろう。

「十六世紀の学者パラケルルスが、このセム祖語に最初に名前をつけた人物だ。彼はこの文字を『マギのアルファベット』と命名した。天使から教わったと主張し、特殊な能力と魔術の源だと言っていたそうだ。これらのことを考え合わせると、ジョセフ・スミスは同じような金の板の隠し場所を発見して文字を翻訳し、この古代の人々――失われたイスラエルの支族の歴史を知り、彼らの物語を書き記したのではないかという気がしてならないのだ」

　ペインターが椅子の背にもたれかかった。ハンクは彼の目にまだ疑いの色が残っていることに気づいた。だが、馬鹿にしたような調子は消え、考えをまとめようとしているように見える。

「それにアイスランドの件だ」ハンクは続けた。

ペインターがうなずいた。頭の中のパズルには、すでにアイスランドのピースがはまりつつあるようだ。「この古代のナノテクノロジーの専門家が――学者なのか、魔術師なのかはわかりませんが、彼らが本当にイスラエルの失われた支族だったとすれば、そして大西洋を横断して新たな地へと向かう彼らが大切な何かを所持していて、無事に目的地にまでたどり着けるか不安を抱いていたとすれば――」

ハンクはその先を引き継いだ。「途中で冷たい海に囲まれた炎の島アイスランドに到達した彼らは、アメリカへと向けて再び旅立つ前に、自分たちの不安定な財宝の一部を保管するのに格好な暖かい場所を見つけたに違いない」

「ハンク、あなたの――」

タイヤが石をこする音で、ペインターの言葉は遮られた。まだ距離はあるが、急速に近づいてくる。ペインターが体を反転させた。その手にはいつの間にか拳銃が握られている。ペインターは素早く扉の脇へと移動した。

コワルスキが体を起こし、大きなげっぷをすると、寝ぼけ眼で周囲を見回した。「何だ？……何か面白いことを見逃した？」

ペインターは窓から外を見つめていた。道を走る車の音が大きくなる中、そのまま一分近く監視を続ける――やがて、その体から緊張感が抜けていく。「あなたの友人のアルヴィンとアイリスです。どうやら最後の客人を連れてきてくれたみたいです」

午前八時四十四分

車体のあちこちにへこみのある旧型のトヨタのSUVが、砂と土ぼこりを巻き上げながら石造りのプエブロに囲まれた中に停車した。ペインターはポーチの日陰から強い日差しの下へと足を踏み出した。まだ午前中の早い時間だというのに、強烈な陽光が周囲の不毛の地を濃い赤と金色に染めている。まぶしい光に目を細めながら、ペインターは運転席側へと近づき、アイリスが車から降りるのに手を貸した。助手席側からは、アルヴィンが身軽に車外へと降り立つ。

七十歳を優に超える老夫婦は、長年太陽の光を浴び続けたせいで肌の艶は失われてしまっているものの、上は絞り染めのTシャツ、下は裾のほつれたジーンズといういでたちで、年老いたヒッピーのように見える。しかし、ホピの伝統的な要素も忘れていない。アイリスは白髪交じりの長い髪をホピ風の三つ編みにまとめ、羽根とトルコ石の飾りを付けている。アルヴィンは雪のように真っ白な髪を無造作に垂らし、袖をまくった両腕の手首に巻いた銀のリストバンドは、貝殻やトルコ石の塊で装飾されている。二人とも典型的なホピの模様の刺繍が入ったベルトを着用しているが、足には牛革やシカ革のモカシンではなく、アウトドア用品のカタログに載っているようなハイキング用ブーツをはいていた。

「あら、ここもとっくに爆発したんじゃないかと思っていたわ」アイリスは腰に両手を当て、建物を眺めながら言った。

「コーヒーをいれただけですよ」ペインターはウインクを返しながら答えた。

ペインターはアイリスの横をすり抜け、最後の乗客が車から降りるのを出迎えるために、SUVの後部扉へと歩み寄った。昨夜、ペインターはユート族の長老の一人と話がしたいと申し入れていた。洞窟の秘密を守るため自らの孫を殺害した祖父は、ユート族の人間だった。あの祖父が何かを知っていたことは間違いない。同じ部族のほかの長老たちも、おそらくその秘密を知っているはずだ。洞窟の意味とその歴史について、何らかの手がかりを知っている人物に会わないといけない。だが、ペインターたちはできるだけ人目につかないように行動する方がいいため、代わりにアルヴィンとアイリスにバス停まで長老を迎えにいってもらったのだった。

ペインターは長老が車から降りるのに手を貸そうとして、SUVのドアハンドルに手を伸ばした――だが、ペインターがつかむより早く、扉が内側から押し開けられた。二十代になったばかりとしか見えない若者が、車の中から姿を現した。ペインターは後部座席を探したが、ほかに乗客はいない。

スリムな体型の若者が手を差し出した。ネイビーブルーのスーツ姿で、上着と外したネクタイをもう片方の腕にかけている。白いシャツの襟元のボタンは外してあった。「ジョーダン・アパウォラ、北ユート族の長老です」

自己紹介の言葉がこれほどまでしっくりとこない例は珍しい。若者は照れた様子で、きまり悪そうな笑みを浮かべた。だが、ペインターは目の前にいる人物がただの内気な若者ではないと気づいていた。若者は強い力で、ペインターの手をしっかりと握り返してくる。スーツの下の肉体は、普段から鍛えているに違いない。手を離すと、若者は目にかかった長い黒髪を軽く払い、円形に配置されたプエブロを見回した。

「ちゃんと説明した方がよさそうですね」若者は切り出した。「私は長老会議の事実上のメンバーです。祖父の代理を務めています。祖父は目が見えず、耳もほとんど聞こえないのですが、頭はしっかりしています。私は長老会議に出席し、内容を記録し、祖父と話し合ったうえで、彼の代わりに票を投じているのです」

ペインターはため息をついた。説明はよくわかったが、聞き取り調査をしようと考えていた長老の代役が、この若者に務まるとは思えない。古くからの言い伝えや、今では失われた部族の知識に精通した人間と話をしたいと考えていたのだ。

「あなたの表情から推測するに」ジョーダンの顔に浮かんだ笑みが一段と大きくなり、温かみを帯びたものになる。「どうやらがっかりされているみたいですね。でも、私の祖父にはここまでの長旅は無理です」ジョーダンはズボンの尻の部分を片手でさすった。「こんな悪路を車で走ったら、祖父は人工股関節の手術を受けないといけなくなりますよ。最後の一キロを走った後は、僕でも腰が痛くなってしまいましたから」

「それなら少し脚を動かすといい」そう言うアルヴィンは、そんな必要をまったく感じていない様子だ。彼は二人に向かってプエブロのポーチの方を指差した。だが、自分は妻の肩に手を回し、隣の小屋へと向かっていく。「君たちが話を詰めている間、アイリスとわしが本格的な朝食をこしらえてあげるとしよう」

自分たちが気兼ねなく話をできるように、老夫婦が気を遣ってくれているのだとペインターは察したが、状況が変わってしまった今となっては、そもそも話をする必要があるかどうかも疑問だった。それでも、朝食の申し出はありがたい。ペインターはジョーダンを日陰になったポーチへと案内した。コワルスキもポーチに出てきていて、両足を手すりに乗せた姿勢で椅子に座っている。ペインターをじっと見るその視線からは、彼も自称「長老」のこの若者をうさんくさく思っているのは明らかだ。

ハンクとカイもポーチに姿を見せた。教授のずんぐりとした飼い犬もやってきて、新しい客のズボンの裾のにおいを嗅いでいる。

ジョーダンは改めて自己紹介をした——だが、カイの手を握る時に、再び恥ずかしそうな表情を浮かべた。カイも途中で口ごもり、小声でもごもご言うと、ポーチの隅っこへと引っ込んだ。興味のないふりを装っているが、前髪の間から目の端でジョーダンの方をちらちらとうかがっている。

ペインターは咳払いをすると手すりにもたれかかり、ほかのメンバーと向き合った。「わざわざここまで来てもらった理由についてはすでに聞いていると思うが」ジョーダンに向かって切り出す。

「はい。私の祖父はジミー・リードの昔からの友人でした。あの出来事――洞窟での銃殺は、まさに悲劇としか言いようがありません。彼の孫のチャーリーのことは、私もよく知っています。この件についてできる限りの援助を提供するとともに、いかなる質問にもお答えするようにと、ここへ派遣されたのです」

政治家の答弁を聞いているかのような物言いだ。歯切れがよく控え目な言葉遣いを聞いて、ペインターはこの若者が少なくとも一年間はどこかのロースクールに在籍しているに違いないと踏んでいた。このユート族の青年は、手伝う意志があるかもしれないが、山間部で起こったあの悲劇に自らの部族がこれ以上関わり合いになるような話や、自分たちに危害が及びかねないような話はしてくれないに違いない。

ペインターはうなずいた。「ご足労いただいたことには感謝する。しかし、我々が本当に必要としていたのは、古くからのしきたりを守り、洞窟の歴史に関して詳しい知識を持つジミー・リードのような人物だ」

ジョーダンはひるんだ様子を見せない。「それは十分に承知しています。連絡を受けた祖父は、私を密かに呼び寄せ、ほかの誰にも知られることなく、ここへと派遣しました。つまり、ユート族の見解としては、あなたの要請をお断りしたということになっています」

ペインターは身じろぎしつつも、新たな目で若者を観察した。〈どうやら時間の無駄というわけでもなさそうだ〉

ペインターの視線の変化を、ジョーダンは平然と受け止めた。「そもそも洞窟の存在を知っていたのは、長老のうちの二人だけです。ユート族の土地の中にある洞窟の位置を記した部族の地図が保管されていました。ジミー・リードに洞窟の話を伝えたのは私の祖父です。昨夜、祖父は私にも洞窟の話をしてくれました」

若者の目にかすかな恐怖の色が光る。ジョーダンは太陽の日差しが照りつける断崖へと目を向けた。恐怖を振り払おうとしているかのような仕草だ。「ありえない話です……」声が漏れる。

「ミイラ化した遺体のことかな?」ペインターは促した。「それとも、あそこに隠されていた何かに関する話か?」

ジョーダンはゆっくりとうなずいた。「私の祖父によると、あの洞窟にあった遺体は偉大なるシャーマンの一族のもので、大いなる賜物と力を携えてこの土地を訪れた、肌の白い謎の部族だということです。彼らは『トートシーアントソー・プートシーヴ』の人々と呼ばれていました」

ハンクが翻訳した。「『明けの明星』という意味だ」ペインターの方を向く。「毎朝、東の空から昇る星のことだよ」

ジョーダンはうなずいた。「その古い言い伝えによれば、不思議な人々はロッキー山脈の東側からやってきたということです」

ペインターはハンクと顔を見合わせた。教授はその人々がロッキー山脈よりもさらにはるか東の世界からやってきたのだと考えているに違いない。

〈イスラエルの失われた支族――モルモン書のニーファイ人〉

「この地域に定住した後」ジョーダンの説明は続いている。「トートシーアントソー・プートシーヴは、西部の各部族のシャーマンを呼び集め、多くのことを教えました。その教えの噂は瞬く間に広がり、彼らのもとに集まった大勢の人々は、一大部族へと成長したのです」

〈レーマン人のことだ〉ペインターは思った。

「トートシーアントソー・プートシーヴは大いにあがめられましたが、同時にその力により恐れられてもいました。何百年もの月日がたつにつれて、彼らは自分たち以外の人間とあまり接触しないようになりました。その一方で、我々のシャーマンたちはより多くの知識を求めるようになりました。互いに争い合ったり、彼らの警告に背いたりするようなこともあったようです。そしてある日、南に住むプエブロ族の一部族が、トートシーアントソー・プートシーヴから強い力を持つ財宝を盗み出しました。しかし、その部族は自分たちの盗んだ財宝が持つ力を知らなかったため、自らに災いが降りかかることとなり、そのほとんどが滅んでしまったということです。ほかの部族はこの勝手な振る舞いに怒り、そのプエブロ族の部族のわずかな生き残りを攻撃し、男も女も子供も全員を殺害してしまったのです」

「大量虐殺だ」ハンクはつぶやいた。

ジョーダンは教授の言葉にうなずいた。「それを知ったトートシーアントソー・プートシーヴは恐怖におののきました。自分たちの持つ知識が、いまだに戦いを好む部族にとって大いなる力となることを、大いに魅力的に映ることを、知ってしまったのです。そのため、彼らは西部各地に広がっていた自分たちの仲間を呼び集め、財宝を神聖な場所に隠しました。彼らの多くが逃げる際に殺されたため、生き残ったわずかな人たちは秘密を守るために自ら命を絶たなければならなくなったのです」

ペインターは視線の端でハンクの様子を観察していた。今の話が、モルモン書に記されていたニーファイ人とレーマン人との間の争いなのだろうか？

「我々の長老の中でも最も信頼されている一握りの者だけが、この隠し場所に関する知識を有しています。そこにはトートシーアントソー・プートシーヴの大いなる物語が、黄金に記されていると言われています」

ハンクがはっと息をのみ、顔をそむけた。その目は涙で潤んでいるように見える。今の話は彼が信じていることの裏付けに当たる。自分たち先住民の歴史上の位置付けに関して、および神の計画における位置付けに関して、彼が信じていたことは正しかったのだ。

しかし、自らの血筋を意識しなくなって久しいペインターは、ジョーダンの説明を鵜呑《うの》みにすることはできなかった。「今の話の証拠はあるのか?」

ジョーダンは一瞬言いよどみ、つま先に視線を落としてから顔を上げた。「それはわかりません。でも、祖父の話によると、トートシーアントソー・プートシーヴについてもっと知りたいのであれば、彼らの終わりが始まった場所へ行くといいとのことでした」

「どういう意味だよ?」コワルスキが不機嫌そうに訊ねた。

ジョーダンはコワルスキの方を見た。「私の祖父は財宝を盗んだ泥棒の部族に災いが降りかかった場所を知っています。その部族の名前もです」ジョーダンは全員の顔を見た。「彼らはアナサジ族です」

ペインターは驚きの表情が顔に出るのを抑えることができなかった。アナサジ族とは古代プエブロ人の一部族で、今のアメリカ合衆国のフォー・コーナーズ、すなわちユタ州、コロラド州、ニューメキシコ州、アリゾナ州の州境が交わる地点の周辺に生活していた。広大な岩窟《がんくつ》住居で知られているが、彼らが歴史上から忽然《こつぜん》と姿を消した理由については今も謎のままだ。

ハンクがいわくありげな顔つきでペインターを見た。「ナバホ語で『アナサジ』は『昔の敵』の意味だ」さらに説明を続ける。「アナサジ族は西暦一〇〇〇年から一一〇〇年の間に姿を消した。しかし、何がその引き金になったのかについては、今もなお議論が続いている。これまでに様々な説が展開されてきた。大旱魃《かんばつ》説や、部族内に血で血を洗う争いが起きたという説もある。だが、コロラド大学の考古学者たちが提唱している最新の説の一つでは、アナサジ族が宗教戦争に巻き込まれたのではないかとしている。キリスト教徒とイスラム教徒との間の血なまぐさい争いに匹敵するような激しい戦いだ。新たな宗教に導かれて、彼らは南へといっせいに移住した。その直後、アナサジ族は滅んでしまったのだ」

今の説は、ジョーダンの祖父が語った古くからの言い伝えと一致する。ペインターはジョーダンの方へと向き直った。「君のおじいさんは財宝を盗んだアナサジ族に災いが降りかかった場所を知っているということだったな。それはどこなんだ？」

「南西部の、できればアリゾナ州の地図があれば、場所を示すことができます」

全員が建物の中へと入った。朝のまぶしい陽光を目にした後では、プエブロの内部は洞窟のように暗く感じる。カイが室内の明かりをつけて回った。ペインターはフォー・コーナーズ地域の地図を取り出し、テーブルの上に広げた。「教えてくれ」

ジョーダンは少し地図を眺めてから、小首をかしげた。「私たちが今いるところから五百キロ弱南にあります」そう言いながら、地図に顔を近づける。「フラッグスタッフの近くなんですが。ああ、ここです」

ジョーダンは地図上の一点を指差した。

ペインターは指先に記された地名を読み上げた。「サンセットクレーター火山国定公園」

〈なるほど、いかにも怪しい場所だ〉

コワルスキが小声で不満を漏らした。「火山がついて回るんだな」

ペインターは頭の中で計画を練り始めた。

「私も同行する」ハンクが言った。

ペインターはその申し出を断ろうとした。教授はカイと一緒にここに残ってもらった方が、余計な危険に巻き込まれずにすむ。

「私の友人たちが血を流し、命を犠牲にした」教授は強い口調で続けた。「私は最後まで見届けるつもりだ。それにアリゾナで何が見つかるかわからないじゃないか。私の専門知識が役に立つかもしれない」

ペインターは顔をしかめた。だが、今の申し出を断る口実が思い浮かばない。

コワルスキも同じ結論に達したようだ。「それでいいんじゃないんですか」

カイも何か言いたそうに一歩前に踏み出した。ペインターは機先を制して片手を上げた。

「アイリスとアルヴィンと一緒にいるんだ」ペインターはジョーダンを指差した。「君もここに残ってくれ」

二人ともここにとどまる方が安全だし、自分たちの目的地に関する情報が漏れるのもまずい。

カイは今にも反論するような表情を見せたが、ジョーダンの姿を見て思い直したようだ。何も言わずに、両手を組んだだけだ。

　これで話はついたとペインターが思ったところで、ジョーダンが近づいてきた。ポケットから一枚のたたんだ紙を取り出す。だが、ペインターに渡そうとしつつ、指の間に挟んだまま動きを止めた。

「出発前にあなたにこれを渡すようにと、祖父から預かってきました。でも、渡す前に一つだけ言わせてください。これは祖父からではなく、私からの言葉です」

「いったい何だ？」

「先ほどお話しした言い伝えは神聖な物語で、何百年もの間、長老から次の長老へと語り継がれてきたものです。祖父が私にその話を伝えたのは、すでに手遅れだと考えているからなのです」

　コワルスキが反応した。「手遅れだというのはどういう意味だ？」

「私の祖父は、あの山の洞窟から逃げ出した精霊を止めることはできないと信じています――世界は破滅に至るのです」

　ペインターはチンの説明を思い出した。細かい物質が、チンの言葉を借りればナノネストが、爆発地点から外へと拡大していたという。微小なナノマシンが行く手にあるあらゆる物質を分解していく様が頭に浮かぶ。それが無限に広がっていく可能性は、恐怖の一語に尽きる。

「しかし、止まったじゃないか」ペインターは反論した。「火山の噴火により、精霊は瓶の中に再び閉じ込められた」

ジョーダンはペインターの目を見つめた。「あれは始まりにすぎません。祖父の話では、精霊はそこから世界中を飛び回り、さらなる破壊を引き起こし、ついには世界が一面の砂と化すだろうと言うのです」

ペインターの体に寒気が走った。今の話は、ユタ州で放出されたニュートリノが地球内部を通過し、別の場所に保管されているナノ物質の導火線に火をつけたという日本の物理学者の説と恐ろしいまでに酷似している。キャットはアイスランドでの爆発が間近に迫っていると警告していた。

ジョーダンは折りたたんだ紙をペインターへと差し出した。「祖父はすでに望みは絶たれたと考えていますが、その一方でこれを伝えてほしいとのことでした。トートシーアントソー・プートシーヴの印です。この導きに従って、行かなければならない場所へと向かうようにと言っていました」

ペインターは紙片を受け取り、中身を見た。この印が何の意味を持つのかはわからない。だが、膝から崩れ落ちそうになるほどの衝撃が走る。ペインターは信じられない思いで首を振ることしかできなかった。紙の上に木炭で描かれた二つの記号には見覚えがある。これがトートシーアントソー・プートシーヴの印なのか？

三日月と小さな星。
ギルドの記号の中央に描かれていたのと同じ模様だ。
いったいどういうことなのか？

20

五月三十一日午後二時四十五分
アイスランド　エトリザエイ島

〈あと三十二分……〉

窓際で警戒に当たりながら、グレイは拳銃を握り締める指に力を込めた。数分前にキャットと話をしたばかりだ——すぐに救援を送ることはできないという話だけでなく、日本からの非常に気がかりな知らせも伝えてくれた。日本人物理学者の考えが正しければ、この島は午後三時を回ると間もなく、爆発することになる。その前に、この島から脱出しなければならない。

だが、それには一つの問題がある——正確には、それまでに片付けなければならない八つの問題——八人の相手がいる。

訓練を積んでいると思われる兵士たちは、小屋の正面を取り囲むように配置に就き、建物を監視下に置いている。数分前、彼らは小屋に突入するような動きを見せたが、なぜか攻撃を中止し、ところどころに露出した玄武岩の岩陰へと後退したのだった。

「何であいつらは攻めてこないのだ？」オリーが訊ねた。年老いた管理人は両手でショットガンを握り締め、暖炉のそばに立っている。ひどい目に遭わされたものの、モンクに縄をほどいてもらった後は、復讐に燃えていた。だが、待つばかりで時間が経過するうちに、気力が萎えてきたようだ。

セイチャンは窓の外から視線をそらさずにその問いかけに答えた。「私たちと同じように、あいつらも島が爆発するという情報を知らされたからよ。自分たちが脱出するまで、私たちをこの小屋から一歩たりとも外に出さないつもりなんだわ」

その予想が正しいことを裏付けるかのように、接近するヘリコプターのローターの回転音で窓ガラスが振動を始めた。中型の輸送用ヘリコプターが小屋の上空を通過し、草地の方へと飛行していく。ヘリコプターは草地の上でホバリング状態に入った。岩が点在する草地の中で着陸できる安全な場所を、操縦士が探しているのだろう。タンデムの四枚ローターが巻き起こす風を受け、地上の草がなぎ倒される。

〈あのヘリを奪取しなければならない〉グレイは思った。

「見て！」セイチャンが叫びながら指差した。「草地の向こう、崩れた岩があるあたり。新たな敵のお出ましよ」

グレイはヘリコプターから視線を外し、セイチャンが指し示す方向を見た。岩の間からさらに何人もの兵士たちが地上へと姿を現している。ついさっき、ＴＮＴが爆発したことを示す煙があがっていたあたりだ。先頭に立って走っている人物は、民間人の服装をしている。ハイキング用のシューズにオールウェザーパンツで、厚手の上着のジッパーは留めていない。中年男性は贅肉の付いた腹部を隠すかのようにバックパックを抱えていた。その後ろに続く二人の兵士は、大量の小さな石の箱をストレッチャーに乗せて運んでいる。

この島にある財宝の隠し場所への侵入に成功したに違いない。もしかしたら彼らが発見したのは別のものなのではないか、そんなグレイの期待は、山積みされた箱の上に光る金色の輝きで打ち砕かれた。兵士の一人が、ヘリコプターに向かって早く着陸するよう必死に手を振っている。

〈やつらもこの島が間もなく爆発することを知っているに違いない〉

床をこする足音が聞こえて、グレイは振り返った。モンクが息を切らせながら小走りに近づいてくる。「小屋の裏手を確認してきた。あちら側には誰もいないようだ」

「ぐずぐずしている時間はない。やつらは島から退避しようとしている」

モンクはうなずいた。「ヘリコプターなら見えたぜ」

「それなら、行動開始だ」

各自の役割の再確認が終わると、オリーとモンクは小屋の正面側の窓の脇で配置に就いた。

グレイとセイチャンは裏口へと向かって走る。

「あのじいさんの話が正しいことを信じるしかないわね」セイチャンが言った。

グレイたちの命はそれにかかっていた。管理人は六十年以上にわたってこの島に通っている。島の秘密を知る人間がいるとすれば、オリーしかいない。

グレイとセイチャンは裏口から外へと飛び出し、太陽の光が降り注ぐ草地を低い姿勢で走り抜けた。小屋の建物が敵の視界を遮ってくれる。グレイは緑の草地の中にあるやや隆起した地点を目指した。オリーからその場所の話を聞き、何があるか説明を受けている。それでも、低い丘を回り込むように走っているうちに、グレイは穴の中へと真っ逆さまに転落しそうになった。

セイチャンが腕をつかんでくれたおかげで、グレイは穴の縁の手前ぎりぎりのところで止まることができた。草地の隆起した部分はかつて噴出した溶岩がドーム状に固まったところで、内部は空洞になっている。丘の裏側に開いた穴は、溶岩の地上への通り道となった溶岩洞の入口だ。折れた歯のような形をした玄武岩の間に、トンネルの入口が大きく口を開けている。

二人は崩れ落ちた岩を足掛かりにして、溶岩洞の内部へと潜り込んだ。グレイは懐中電灯のスイッチを入れた。光線が滑らかなトンネルの壁を照らし出す。一人がどうにか通れる程度の幅しかなく、天井も頭をぶつけてしまいそうな低さだ。

「ついてこい」グレイは指示すると、小走りに奥へと進んだ。

オリーの話によると、溶岩洞は小屋の真下を抜け、草地の下にある空洞に通じているという。交差点のように数本の洞窟がそこで交わっているのだそうだ。その地点から別の洞窟を伝っていけば、草地の反対側の地上へと出ることができるらしい。管理人は簡単な地図を描いてくれた。グレイはすでに地図を暗記していたが、トロール船の船長が語っていたこの島の話も忘れていなかった。〈風と波に削られ続けたこの島は、かたくなったスイスチーズの塊のようなものさ〉……簡単に道に迷ってしまうおそれがある。だが、迷子になっているような時間の余裕はない。

一分も進まないうちに、二人は天井の高い空洞へとたどり着いた。足もとに小さな岩が散乱している。床には濁った雨水がたまっていて、空気はカビと潮のにおいがする。グレイは懐中電灯で照らしながら周囲を見回した。ここから通じる洞窟の穴は六個ある。オリーの描いた地図に穴は四個しかなかった。

肋骨を震わすかのような心臓の鼓動を感じながら、グレイは通ってきたばかりの溶岩洞の出口へと戻り、壁面に沿って移動しつつほかの穴を確認することにした。オリーからは手前から二番目の洞窟へと入るように言われている。最初の穴は裂け目ほどの幅しかない。グレイは懐中電灯の光を当てた。数メートル先でふさがっている。〈これは数に含めるのだろうか？　それとも、洞窟とは言えないからオリーはこれを数えなかったのだろうか？〉

グレイは次の穴へと急いだ。年老いた管理人からは生真面目で実務的な人物だとの印象を受けた。海という大自然に鍛えられてきたオリーは、無駄なことにまで神経を使ったりしないはずだ。重要なポイントだけを押さえているに違いない。その直感を信じて、グレイは行き止まりの亀裂を無視すると、その次の洞窟には目もくれず、さらにその次の洞窟へと向かった。これがオリーの地図に描かれていた二番目の穴のはずだ。

中をのぞくと、ここも溶岩洞だった。そこまではいい。だが、通路はさらに地中深くへと、下に向かって延びている。おかしいという気がしたものの、これ以上ここで時間を無駄にするわけにもいかない。大きく息を吸い込んでから、グレイはその溶岩洞へと入った。ここへ下りてきた溶岩洞よりもさらに狭い。

「本当にこの道でいいの？」セイチャンが訊ねた。

「そのうちわかる」

足早に洞窟を下り続けたグレイが自分の判断に疑問を抱き始めた頃、溶岩洞の傾斜が上りへと変わり、再び地上に向かい始めた。さらに一分ほど登り続けるうちに、洞窟の内部に光が差し込み始める。グレイは懐中電灯のスイッチを切った。ヘリコプターの二つのローターの回転音が地下にまで響いてくる。

前方に出口が見える。目を開けていられないほどまぶしく感じる。強い風が吹き込み、それとともに洞窟内に細かい砂粒が飛び込んでくる。

グレイはセイチャンの方を振り返り、耳元にささやいた。「ヘリコプターのすぐ近くにいるらしい」

セイチャンはうなずき、拳銃を手に握ると、前に進むようグレイを促した。

グレイは出口を目指して駆け上がったが、地上へ出る直前で速度を落とし、外の様子をうかがった。溶岩洞の出口の先は、先のとがった細長い岩が折れたり倒れたりして重なり合うように散らばっている。ピックアップスティックのゲームでバーを組み合わせたような格好だ。グレイは溶岩洞から外に出て、岩陰に身を隠した。すぐ後ろからセイチャンも姿を現し、地面に横倒しになった岩の陰に隠れる。

グレイは素早く周囲の状況を把握した。

ほんの十メートルほど離れたところで、ヘリコプターがローターを回転させたまま草の上に着地していた。おそらく着陸したばかりなのだろう。二人の兵士が機体の側面の扉を引き開けようとしている。その周囲にはほかの兵士たちの姿も見える。全部で二十人。

草の上にはストレッチャーが置かれ、石の箱がヘリコプターの貨物室へと運び込まれるのを待っている。グレイの目は金色の輝きをとらえた。いちばん上に置かれた箱の一部が壊れていて、中に詰め込まれた金属板が見える。

〈ユタ州の洞窟と同じだ〉

ストレッチャーの横に立って片手でバックパックを胸の前に抱えているのは、さっき目にした民間人だ。グレイはその人物の顔を観察した。金髪で青白い顔をした男だ。唇がやや突き出ていて、顎ひげをまばらに生やしている。これまで何の不自由もない生活を送ってきたのに、何一つ満足していない、そんなタイプの人間の顔だ。扉が大きく開かれると、すぐにその男はヘリコプターに向かって駆け出した。兵士たちが彼に手を貸して機内に乗せようとする。

ヘリコプターの向こう側の草地の先に見える小屋は、暗く静かなままだ。モンクはグレイの合図を待っている。気づかないことなどありえない合図を。

グレイはシグ・ザウエルＰ２２６を構えた。弾倉には十二発の３５７弾が装塡されている。セイチャンの持つ武器と同じだ。一発たりとも無駄にできない。セイチャンもグレイと同じ体勢で構える。

グレイはヘリコプターの近くで警戒に当たっている兵士に銃口を向けた。敵がヘリの貨物室内に立てこもるような事態は避けなければいけない。グレイは狙いを定め、引き金を引いた。

大きな銃声が周囲にとどろく。ほとんど間を置かずに、セイチャンの銃からも大きな発砲音が響いた。グレイの銃弾を浴びた兵士が崩れ落ちる。その体が地面に倒れるよりも早く、グレイは体勢を変え、二人目の兵士の喉を撃ち抜いた。

敵は混乱に陥った。ヘリコプターの周囲に固まっていたうえにローターが轟音を立てて回転しているために、兵士たちは誰に狙われているのかとっさに判断を下せずにいる。最初に姿を見せた八人の兵士のうちの一人が、小屋に向かって発砲した。小屋の中から攻撃されていると思ったのだろう。

建物からショットガンの銃声がとどろき、窓ガラスが砕け散る。オリーが兵士に向かって一発ぶっ放したのだ。

〈いいぞ、オリー〉

兵士たちの視線が小屋の方へと向く。

致命的なミスだ。

全員の注意が小屋に向けられている中、グレイは二人の兵士の背中を撃ち抜いた。一方、セイチャンはさっきまで小屋を取り囲んでいた八人の兵士に狙いを定めた。恐ろしいまでの正確さで、弾倉が空になった時には、距離のあるところにいた八人のうちの四人を始末していた。

セイチャンが空になった弾倉を取り出して新しい弾倉を装填する間、グレイは至近距離にいる二人の兵士に注意を向けた。二人は小屋から距離を置こうと後ずさりしながら、グレイたちの隠れ場所へと近づいている。背後に潜む本当の危険に気づいていない。グレイは残った弾を撃ち尽くして二人を倒すと、低い姿勢で岩の陰から飛び出した。

もっと武器が必要だ。

グレイは走りながら一人の兵士の死体からライフルを奪い取った。セイチャンも発砲しながら後に続く。グレイはライフルの銃口を前に向け、フルオートに切り替え、腰の高さに構えて乱射した。ライフルの機銃掃射を浴びた兵士たちの数人が倒れ、残りはヘリコプターから離れて岩陰へと身を隠した。

セイチャンはもう一人の兵士のライフルをつかんだ。

二人はそのままヘリコプターの貨物室へと飛び込んだ。

先客は小太りの民間人だけだ。両手を腰のあたりでばたつかせながら、ホルスターに収められた武器を取り出そうと必死になっている。セイチャンがライフルの台尻で頭を強打すると、男は座席に倒れ込んだ。セイチャンはそのまま操縦席へと向かっていく。ライフルを突きつけて、操縦士に言うことを聞かせようというのだろう。

一方、グレイはライフルを乱射し続けた。モンクとオリーを小屋から脱出させるためだ。グレイが援護する中、二人は体勢を低くして走り出した。モンクも拳銃を発砲しながら、敵の邪魔が入るのを妨げる。

二人は無事にヘリコプターのもとへと到達した。グレイは二人を機内へと引き上げ、貨物室の扉を閉めた。ライフルの乱射を止めても、耳ががんがんする。

「頭を下げろ！」グレイはモンクとオリーに向かって叫んだ。

まるでその指示が聞こえたかのように、ヘリコプターへの銃撃が始まった。機体の側面に銃弾が当たって跳ね返る。しかし、すでにローターの回転音が速くなりつつある。どうやらセイチャンの説得が功を奏したようだ――あるいは、操縦士も島の爆発が間近に迫っていることを知っているのかもしれない。

グレイは腕時計を確認した。

〈あと四分……〉

何とか間に合ったようだ。

だが、安心するのは早かった。

激しい爆発がヘリコプターの機体を揺らした。機体の真下の地面が陥没する。グレイはその場に這いつくばった。頭上では回転するローターが悲鳴に似た音をあげている。離陸寸前に激しく揺さぶられた機体は、不安定に上昇したかと思うと、機首を下にして大きく傾いた。側面の扉が再び開く。あわてて閉めたせいで、きちんと固定されていなかったのだろう。

扉の外に目を向けると、島の半分が煙に隠れて見えなくなっている。

「グレイ！」モンクが大声をあげた。

グレイが体を反転させると、折れた鼻から血を流した民間人の男が、バックパックを抱えたまま開いた扉から外に飛び出そうとしていた。グレイは男に飛びかかり、バックパックのストラップの部分をつかんだ。グレイの手に渡るのを防ぐために命を犠牲にしようとするくらいだから、その中身はかなり重要なものに違いない。しかし、男も荷物を離そうとしない。片方のストラップに腕を巻きつけたまま、機体の外へと身を投げる。

ストラップを抱えたままの男の体が機外で宙吊りになり、そのはずみでグレイの体も開いた扉の方へと引っ張られる。腹這いの姿勢で上半身が扉の外に出ても、グレイはバックパックを離そうとしなかった。男は体を前後に激しく揺すりながら、自分と大切な戦利品をグレイの手から引きはがそうとする。

グレイの体がさらに外へと引きずられる——その時、重い何かが両足に乗っかったおかげで、グレイの体の動きが止まった。

「捕まえたぞ」モンクの声がする。

ヘリコプターは不安定な姿勢のまま、高度を上げていく。上昇する機体の下で、古い火山円錐丘の一部が崩壊し、海に向かって滑り落ち始めた。島の表面には深い亀裂が走っている。危険から逃れようと散り散りになって逃げる兵士たちの姿が見える――だが、安全な場所など存在しない。

それは空中も例外ではなかった。

機体が大きく振動したかと思うと、ヘリコプターの高度が不意に数メートル降下した。グレイの体が床から浮き上がり、再び叩きつけられる。モンクは必死になってグレイが扉の外へ飛び出さないように押さえている。

「圧力が低下している！」操縦席からセイチャンの声がする。

新たな危険に対して反応するより先に、グレイの耳は銃声をとらえた。それと同時に、耳の端に焼けつくような痛みが走る。グレイは眼下に視線を向けた。民間人の男は片腕でぶら下がったままだが、もう片方の手でホルスターから武器を取り出すことに成功していた。機体が突然に急降下していなかったら、グレイは撃ち殺されていただろう。

だが、命拾いをしたと安心していられるような状況にはない。

操縦士が機体を安定させようとする中、民間人は慎重にグレイへと狙いを定めている。この至近距離から二度も外すことは考えられない。

男はグレイに向かって笑みを浮かべ、フランス語で何かを叫んだ後、引き金にかけた指に力を込めた。耳をつんざくような銃声が響く――だが、男の拳銃の発砲音ではない。ショットガンの銃声だ。

グレイの背中の上には、銃口から煙を噴き上げるショットガンを抱えたオリーがまたがっていた。

下を見ると、男の顔の半分が吹き飛ばされていた。力の抜けた腕がゆっくりとバックパックから離れ、体が回転しながら島の残骸へと落下していく。

モンクはグレイの体と苦労して手に入れた戦利品を機内へと引き上げ、首を左右に振りながら告げた。「今度からは乗り物の外に顔や手を出すんじゃないぞ」

グレイはオリーの手を握った。「ありがとう」

「あいつには借りがあったからな」オリーは折れた鼻をそっとさすった。「顔をぶん殴られたからには仕返しをしてやらんといかん」

再びヘリコプターが激しく揺れ、地上に向かって急降下した。全員が手近なものをつかみ、降下が止まるのを待つ。だが、機体は高度を下げ続けている。グレイは開いた扉から外を見た。真っ二つに割れて海中へと崩れ落ちていく島が、急速に近づいている。深い裂け目の底に見える赤い炎が、これから起こる最悪の事態を予告している。

落下を続ける機体がゆっくりと回転を始めた。

セイチャンが操縦室から貨物室へと顔を出した。「後部ローターの圧力がすべて失われたわ！」

さらに全員がすでに覚悟していた事態を告げる。「墜落するわよ！」

21

五月三十一日午前九時五分
ユタ州サン・ラファエル・スウェル

カイは日陰になったポーチに立っていた。煎《い》ったピニョンマツの実をかじると、塩気の効いた濃厚な風味が口の中に広がる。このあたりに自生するピニョンマツの木からアイリスが集めてきた実だ。彼女は屋内で火にかけた選別用のトレイを動かしながら、挽いて粉にするための実を用意している。

アイリスはカイにやり方を教えようとした。実が焦げてしまわないようにするにはこつがあるらしい。だが、カイにはわかっていた。このホピ族の年配の女性が、気を遣ってくれているだけだということを。アイリスの申し出を断り、カイは荒れた大地を遠ざかっていく土ぼこりの方角をぼんやりと眺めていた。ペインターたちは時を移さず行動を開始し、装備を集め、レンタルしたＳＵＶに乗って出発してしまった。教授の飼い犬も連れて。

だが、自分は置いていかれた。

さっきは何とか怒りをこらえることができた。怒りを表に出したところで、何にもならないと思ったからだ。それでも、いまだに腹の虫が治まらない。自分はこの件に最初から関わっている。だったら、最後まで見届ける資格があるはずだ。一人前の大人なら、自分の行動にはきちんと責任を持つようにといつも言っているくせに、こういう時には子供扱いするなんて。

カイはピニョンマツの実をもう一つ口の中に放り込み、歯でがりがりとつぶした。置き去りにされることには慣れっこになっている。今日だけは違うだろうなんて、期待していなかったはずなのに。おじさんなら違う接し方をしてくれるだろうなんて、期待していなかったはずなのに。

でも、きっと心のどこかで、期待してしまっていたのだろう。

「あの人、ちょっと怖い感じだね」

カイが振り返ると、戸口にジョーダン・アパウォラが立っていた。さっきまでのスーツ姿から着替えて、カウボーイブーツ、色あせた青のTシャツ、黒のジーンズといういでたちで、ベルトにはバッファロー・クロウの頭部をかたどった銀のバックルが付いている。

「ペインター・クロウは君のおじさんなの？」ジョーダンは訊ねた。

「遠い親戚よ」今のカイの本心としては、赤の他人だと答えたいところだった。

ジョーダンがポーチへと出てきた。片手にカウボーイハットを持ち、もう片方の手には湯気を上げるピニョンマツの実が何個か握られている。手の中の実を指で動かしているのは、さまそうとしているからだろう。アイリスが調理しているトレイから直接つまんできたに違いない。彼女の視線に気づくと、ジョーダンは実を一個、口の中に放り込んだ。

「パイユート語でこいつは『トゥーヴァッツ』と言うんだ」ジョーダンは実を噛みながら教えた。「ホピ語ではどういう名前なのか、知りたいかい？」

カイは首を横に振った。

「アラパホ語では？　ナバホ語では？」そう訊ねながら、ジョーダンは笑みを浮かべた。カイのもとへと近づいてくる。「この家の女主人は、ピニョンマツについての自分の知識を誰かに披露したくてたまらないみたいだね。ピニョンマツの松脂《まつやに》がチューインガムに使われていることは知ってた？　切り傷とかの怪我の痛み止めとして使われていることは？　あのねばねばしたやつは、昔はトライデントやネオスポリンの代わりだったんだな」

カイは顔をそむけて笑顔を見られないようにした。

「ここから逃げ出さないといけないよ」ジョーダンは悪だくみを相談するかのような口調でささやいた。「ホピ族伝統の雨乞いの踊りまで教えられたらたまらないからね」

「悪気があるわけじゃないのよ」カイはたしなめたが、再び笑みが浮かぶのを抑えることができなかった。

「だったら、これからどうする？」そう訊ねながら、ジョーダンはカウボーイハットをかぶった。「スリーフィンガー・キャニオンまでハイキングにでも出かける？　それとも、アルヴィンの孫たちのマウンテンバイクがあるから……ブラックドラゴン・ウォッシュまで行ってみる？」

カイはジョーダンの方に視線を向けながら、彼の真意を探ろうとした。日に焼けた顔つきと、高い頬骨のおかげで際立って見える茶色の瞳の輝きからは、言葉通りの意味しかうかがい知ることはできない。けれども、カイはちょっとした運動や観光にはとどまらない誘いが含まれているのではないかと疑っていた。ジョーダンがちらちらと自分の方に向ける視線は、会った時から意識している。カイは頬が熱くなるのを感じ、開けたままになっていた扉の方へと向かった。自分のことを思ってくれる人はほかにもいる。自分にとって大切な人はすでにいる。

ＷＡＨＹＡの仲間たちとともにいるチェイトン・ショウの顔が脳裏に浮かぶ。ジョーダンと二人きりで出かけたりしたら、彼に対する裏切りにならないだろうか？　ただでさえ罪の意識を感じているというのに。さっき読んだばかりのメールの文面が、ずっと心に引っかかっている。これ以上、仲間を傷つけるようなことはできない。

「ここから離れない方がいいと思うわ」そう言いながら、カイは家の中へと向かった。「おじさんから連絡があるかもしれないし……」

自分でもあきれてしまうほど、下手な言い訳だ。けれども、ジョーダンは何も言わなかった。そのせいで、彼に背を向けたまま中に入るのがいっそうつらくなる。カイは肩越しにジョーダンの方を振り返った。明るい朝の光を背にして、ジョーダンの姿が浮かび上がっている。カイは無意識のうちにジョーダンとチェイトンを比べていた。チェイトンは熱心な活動家だけれども、ペヨーテやマッシニルームやマリファナに頼りすぎるきらいがある。ジョーダンとは初めて会ってからまだ一時間もたっていないが、彼は部族の誇りに対してもっと純粋な、誠実な思いを抱いているみたいだ。祖父を敬愛して支える姿や、アイリスの教えに辛抱強く耳を傾ける様子からも、そのことが感じ取れる。

カイの視線に気づいたのか、ジョーダンが背を向け始めた。カイはあわてて家の中へと駆け込んだ。テーブルにぶつかり、煎ったピニョンマツの実が乗ったトレイをひっくり返しそうになる。カイは奥の部屋へと急いだ。今は一人きりになりたい。

カイは薄暗い部屋の中で、ほてる頬を両手の手のひらで覆った。〈私、どうしちゃったの?〉

部屋の奥では、画面を閉じたラップトップ・コンピューターのスリープモードボタンが、暗闇で輝くネコの緑色の瞳のように光を発している。連絡が必要になった場合に備えて、クロウおじさんは衛星を使ってのネット接続機能と、衛星電話を一台残していってくれた。カイはその配慮を感謝した。

何かしていないと落ち着かないため、カイは机へと歩み寄り、椅子に座り、ラップトップ・コンピューターを開いた。ジョン・ホークスから二通目のメールが届いているかと思うと怖くてたまらなかったが、メールをチェックせずにはいられない。自分のメールアカウントを呼び出す。新着メールのチェックにかかる時間がもどかしい。新たなメールは届いていなかった。

ラップトップ・コンピューターを閉じようとしたカイの目に、ＷＡＨＹＡの創設者からの既読メールが留まる。顔をしかめてから決意を固め、カイはそのメールを再び開いた。もう一度、目を通したいと思ったからだ。自分への戒めとしたかったからなのか、あるいは改めて読み返せばそんなにひどく自分を責める内容ではないかもしれないと考えたからなのか。

メールを読み返したカイは、最初に読んだ時のような絶望感は感じなかった。その代わり、一行読み進めるごとに、次第に怒りが募ってくる。おじに置いてきぼりにされたことですでに不機嫌になっていたカイは、ジョン・ホークスも同じ考えでいるのだとわかった。問題が手に負えなくなる前に、彼女をお払い箱にしようとしているのだ。

〈あれだけのことをしたのに……あんなに危険を冒したのに……〉

頭に血が上ったカイは、返信ボタンを押した。返事を書くつもりはない。鬱憤《うっぷん》を晴らす相手が、胸の内をぶちまける相手が、必要だっただけだ。指先に怒りを込めながら、カイはメールの本文を打ち込んだ。無実を訴える長いメールを書き綴る。何としてでも自分の汚名を晴らすつもりだと説明する。ＷＡＨＹＡの助けなど借りるつもりはない。カイはその部分の文字を強調した。いい気分だ。メンバーの一人の忠誠心を疑い、支持の手を差し伸べようとしない組織に対する軽蔑の念をあらわにする。組織の目標に対して、自分がこれまでに行なってきたこと、これまでに貢献してきたことを書き連ねる。自分にとってＷＡＨＹＡがどれほど大きな意味を持っていたか、自分に向けられた今回の裏切りと不信にどれほど深く傷ついたか、ジョン・

ホークスにはっきりと伝える。

最後の言葉を入力する頃には、目に涙があふれ、画面がかすんでいた。その涙は心の奥深くにある、決して癒《い》えることのない傷から湧き出たものだ。カイはありのままの自分を愛してほしいと思っていた。いいところも、悪いところも、強いところも、弱いところも、すべてを。自分の存在が不都合になった途端に、捨てられたりするのはもうごめんだ。カイは自分の本当の気持ちに気づいていた。かつて父が愛してくれたように、誰かに愛してもらいたいだけなのだ。〈それのどこがいけないの？〉……カイはその疑問を大声でわめきたい衝動に駆られた。

その代わりに、カイはじっと画面を見つめた。書いたばかりのメールの文面に目を凝らす――カイは新たな衝動に身を任せることにした。手を伸ばし、カーソルを動かし、指先に力を込める。クロウおじさんは、インターネットの接続には何重もの暗号化が施されていると言っていた。

それなら、危険などないはずだ。

自分のことは自分で決めると決意し、カイは送信ボタンをクリックした。

午前九時十八分
ユタ州ソルトレイクシティ

新着メールの受信を示すチャイムの音を聞き、ラフは笑みを浮かべた。腕時計で時間を確認する。予想より一時間も早い。事態は思いのほか順調に進行している。高級なホテルのバスローブとスリッパに身を包み、贅沢な気分に浸りながら、ラフはストレッチをした。シャワーを浴びたばかりの髪はまだ乾いていない。

ラフは室内を見回した。ソルトレイクシティ中心部にある、グランドアメリカホテル最上階のプレジデンシャルスイートだ。アメリカ合衆国に入国して初めて、ラフは故国にいるような気分を味わっていた。室内にはヨーロッパ風の調度品が備え付けられている。サクラ材を使用した手作りのリシュリューの家具、専用のスパに使われているカッラーラの大理石、十七世紀のフランドルのタペストリー。床から天井まで開いた窓の外に広がるホテル最上階からの景色は、正面を見れば息をのむほど美しい山々が広がり、はるか眼下へと目を移せば手入れの行き届いた庭園を楽しむことができる。

そんな満足感を、すすり泣く声が台なしにする。

ラフは痩せこけた若者へと視線を向けた。裸にされ、リシュリューのダイニングチェアに縛りつけられている。口にはガムテープが巻かれていた。左右の鼻の穴からは鼻水が垂れている。苦しそうな息づかいだ。大きく見開いた目は、傷ついたキツネのように怯えている。

だが、この男はキツネではない。

彼はラフのタカ《ホーク》だ……狩りのために放ったタカ。

カイ・クォチーツの個人情報には、交友関係も含まれていた。アメリカ先住民の権利のために闘う若い過激なオオカミの集団ＷＡＨＹＡと活動を共にしていたことも。組織のリーダーがどこに身を隠しているか、突き止めるのには一時間もかからなかった。彼はソルトレイクシティにいた。例の事件があった山間部の近くを訪れているのは、こうした悲劇には付き物のマスコミ取材に備えるためだろう。だが、ジョン・ホークスにはほかの目的もあったようだ。ベルンは空港近くのストリップクラブでホークスを発見した。このアメリカ先住民の活動家は、白人の金髪女性が好みで、しかも豊胸手術を受けた巨乳に目がないらしい。

椅子の方から再び情けないうめき声があがる。

ラフは指を一本立てた。「もう少しの辛抱だ、ミスター・ホークス。あと少しで自由にしてやるから。君は実に協力的だった。けれども、狩りが成功したかどうかを確かめないといけないのだよ」

ジョン・ホークスを聞き分けよくさせるには、それほど手間はかからなかった。彼の手の指が二本、天井の方を向いている。アシャンダがまるで小枝でも折るかのように、軽々と折り曲げたせいだ。生まれつき骨のもろいラフは、指の骨が折れた時の痛みは身をもって経験している。生まれてから今までの間に、彼は手足のすべての指を骨折したことがあった。

ただし、骨が折れるのは必ずしも事故によるものとは限らない。

ラフたちはホークスの協力を取りつけることに成功し、捜索の網から逃げた小鳥を誘い出すための手紙を書くうえで必要な、カイの性格や人柄に関する情報を入手することができた。どうやらうまく事が運んだようだ。

〈予想よりもかなり早かったな……〉

送信したメールで、ラフは返信の期限として正午を設定した。だが、少女はぐずぐずと時間を引き延ばしたりしなかった。それはこっちも同じだ。

「メールの本文の暗号解除に成功しました」チーム内のコンピューター担当が声をかけた。

ラフは声の方を見た。男は単にＴＪの呼び名で知られている――ラフはその技術者の本名を知りたいと思ったことすらない。ひ弱なアメリカ人で、何日もぶっ続けでプログラムをかける時には必ず覚醒《かくせい》剤を使用している。技術者は小型のメインフレームサーバーが並んだ前に立っていた。カテゴリー６ケーブルで連結されたサーバー群は、Ｔ２のブロードバンド回線に接続されている。

ラフはそんな専門用語をまるで理解できなかった。結果さえわかれば十分だ。

「メールの本文はそちらの専用スクリーンに間もなく表示されます。パケットの送信経路を突き止めるために、ＩＰアドレスの逆探知、衛星ノードの検索、サーバー接続の割り出しを行ない、キラーアルゴリズムをかけているところです」

「細かい話はいいから、発信元を見つけてくれ」

「我々にお任せください」

ラフは「我々」という言葉に目を丸くした。TJは少しばかり優秀な助手にすぎない。本当のコンピューターの天才は、相互に接続されたいくつもの機器の中央に座っている。アシャンダの長い指が三台のキーボード上を目まぐるしく移動する。小型グランドピアノを演奏するピアニストのような、華麗で優雅な指さばきだ。その視線の先には、楽譜の代わりに画面上をスクロールする暗号がある。別の画面には、サーバーのノードとゲートウェイのプロトコルが、デジタルの世界地図上にクモの巣のように広がっている。アシャンダを手こずらせるものなど存在しない。どれほど堅牢《けんろう》なファイヤーウォールでも、アシャンダの手にかかればドミノの牌《ぱい》のように倒れていく。

作業の様子に満足すると、ラフは自分のラップトップ・コンピューターへと向かい、画面上に表示されたカイ・クォチーツからのメールの本文に目を通した。下唇を指先で軽く叩きながら、十代の少女の怒りと傷ついた心情を読み進める。メールに記された彼女の激情と胸の内の吐露に、ラフはかすかな同情の念を覚えた。ジョン・ホークスを一瞥する。不意に三本目の指を折ってやりたいという思いが湧き起こる。こいつはリーダーという地位にあぐらをかいて、メンバーの若さと情熱をいいように利用していただけだ。起こしたことの責任を取るのはメンバーたちで、自分だけが甘い汁を吸っている。

まずい組織運営の見本のような男だ。

　ＴＪの口笛の音に、ラフは我に返った。ＴＪはアシャンダの肩越しに画面をのぞいている。

「うまくいったみたいだ！」興奮で声が上ずっている。「最後の難関を突破したぞ！」

　ラフは二人のもとへと歩み寄り、ＴＪとアシャンダとの間に割り込んだ。成功の瞬間を味わうのは、自分とアシャンダだけでいい。

　アシャンダの背後に立つと、ラフは耳元にささやいた。「君のお手並を拝見させてもらおうか……」

　その言葉に、アシャンダは何の反応も見せなかった。インスピレーションを得た時の芸術家のように、自分の世界に入り込んでいる。これが彼女の能力だった。人はある感覚を失うと、別の感覚が強くなると言われる。このデジタル解析能力こそが、アシャンダの持つ新しい感覚だった。

　ラフはアシャンダの腕に手のひらで触れた。古い切開の跡が何本も筋となって残っている。このような傷跡を付けることは、アシャンダの所属していたアフリカの部族では儀式の際の風習として今もなお行なわれている。子供の頃に屋敷に連れてこられた当初、傷跡は今よりもはっきりと盛り上がっていた。今では指先でたどればわかる程度にしか残っていない。まるで点字を読んでいるかのようだ。

「あと少しだ！」ＴＪは息を切らしている。

　アシャンダがかすかにラフの頬へと頭を傾けた。肌と肌が触れ合っていなくても、彼女のぬくもりが伝わってくる。二人の関係を正しく理解できる者はいない。ラフも言葉でうまく説明することができないし、口のきけないアシャンダはなおさらだ。子供の頃から、二人はずっと一緒に過ごしてきた。ラフにとって、アシャンダは乳母であり、看護師であり、姉であり、どんな秘密でも打ち明けることのできる相手だった。今までの生涯を通じて、ラフの期待や恐怖や希望を、アシャンダは何も言わずにただ受け止めてくれた。その代わりに、ラフはアシャンダに身の安全を、何の不自由もない生活を与えた――もちろん、愛も。肉体的な関係を持つこともあったが、それはまれなことだった。骨形成不全症の影響で、ラフは不能だったからだ。男として最も大切な部分ももろくなっているらしい。

ラフは複数のキーボードの間を行き来するアシャンダの手を見つめた。二人きりでいる時、何度かアシャンダに指を折り曲げてもらったことを思い出す。苦痛と快感の狭間で身悶えするうちに、指は折れてしまった。だが、それによって性的な興奮を覚えたわけではない。その痛みの中のある種の純粋さに、ラフは自分が解放されるのを感じた。自分の肉体の弱さを恐れるのではなく、その弱さを受け入れ、自分にしかない豊かな感性を大いに活用するべきだということを学んだのだ。

アシャンダが小さくため息を漏らした。

「やったぞ!」TJは歓声をあげ、両手を高々と掲げた。ひいきのチームのゴールを喜ぶサッカーファンのようだ。

ラフはアシャンダに顔を近づけた。頬と頬が触れ合う。「よくやった」耳元にささやく。その姿勢のまま、ラフは画面上に目を凝らした。デジタルの地図が拡大し、緑色に輝く何本もの線がユタ州のある一点へと収束していく。ラフはその場所の地名に自分の名前が含まれているという意外な発見に喜んだ。

「サン・ラファエル」その言葉に、気分がさらに高揚していく。「これは言うことなしだな」

ラフはジョン・ホークスの方を見た。

大きく目を見開いている。

「どうやらこの先、狩りにタカを使う必要はなくなったようだ」

ラフが近づくと、裸の男は大きなうめき声をあげた。必死に何かを訴えようとしている。確かに、協力してくれたのだから何らかのお返しをしてやらなければいけない――この場合は、上手な組織運営のやり方を教えてやることだろう。この男にはその知識が欠けているようだから。

ラフは男の背後に回り、細い首筋に腕を回した。首の骨をへし折るのは、映画のように簡単にはいかない。ラフは三回目の試みでようやく成功した。しかし、いい教訓になったはずだ。時にはリーダーといえども、自らの手を汚さなければならない。組織内の士気を維持するうえで必要なことだ。

ラフは椅子から離れ、額に浮かんだ汗をぬぐった。運動をした後の汗は気持ちがいい。

「問題は片付いたから……」ラフはアシャンダに向かって手を差し出した。「次の場所へと向かうとしようか、私の黒い子猫ちゃん《モン・シャトン・ノワール》」

22

五月三十一日午後三時十九分
アイスランド　エトリザエイ島上空

グレイは操縦士の後ろで、セイチャンとともに体を踏ん張ってこらえていた。セイチャンの手がグレイの前腕部をしっかりとつかんでいる。体を支えるためなのはもちろんだが、恐怖をこらえるためでもあるに違いない。

ヘリコプターは旋回しながら炎の地獄に向かって急降下していた。高度を維持しようと、頭上ではローターが甲高い悲鳴に似た音で回転を続けている。操縦席のフロントガラスの先には大きく広がる噴煙が見える。高温の細かい粒子が落下する機体の側面にあられのように打ちつける。噴き上がる微粒子がエンジンの空気取り入れ口に吸い込まれるため、モーターの出力がさらに低下していく。

操縦士は両足の間にあるサイクリックスティックを片手で操作しながら、もう片方の手で制御盤のスイッチを切り替えていた。操縦士は敵の一人、傭兵部隊の一味だ。機内の人間の運命はこの男が握っている――だが、楽観視できるような状況にはない。

「もうおしまいだ！」操縦士が叫んだ。「手の打ちようがない！」

水蒸気を噴き上げながら分解していく岩の塊と化した島の姿が、急速に近づいてくる。かつての火山円錐丘を、大きな亀裂が引き裂こうとしていた。深い亀裂の底には、荒れ狂う炎が見える。島の内部へと入り込んだ冷たい海水が溶岩と接触し、水蒸気の間欠泉となって空高く噴き上げる。

このままでは炎熱地獄へと墜落してしまう。

グレイは海上へと逃れるしかないと判断した。しかし、凍てつくような海中では、ほんの数分で体温を奪われて命を落としてしまうだろう。グレイは副操縦士席に座り、丸みを帯びたフロントガラスに顔を押しつけた。島の周囲の海上に目を凝らす。太陽の光が波に反射してきらきらと輝いている。だが、そんなのどかな光景を楽しんでいる余裕はない。島から立ち昇る噴煙の柱と水蒸気で、南側は陽光が遮られて影になっている。その影の中に、グレイは暗い海上を進む白い塊を発見した。

「あそこだ！」グレイは大声をあげながら、右下を指差した。「二時の方角！　島の南側だ」

操縦士がグレイの方を見た。ヘルメットの下の顔面は蒼白だ。「何だって……？」

「船がある」あれはフルド船長のトロール船に違いない。「このヘリをできるだけあの近くに着水させてくれ」

操縦士は機体を傾け、海上に目をやった。「俺にも見える。だが、島の上空を通過させるだけの高度を維持できるかすらもわからないんだぞ。とてもじゃないが、あんなところまで飛べるとは思えない」

そう言いながらも、操縦士はほかに選択の余地がないことを理解した。サイクリックスティックとコレクティブピッチを調節して、操縦士は機体の降下角度を南側へと傾けた。だが、このほんのわずかな操作の間にも、機体の高度は下がり続ける。片方のローターだけで不安定な飛行を続けながら、大きな機体は急激に高度を下げていた。島が視界の大半を占める。岩壁に遮られて船の姿が見えなくなった。

「これじゃあ無理だ……」操縦桿《かん》とスロットルと格闘しながら、操縦士がつぶやく。

前方の裂け目から吐き出された大量の熱水と水蒸気が、空高く噴き上がる。ヘリコプターはしぶきの中に突っ込んだ。一瞬、視界がまったく利かなくなる。次の瞬間、機体は噴出した水の中を抜けた。フロントガラスから水が消えると、スプーンでえぐり取ったような形状の火山円錐丘が真正面に迫っている。岩でできた大波が、その先にある海への行く手を遮っているかのようだ。

「出力が足りない！」甲高いローターの回転音に負けじと操縦士が大声を出した。

「何とかしろ！」グレイは叫び返した。

地面が見る見るうちに近づいてくる。グレイは草地の上に横たわった牛の死体に気づいた。

高熱にやられたのか、それとも有毒ガスのせいか——恐怖によるショック死かもしれない。

その時、不意に島の接近が止まった。草地が目の前から遠ざかっていく。

〈高度が再び上昇している〉

操縦士も同じことに気づいたようだ。「俺は何もしていないぞ！」高度計を指差す。「見ろ、高度はまだ下がり続けている！」

フロントガラスに顔を近づけ、下をのぞき込んだグレイは、勘違いに気づいた。ヘリコプターの高度が上昇しているわけではない——島が沈んでいるのだ。

グレイの見ている目の前で、火山円錐丘の大きな塊が崩落した。水蒸気を噴き上げる亀裂が島を貫通したためだ。島のほぼ四分の一がゆっくりと傾き、酔っ払いがバーカウンターの椅子から転げ落ちるかのように、一回転して海中へと滑り落ちていく。

前方にあった火山岩の壁が低くなり、傾きながら崩れ落ちていく。その先にある海が視界に見えてきた。だが、まだ危険を脱したわけではない。

「きわどいぞ！」操縦士が言った。

機体の下では大きな岩が飛び跳ねながら草地の上を転がっている。小さな岩が操縦席の目の前を横切る。

操縦士は悪態をつきながら、機体を操作して衝突を回避した。

それでも、火山の縁を越えられるかどうかは微妙なところだ。島の沈む速度が遅すぎる。操縦士がうめき声を漏らした。力を振り絞って操縦桿と格闘している。グレイは副操縦士席側の制御装置を作動させた。この機種のヘリコプターの操縦方法は知らないが、力を貸すだけならできる。グレイはコレクティブピッチレバーを握った。思うように動かない。バールを使ってヘリコプターを持ち上げようとしているかのようだ。

「だめだ！」操縦士は怒鳴った。「つかまってろ！　すぐにぶつ――」

機体が岩にぶつかった。

ヘリコプターのスキッドが火山円錐丘の縁に接触し、耳障りな金属音とともに機体から剝《は》ぎ取られる。機体は前のめりになって宙返りを始めた。崩壊する島の上を回転しながら飛び越える。フロントガラスの向こうに黒い海面が一瞬よぎる。

まるで万華鏡をのぞいているかのように、窓の外の光景が移り変わる。斜めに傾いて回転を続けながら、ヘリコプターは海上へと飛ばされた。

午後三時二十二分

ヘリコプターが激しく回転を続ける中、セイチャンの目は黒い海面を一瞬だけとらえた。頭上にある何かの取っ手をつかみ、両足を突っ張って体を固定する。背後からモンクの怒鳴り声がする。それに続く甲高い悲鳴は、年老いた管理人の発した声だろう。すぐ目の前で、グレイの体が副操縦士席から浮き上がり、フロントガラスに叩きつけられる。グレイは頭を機体のフレームに強打した。

その後ろでは、シートベルトで座席に体を固定した操縦士が、操縦桿と格闘しながら、何とかして機体を安定させ、降下速度を緩めようとしている。最後の力を振り絞ってレバーを引くと、ヘリコプターの機首がわずかに上がり、回転速度が落ちる。

機体の動きにもてあそばれるかのように、グレイの体が再び座席へと飛ばされた。膝が操縦士のヘルメットを直撃する。グレイの頭頂部からは血が滴り落ち、顔の半分が赤く染まっている。

操縦士はグレイを押しのけた。「そこをどいてくれ！　衝撃に備えろ！」

セイチャンは空いている方の腕を伸ばし、グレイの上着の襟元をしっかりとつかむと、自分の方へと引き寄せた。その勢いを利用して、機体後部の貨物室へと転がり込む。モンクがオリーにシートベルトを装着しようと格闘している。

機体側面の扉が開いたり閉じたりを繰り返す中、見る影もなくなった島の姿が途切れ途切れに視界に入る。崩落した円錐丘の尾根が海面に着水し、大きな波が発生して外側へと広がっていく。数カ所から立ち昇る噴煙のせいで、陸地はほとんど確認できない。黒い煙の中心付近には、赤い輝きが見える。地表へとあふれ出たマグマが、時折空高くへと噴き上げる。

しかし、マグマよりも恐ろしいのは急速に近づいてくる海面だ。

あと数秒の猶予しかない。セイチャンは意識の朦朧としたグレイを、貨物用のネットに覆われた壁へと押しつけた。グレイはセイチャンの意図を理解し、両腕をネットに巻きつけた。自分も腕を巻きつけようとしながら振り返ったセイチャンの目に映ったのは、崩落した陸地の塊によって発生した大波が、急降下するヘリコプターをのみ込もうとする光景だった。

機体は大波へと突っ込んだ。体が床に叩きつけられる。セイチャンは悲鳴に似た甲高い金属音を耳にした――次の瞬間、氷のように冷たい海水が機内に流れ込み、すべての音がかき消される。大量の水に、セイチャンの体はまるでぬいぐるみのように軽々と持ち上げられた。足が何かとがったものに当たり、ジーンズが裂け、筋状の激しい痛みが太腿に走る。波にもまれ、セイチャンの体はグレイに激しくぶつかった。グレイの顔はまだかろうじて水の上にある。グレイは片手でセイチャンをつかもうとした。セイチャンもネットをつかもうとした。

だが、どちらも失敗に終わった。

海中へと沈むヘリコプターの開いた扉から、セイチャンは泡とともに海中へと吐き出された。体の回転が止まらない。セイチャンは海水にむせた。傷口から流れる血が、海中へと糸を引く。下に目を向けると、壊れたヘリコプターの機体が大量の油を噴き出しながら暗い深みへと沈んでいく。やがて、機体は闇に消えて見えなくなった。脱出できた人影は確認できない。

〈グレイ……〉

しかし、セイチャンにはどうすることもできなかった。今からヘリの後を追って潜ったとしても、機体はすでにかなり深いところまで沈んでしまっている。海面へと戻るまでに、全員が溺死してしまうだろう。

胸が締めつけられるような絶望感を振り払って、セイチャンは海中から顔をそむけた。海面へと、かすかな太陽の光へと視線を移す。こんなにも海中深くにまで引きずり込まれていたことに初めて気づく。肺はすでに限界が近づいている。たどり着けるかどうかわからないが、セイチャンは海面を目指して足を蹴った。冷たい海水が、まるでナイフの刃のように肌を刺す。

その時、何かが頭上を横切り、太陽の光が遮られた。黒くて滑らかな影だ。セイチャンは冷たい海中で、身も心も凍りついた。ほかにもいくつかの影が現れた。彼女のまわりを取り囲むその影からは、ひれが突き出している。そのうちの一つの影が近づいてきた。すぐそばを通り過ぎながら、彼女の方を大きな目でじろりとにらむ。その目の輝きから、セイチャンは知性を、狡猾《こうかつ》さを、そして何よりも飢えを感じ取った。

〈シャチだ……〉

血のにおいに引き寄せられたのだろう。

骨の髄まで冷え切った体に、警戒を促すかすかな信号が走る。危険を察知したセイチャンは、下に目を向けた。

黒い影が一つ、深みから近づいてくる。大きく開いた口の中には、とがった歯が並んでいる。

セイチャンは悲鳴をあげ、海水を飲み、必死に足を蹴った。

だが、間に合わない。

シャチの口がズボンをくわえ、歯が肉へと食い込んだ。

午後三時二十四分

沈みゆくヘリコプターの機内で息を止めたまま、グレイは冷え切って感覚の麻痺した指先で、荷物を固定した紐をほどいていた。水圧のせいで頭に鈍痛が走る。針が頭蓋骨を貫通しているかのような痛みだ。ネットの間から一辺六十センチのラバー製の立方体を取り出し、水を蹴ってその場から離れる。

グレイはモンクにぶつかった。モンクも「荷物」の紐をほどき終わったところだ。脇の下にオリーを抱えている。老人はぐったりとしていて、意識はない。溺死寸前なのだろう。海面に墜落した直後、グレイは操縦士の様子も確認した。シートベルトを締めて操縦席に座ったまま、大きな金属片が喉に突き刺さった状態で息絶えていた。

どうすることもできない。

必要なものを確保すると、モンクとグレイは開いた扉から薄暗い海中へと泳ぎ出した。太陽と空気があるのは頭上のはるか彼方だ。普通に泳いでいたのでは無事に海面までたどり着けるわけがない。オリーを蘇生《そせい》させようと思ったらなおさらだ。グレイはこの老人に命を救ってもらった。その恩を返さないといけない。

グレイはラバー製の立方体をモンクに手渡した。立方体からぶら下がっているロープに義手の指をしっかりと固定するモンクの唇から、小さな気泡がいくつも漏れている。モンクの目には苦痛の色が浮かんでいた。おそらく、自分も同じような顔をしていることだろう。低い海水温にどうにか耐えられたとしても、酸素の欠乏で死に至るのは時間の問題だ。

グレイは片手でモンクのベルトをしっかりと握り、オリーの体を二人の間に挟み込んだ。それからもう片方の手を伸ばし、立方体の側面に付いている圧縮空気カートリッジ用のコードを引っ張る。

グレイがコードを引っ張ると同時に、急速膨張式のゴムボートがふくらみ、黄色い救命ボートの形となった。通常、このタイプの救命ボートは、海面に浮かんだ船員に向かって空から投下して使用する。グレイはこの新しい使用法が自分たちの命を救ってくれるはずだと期待していた。救命ボートの浮力がすぐにグレイたちを海面へと引き上げ始めた——最初はゆっくりとだったが、次第に速度が上昇する。

数秒後、グレイたちの体は水中を高速で移動していた。

グレイはモンクにしがみつき、オリーを抱えたまま、海面へと向かった。周囲の海水の色が瞬く間に明るくなる。グレイは肺に残ったわずかな空気を吐き出した。そうすることで、すぐに空気を吸い込むはずだと肺が錯覚を起こし、酸素への欲求が少しは和らぐと言われている。

グレイは肺がだまされ続けることを祈った。

だが、酸素の欠乏で視界が狭まり、目の前が暗くなっていく。海面まであとどのくらい距離があるのか、正しく判断することができない。

次の瞬間、シャンパンのボトルのコルク栓を抜いたかのように、グレイたちは海面から飛び出した。救命ボートは波を越え、グレイたちをぶら下げたまま空中高く飛び上がる。しばらく宙を舞った後、ボートは海面へと叩きつけられた。グレイは必死でオリーの体を抱えていた。

モンクも救命ボートにしがみついている。

グレイは咳き込んだ。息を吸っては、海水を吐き出す。モンクが救命ボートをグレイの脇へと引き寄せた。船首部分では小さな救命灯が明るく点滅している。グレイたちは冷たい海中から救命ボートへとよじ登った。手足が震え、歯ががたがたと鳴る。グレイはオリーをボートの上に寝かせた。モンクが手際よく診察する。

「呼吸は止まっているが、弱いながらも脈はある」

モンクはオリーをうつ伏せに寝かせ、背中を押し始めた。水面に浮かんだゴムボートの上で行なうのは容易なことではない。しばらくすると、オリーの唇と鼻から水が流れ出た。様子を確認しながら、モンクはオリーを仰向けの姿勢に戻した。オリーの皮膚はすでにぞっとするような紫色に変わっている。それでも、医学の心得のあるモンクはあきらめたりしない。モンクは人工呼吸を始めた。

グレイは天に向かって無言の祈りを捧げた。オリーには借りがある。しかも、すでにこの島では多くのものが失われてしまった。グレイは攻撃部隊と一緒にいた民間人から奪い取ったバックパックを背中から外し、救命ボートの床に置いた。ヘリコプターの機内から回収したものだ。このバックパックを忘れるわけにはいかない。今回の任務で手にすることができた成果は、これだけなのだから。

しかし、そのために大きな代償を支払うことになった。

グレイは救命ボートの周囲の海面を探した。自分から引き離されていくセイチャンの姿が目に浮かぶ。渦を巻く海水に引き込まれ、セイチャンは機体の外へと消えた。この状況では望み薄だ。水温の低い海中では、数分しか命が持たないだろう。

いったいどこに行ってしまったのか？

グレイは周囲を見回したが、島の南側の海域は濃い噴煙がすべてをのみ込んでしまっている。どの方角を見ても、視界は数メートルしか利かない。空気中には燃える硫黄と潮の入り混じったにおいが充満している。温度の高いことだけがありがたい。

上空に目を向けると、太陽はぼんやりとした鈍いオレンジ色の塊にしか見えない。近くにある島の方がはるかに明るい。エトリザエイ島の残骸は、救命ボートからほんの数百メートルほどの距離にあり、頭に炎の王冠を戴いた黒い影と化している。炎が空高く噴き上げ、帯状の溶岩が山腹を流れ落ちる。溶岩が冷たい海水と接する島の沿岸部は、水蒸気に覆われていた。

震動と轟音がひっきりなしに伝わってくる。

このままでは島に近すぎて危険だ。

その予感を証明するかのように、大きな衝撃音が響き渡り、島の中心部から炎の柱が噴出した。噴煙がいっそう激しく噴き上がると同時に、細かい高熱の灰が空から大量に降り注ぐ。海面に落ちた灰がシュッという音とともに煙をあげる。灰が肌に触れると痛みが走る。大きな岩も降り注いでいるようだ。煙っているために目で確認することはできないが、水面を叩く大きな音から予測がつく。

小さく咳き込む声を耳にして、グレイは救命ボートの中へと視線を戻した。

オリーが胸をふくらませ、再び咳き込んだ。唇と鼻からはまだ水がこぼれ出てくる。モンクがほっとした表情を浮かべながら救命ボートの床に座り直した。オリーに手を貸して体を起こす。管理人はうつろな目で周囲を見回した。

かすれた声でつぶやく。「やっぱりわしは地獄行きだったか」

モンクはオリーの肩をぽんと叩いた。「地獄に落ちるのはもう少し先みたいですよ、ご老体」

オリーはきょろきょろと顔を動かした。「じゃあ、ここはどこなんだ?」

火山灰の勢いが激しさを増した。高熱の雪が舞っているかのようだ。海面はすでにうっすらと灰で覆われている。やや大きな噴石が救命ボートの側面にぶつかった。手で払いのける間もなく、ポリエチレンの表面を融かして海中へと姿を消す。穴から空気が漏れ、救命ボートの片側が見る見るうちにしぼんでいく。

「島からできるだけ離れないといけない」グレイは指示した。「噴煙の届かないところまで行かないと。手で漕ぎながらボートを進めるしかない」

「それより、ヒッチハイクする方がいいんじゃないか?」そう言いながら、モンクはグレイの背後を指差した。

サイレンの大きな音が海上に響き渡る。

グレイは振り返った。煙の間から大きな船の舳先《へさき》が姿を現し、救命ボートの方へと近づいてくる。まるで幽霊船のようだが、どこか見覚えがある。

フルド船長のトロール船だ。

船長の息子の巧みな操船で、トロール船は救命ボートの隣に並んだ。

甲板から船長が呼びかけた。顔には大きな笑みが浮かんでいる。「あんたら、俺の島で何をやらかしたんだ?」

フルドはグレイたちが船尾甲板へと乗り移るのに手を貸してくれた。オリーは一人で立つことができないため、グレイとモンクが抱えてやらなければならなかった。

「まさしく濡れネズミといったところだな」フルドは顔をしかめた。「早く来な。下に毛布と乾いた服を用意してある」

「どうやって見つけてくれたんですか?」グレイは訊ねた。

「ちかちかと点滅している明かりが見えたんだよ」船長は救命ボートの船首部分にあるＬＥＤ灯を指差した。「それに君たちを発見しないことには、ここから離れられなくてね。彼女が許してくれないもんだから」

操舵室からスリムな女性が足を引きずりながら姿を現した。毛布にくるまり、左脚にはふくらはぎから太腿の真ん中あたりまで包帯が巻かれている。

〈セイチャン……〉

思わず駆け寄りそうになり、グレイは危うく抱えていたオリーを落とすところだった。

あわてたモンクの舌打ちが聞こえる。

「俺もびっくりしたよ」フルドは説明を始めた。「島に来る途中に見かけたシャチの群れが、盛大な打ち上げ花火が始まって以来ずっと、この船に寄り添うように泳いでいた。怯えた子供が母親のスカートにしがみつくようなものだな。ところが、そいつらが突然船から離れ、海中へと潜った。どこかに逃げてしまったのかと思ったよ。それが三十秒くらいたったら、君の仲間の女性とともに水面へと戻ってきたんだ。溺れかけていた彼女を、鼻で押して船まで連れてきてくれたのさ」

シャチは「キラーホエール」とも呼ばれるが、「殺し屋《キラー》」の異名はふさわしくない。野生のシャチは人間を襲わない。むしろその逆で、同じ科に属するイルカのように、シャチが水中の人間を守っていたという事例がいくつも報告されている。

いつも餌をくれるなど、優しく接してくれる船長に対して、シャチの群れが恩返しをしてくれたのだろうか。

セイチャンが足を引きずりながら近づいてきた。安堵しているというより、いらついたような表情を浮かべている。「自分一人でも海面まで泳げたと思う」

フルドは肩をすくめた。「シャチはそう見ていなかったようだ。この辺の海に関しては、連中の方が君より詳しいんだよ、お嬢さん」

セイチャンの表情がさらに険しくなった。

「オリーのことだけど」モンクは管理人を抱えたまま言った。「どこか暖かいところに連れていって、ちゃんと診察してやらないといけない。かなり海水を飲んでしまったみたいだから」

もちろん、海水を飲んだのはオリーだけではなかったが、グレイはモンクにそうするよう指示した。

フルドも息子のいる操舵室へと向かおうとしたが、その前にグレイにある知らせを伝えた。

「短波無線を聞いていたんだが、この噴火がきっかけで、このあたりの海底に走る地溝からマグマの噴出が始まったらしい。活動が沈静化する頃には、新しい島が一つか二つ、誕生しているかもしれないな」

不気味な予言とともに、フルドは甲板を後にした。

セイチャンは両腕を組んで立っていた。グレイの方を見ずに、海を眺めている。噴火の続く島から船が離れるにつれて、噴煙も船まで届かなくなる。

「あんたたちは死んだと思った」セイチャンが口を開いた。ささやくような小さな声だ。「でも……あきらめることはできなかった」

グレイはセイチャンの隣に並んだ。「あきらめないでいてくれてよかった。君がフルド船長に言ってくれたおかげで、俺たちの命が助かったんだ」

セイチャンがグレイの方を見た。ふざけているのかと確認するかのように、グレイの顔色をうかがっている。何を見て取ったのかはわからないが、セイチャンはすぐに目をそらした。だが、彼女が視線を外す直前、グレイはその目に判断を迷っているかのような影がよぎったことに気づいた。セイチャンがめったに見せたことのない表情だ。

セイチャンは毛布をさらにしっかりと体に巻きつけた。そのまましばらく、沈黙が続く。

「もうバッグは調べたの？」セイチャンが訊ねた。

一瞬、グレイは何の話だかわからなかった。セイチャンの視線の先には、甲板の上に置きっぱなしになっていたバックパックがある。

「まだだ」グレイは答えた。「時間がなかったから」

セイチャンは「それで？」とでも言いたげな目つきをした。

当然の反応だ。今の時間を無駄にするわけにはいかない。

グレイはバックパックへと近づき、甲板にしゃがみ込むと、ジッパーを開いた。セイチャンも上からのぞき込む。

グレイは水を含んだ中身を調べた。それほど多くはない。濡れた二枚のTシャツ、筆記具、ページがぐしょぐしょになったリング式のメモ帳。しかし、クッション代わりに使用していたと思われる丸めたTシャツの間に、封をしたジップロックの袋がある。グレイは袋を取り出した。

「何なの？」

「古い本みたいだな……日誌かもしれない」グレイはジップロックの封を開け、中身を取り出した。

小さな革装の本だ。かなり古いものらしく、表面はぼろぼろになっている。グレイは慎重に本のページをめくった。几帳面《きちょうめん》な手書きの文字が書き記してあるほか、細部まで丁寧に描かれた絵も添えられている。日誌、あるいは個人の日記なのは間違いなさそうだ。

グレイは文字を目で追った。

「フランス語だ」

グレイは最初のページを開いた。流れるような書体の二文字のアルファベットが記されている。

「AF」グレイは文字を読み上げ、セイチャンの顔を見た。
二人とも、このイニシャルを持つ人物を、この日誌を書いた人物を知っている。
アルシャール・フォルテスキューだ。

（下巻に続く）

シグマフォース シリーズ6
ジェファーソンの密約　上
The Devil Colony
２０１４年１１月６日　初版第一刷発行

著……………………………………… ジェームズ・ロリンズ
訳………………………………………………………………桑田 健

編集協力………………………………… 株式会社オフィス宮崎
ブックデザイン…………………………橋元浩明（sowhat.Inc.）

発行人………………………………………………………… 後藤明信
発行所………………………………………………… 株式会社竹書房
〒102-0072　東京都千代田区飯田橋２－７－３
電話　03-3264-1576（代表）
03-3234-6208（編集）
http://www.takeshobo.co.jp
振替：00170-2-179210
印刷・製本……………………………………… 凸版印刷株式会社

ISBN978-4-8019-0034-9　C0197
Printed in JAPAN